Gaby Hauptmann
Liebling, kommst du?

P9-DTN-626

Zu diesem Buch

Nele glaubt, sie hört nicht recht: Ihr Mann Björn wird freigestellt, und das mit 48. Aber seit ihr Sohn Alex aus dem Haus ist, hat sie ihr Leben neu eingerichtet: Sie hat nun einen Job, ihren eigenen Rhythmus, ihre Freunde und überhaupt eigene Vorstellungen vom Leben. Jetzt beginnt Björn mit seiner überschüssigen Energie alles umzukrempeln. Als erstes schleppt er Nele auf eine Reise nach Florida, wo sie die deutschen Mitglieder einer Harley-Gang kennenlernen. Während es für Nele nur eine flüchtige Bekanntschaft ist, die sie schnell vergessen will, empfindet Björn echte Freundschaft. Dabei hat es ihm vor allem die 25-jährige Dana angetan. Nele ist alles andere als begeistert, doch ihre Gefühle kreisen nicht nur um Björn: In ihrem Sprachkurs ist ein junger Puerto Ricaner, er heißt Enrique und liest Nele jeden Wunsch von den Augen ab ...

»Liebling, kommst du?« – ein mitreißender Roman über neue Lebensphasen und alte Lieben, über zwei, die auf der Suche sind und erst wieder erkennen müssen, was sie aneinander haben.

Gaby Hauptmann, geboren 1957 in Trossingen, lebt als freie Journalistin und Autorin in Allensbach am Bodensee. Ihre Romane »Suche impotenten Mann fürs Leben«, »Nur ein toter Mann ist ein guter Mann«, »Die Lüge im Bett«, »Eine Handvoll Männlichkeit«, »Die Meute der Erben«, »Ein Liebhaber zuviel ist noch zuwenig«, »Fünf-Sterne-Kerle inklusive«, »Hengstparade«, »Yachtfieber«, »Ran an den Mann«, »Nicht schon wieder al dente«, »Rückflug zu verschenken«, »Ticket ins Paradies«, »Hängepartie« und »Liebesnöter« wurden in zahlreiche Sprachen übersetzt und erfolgreich verfilmt. Zuletzt erschien »Ich liebe dich, aber nicht heute«, das wie alle anderen ihrer Bücher wochenlang auf den Bestsellerlisten stand.

Gaby Hauptmann

Liebling, kommst du?

Roman

Piper München Zürich

Mehr über unsere Autoren und Bücher:
www.piper.de

Von Gaby Hauptmann liegen bei Piper außerdem vor:
Das Glück mit den Männern und andere Geschichten
Die Lüge im Bett
Die Meute der Erben
Ein Liebhaber zuviel ist noch zuwenig
Eine Handvoll Männlichkeit
Frauenhand auf Männerpo
Fünf-Sterne-Kerle inklusive
Gelegenheit macht Liebe
Hängepartie
Hengstparade
Ich liebe dich, aber nicht heute
Liebesnöter
Nicht schon wieder al dente
Nur ein toter Mann ist ein guter Mann
Ran an den Mann
Rückflug zu verschenken
Suche impotenten Mann fürs Leben
Ticket ins Paradies
Yachtfieber

MIX
Papier aus verantwor-
tungsvollen Quellen
FSC
www.fsc.org   **FSC® C083411**

Originalausgabe
Mai 2014
© Piper Verlag GmbH, München 2014
Umschlaggestaltung: Johannes Wiebel | punchdesign
Umschlagmotive: Ewa Pix (Briefschlitz), Evlakhov Valeriy (Fond)/beide Shutterstock
Satz: Satz für Satz. Barbara Reischmann, Leutkirch
Gesetzt aus der Adobe Garamond
Druck und Bindung: CPI books GmbH, Leck
Printed in Germany   ISBN 978-3-492-30539-6

Für Heidi und Arthur,
unsere Eltern,
die immer unternehmungslustig waren
und eine wahrlich harmonische Ehe führten.
Dank für eine völlig unbeschwerte Kindheit und Jugend.

Warum muss sich immer alles ändern? Warum kann es nicht einfach bleiben, wie es war? Es war doch gut. Oder nicht?

Oder etwa nicht?

Nele sah ihren Mann an. Nicht sprachlos, dafür war sie zu beredt, aber fassungslos. Innerlich. Nach außen lächelte sie.

Komisch. Alles war wie gestern. Draußen versuchte die fahle Februarsonne vergeblich, die hartnäckige Schneedecke schmelzen zu lassen, und am Rhododendron wartete die Amsel auf ihr Frühstück. Warum war es nicht gestern? Warum war es heute?

Warum stand Björn so erwartungsvoll vor ihr?

»Ich habe dir das früher schon sagen wollen.« Auf seinem Gesicht stand Verlegenheit. Ein Hauch von Entschuldigung. Oder war es Bedauern? Aber warum schaute er so? Was erwartete er jetzt von ihr?

Nele fuhr sich durch die Haare. Das war ihre Geste für äußerste Anspannung. Aber sie lächelte noch immer.

»Und wie hat er das gesagt?«, wollte sie wissen und schob ihr Müsli von sich. Noch einen Bissen, und sie würde sich übergeben müssen.

»Er stand vor mir wie einst Gerhard Schröder, die eine Hand in der Hosentasche, das Jackett offen. Lässig. Und genauso lässig hat er es formuliert.«

»Dass du ... stillgelegt wirst?«

»Tja, da gibt es einen geschmeidigeren Ausdruck. Freigestellt. Nicht stillgelegt.«

»Aha.« Sie griff nach ihrer Kaffeetasse. Hilflos wollte sie nicht wirken, aber sie fühlte sich so.

»Du bist 48!«

»Ja, genau!«

»Was willst du dann schon im Ruhestand? Die Politik spricht von Rente ab 67? War das nicht so? Oder 63? Da hast du noch«, sie überlegte und spürte Panik aufsteigen, »fast zwanzig Jahre … zwanzig Jahre!«

»*Hätte* ich.«

Seine Ruhe war es, was sie am meisten aufbrachte. Björn saß völlig seelenruhig mit ihr am Frühstückstisch und schien mit dieser Lebensentscheidung absolut im Einklang zu sein. Sie aber nicht!

»Wieso sitzen wir hier dann noch? Um diese Uhrzeit? Wie gestern? Wie vorgestern? Wie immer? Wenn du sowieso aufhörst?«

»Weil ich die nächsten Wochen natürlich noch ins Büro gehe. Ich muss alles abwickeln.«

Er sah ihr über den von ihr so reichhaltig gedeckten Tisch hinweg in die Augen.

»Aber Schätzchen, freust du dich denn gar nicht?«

Nein, sie freute sich nicht.

Sie freute sich gar nicht.

Sie freute sich ganz und gar nicht.

»Es kommt etwas überraschend«, wich Nele aus. »Ich muss mich erst …«, sie überlegte und vermied seinen Blick, »daran gewöhnen.« He!, dachte sie. Ich bin 45 und habe jetzt einen Rentner als Mann? Das geht ja gar nicht!

»Und es ist ja nicht bis in alle Ewigkeit«, gab er zu bedenken. »Ich habe ein Jahr Wettbewerbssperre. Dafür werde ich ja auch bezahlt. Ein Jahr könnte ich mir dazu noch gönnen, danach kann ich wieder loslegen.«

Loslegen. Mit fünfzig, dachte Nele. Wer will schon einen Fünfzigjährigen, der zwei Jahre aus dem Business raus ist? Sie sagte nichts. Ihr Schweigen behagte Björn nicht, er warf einen kurzen Blick auf seine Armbanduhr.»Na, ich muss jetzt jedenfalls los.« Er stand auf, ging um den kleinen Tisch herum und drückte ihr einen Kuss auf die Stirn. »Überleg doch mal«, sagte er, »was wir jetzt alles machen können! Kein Büro mehr, kein Stress mehr, echte Freiheit, nur du und ich!«

»Du und ich«, wiederholte sie und spürte selbst, wie lahm es klang. *Du und ich,* das hatte die letzten dreiundzwanzig Jahre nur im Urlaub stattgefunden. Und überhaupt. *Du und ich,* da gab es ja auch noch die Frage des Geldes. Was hieß da … die nächsten zwei Jahre? Und vor allem: Gab es überhaupt einen Grund für all das?

»Hast du was verbockt? Ich meine«, sie stockte, als sie in seine eisgrauen Augen sah, »hast du einen Fehler gemacht? Etwas Schwerwiegendes?« Sie spürte selbst, dass ihre Stimme grell wurde, sie konnte ihre Panik kaum noch verbergen. Aber sie beherrschte sich und versuchte ihre Nerven in den Griff zu bekommen. Langsam stand sie auf und schlang die Arme um seinen Hals. »Björn«, sagte sie leise. »Willst du mir etwas sagen?«

»Ja«, antwortete er bedächtig und zog ihre Arme von seinem Nacken. »Ich muss jetzt gehen. Es gibt noch vieles, das geregelt werden muss. Gespräche mit meinem Nachfolger beispielsweise.« Er grinste.

Konnte es wahr sein, dass er grinste?

»Sie haben dich vor die Tür gesetzt, und du grinst?«

»Ich habe allen Grund dazu.« Jetzt nahm er sie in den Arm. »Das Spiel geht ja schon länger. Ich wollte dich nur nicht beunruhigen.«

Allerdings. Zwischendurch hatte Nele schon darüber nachgedacht, ob da wohl eine Geliebte im Spiel war. Die ständigen Sitzungen und Konferenzen, in welcher Bank wurde so lange gearbeitet?

»Nicht beunruhigen?«, echote sie. Nicht beunruhigen? Sie spürte, wie sich ihre Stirn in Falten legte. »Nicht beunruhigen?«, fragte sie schärfer, als sie wollte. »Wie??!!?? Nicht beunruhigen!!«

»Bevor ich die Verhandlungen abgeschlossen hatte!« Er stand vor ihr, und sie hätte ihm eine runterhauen können. Mitten ins Gesicht. So selbstgefällig, so von sich überzeugt, so selbstgerecht. Das war das Allerletzte!

»Findest du das nicht gut?« Björn sah sie mit großen Augen an.

Ja, findet sie das nicht gut? »Die Einjahresklausel war ja so schon in meinem Vertrag geregelt. Aber dass ich jetzt zu meinem monatlichen Gehalt auch noch eine Abfindung bekomme, ist perfekt. Ich habe alles herausgeholt, was möglich war, vielleicht sogar noch etwas mehr. Mein Direktorenstatus war ganz gut was wert«, er grinste und zog sie wieder an sich. »Nur gut, dass du mich so angetrieben hast. Das zahlt sich jetzt aus.«

Hatte sie das? Das war ihr gar nicht aufgefallen. Sie hatte von Anfang an nur gewollt, dass er aus seinem Studium Nutzen schöpfte. Es reichte ja schon, dass sie ihr Studium der Schwangerschaft wegen aufgegeben hatte, um sich um ihr Kind zu kümmern. Einer von beiden musste weiterkommen. So hatte sie ihren Ehrgeiz auf ihn fokussiert, das war ja normal.

Björn atmete auf, als er aus der Garage fuhr. Es war ihm bewusst gewesen, dass er Nele aufschrecken würde. Nele hatte ihren Rhythmus, ihre Aktivitäten, ihre Freunde. Sie hatte ihr Leben zwischen Familie und ihrem Job organisiert. Nele war ein wunderbarer Mensch, das fand er noch immer, und sein Gefühl zu ihr war seit 23 Jahren unverändert. Sie waren damals zu jung gewesen, um sich über die Folgen eines gemeinsamen Kindes klar zu sein, aber sie hatten es durchgezogen, und bis auf ein paar Ausrutscher, die alle er sich geleistet hatte, soweit er das beurteilen konnte, war ihre Ehe glatt gelaufen. Wer konnte das von sich sagen? In seinem Freundeskreis waren die meisten längst getrennt. Ja, bei den Großveranstaltungen trauten sich die Eventmanager kaum noch, die Namen der letztjährigen Partnerinnen auf die Einladungsliste oder die Tischkärtchen zu schreiben, denn das konnte zu unschönen Auseinandersetzungen führen.

Björn fuhr mit dem guten Gefühl in die Bank, dass er einiges für den Betrieb getan hatte und jetzt seine Belohnung dafür erhielt. Es trieb ihm ein Grinsen aufs Gesicht, denn er wusste wohl, dass er ziemlich gepokert hatte. Sein Abgang war der fusionierenden Bank einiges wert gewesen. Sollte sich doch der andere, der aufstrebende Konkurrent, in Zukunft mit all dem herumärgern. Björn hatte gleich zu Beginn der Verhandlungen nur an einen guten Abgang gedacht. Und den hatte er jetzt!

Nele musste sich erst einmal hinsetzen. Sie hatte ihn zur Haustür begleitet und ihm, wie etliche Schuljahre über ihrem Sohn, einen Kuss mit auf den Weg gegeben. Das tat sie nicht, weil sie jeden Tag gut auf ihn zu sprechen gewesen war, sondern weil sie einmal eine Fernsehsendung gesehen hatte, in der das Kind im Unfrieden aus dem Haus gegangen war und gleich darauf tödlich verunglückte. Das war ihr so an die Nieren gegangen, dieser unendliche Unfriede, der nicht mehr bereinigt werden konnte, dass sie all die Jahre auf einem friedlichen Abschied bestanden hatte.

Aber nach dem heutigen friedlichen Abschied von Björn saß sie am Frühstückstisch und starrte ausdruckslos in ihr Müsli. Es wollte sich einfach kein vernünftiger Gedanke einstellen. Was bedeutete das nun, wenn Björn plötzlich unendlich viel Zeit hatte? Sie hatte ihr eigenes Leben. Ihre eigenen Freunde. Ihren Rhythmus. Sie hatte ihren Job, ihre Berufung. Sie gab Immigranten in der Volkshochschule Deutschunterricht. Wie würde sie plötzlich eine normale Woche mit Björn teilen? Ihr wurde himmelangst bei dem Gedanken.

So gut gelaunt hatte sie Björn selten erlebt. Seit drei Wochen schien er aus der guten Laune überhaupt nicht mehr herauszukommen. War das gespielt? Oder war er wirklich so glücklich? Ständig machte er irgendwelche Zukunftspläne, sprach abwechselnd von einer Expedition durch die Wüste, zu Fuß wohlgemerkt, oder begeisterte sich für eine Studienreise durch die innere Mongolei. Dann wieder wollte er endlich zum Heli-Skiing nach Kanada oder über den Atlantik segeln. Nele kam kaum noch mit. Zudem hatte er sein Saxofon hervorgekramt, das seit Jahren verstaubt im Keller stand und das er längst vergessen hatte – dachte sie. Jetzt fand Björn, dass er dringend einen Lehrer engagieren müsse. Sobald er seinen letzten Arbeitstag hinter sich gebracht hätte, wollte er leben. Alles nachholen. Aufbrechen in die zweite Hälfte seines Lebens. Seit seiner Einschulung mit sechs Jahren hatte er gesät, gab er eines Abends beim Abendessen zum Besten, jetzt würde die Zeit der Ernte kommen. Aber das Geld dafür würde doch niemals reichen, warf Nele ein.

Björn blieb gelassen. Irgendwann würde er ja wieder etwas tun. Aber eben ohne Druck. Finanzwelt – ja, vielleicht, aber sicherlich keine Bank mehr. Jetzt würde er sich erst mal treiben lassen, erklärte er ihr. In sich hineinhorchen. Und schließlich hatte er ja frühzeitig in Immobilien investiert. Wenn sie also nicht gerade im Luxus leben wollten, würden sie auch ohne aufreibenden Job ein gutes Auskommen haben. Außerdem, fügte er augenzwinkernd hinzu, verdiene Nele ja auch etwas dazu.

Nele hielt sich zurück und ging weiterhin davon aus, dass sich der Wahnsinn wieder legen würde. Sie traute dem Ganzen nicht. Überspielte er seine Trauer des Unterlegenen? Machte es ihm wirklich nichts aus, dass ein Jüngerer den Fusionsthron bestieg? Ehrgeiz war doch all die Jahre seine Triebfeder gewesen. Er wollte hoch hinaus, ganz weit nach oben, ganz an die Spitze. Das hatte er erreicht – und wurde jetzt abgesägt? Keinen Chauffeur mehr, keine eifrigen Mitarbeiter und auch keine Sekretärin mehr, die alles für ihn erledigte, neben Terminplanungen, Flug- und Hotelbuchungen auch das Geburtstagsgeschenk für die Gattin besorgte, weil er *diesen* Termin mal wieder übersehen hatte?

Nele überlegte, mit wem sie über all das reden könnte. Ihre beiden besten Freundinnen waren Singlefrauen, sie hatten ihre Erfahrungen mit Scheidungen und endlos suchenden Singlemännern gemacht, aber ein heimkehrender Mann war für beide völliges Neuland. Als sie das Thema bei einem gemeinsamen Wein in ihrem Lieblingsbistro schließlich doch ansprach, fiel die Reaktion genauso aus, wie sie befürchtet hatte: Sie erzählten sofort von Loriots »Papa ante Portas« und wollten sich in der Erinnerung an diesen Film vor Lachen ausschütten. »Björn mit dem Maßstab in der Hand, wenn er die Bettdecke ausmisst«, feixte Jutta und warf ihr blondes Haar nach hinten. »Überhaupt, Björn als Hausmann, völlig undenkbar!«

Nele lachte nicht mit. Ihr ging gerade auf, wie ihre Freundinnen sie gesehen hatten: als Hausmütterchen mit sozialen Ambitionen. War es so? Björn, der Ernährer, der zu Hause den Kaffee anbrennen ließ, und sie, die das Heim richtete und ihm den Rücken freihielt?

»Das siehst du völlig falsch!« Jasmin versuchte den Eindruck zu relativieren. »Du bist eben einen anderen Weg gegangen.«

»Gegangen worden«, korrigierte Jutta.

»Quatsch, das war meine eigene Entscheidung.« Nele griff nach ihrem Glas Wein. Jasmin hatte Architektur studiert und arbeitete noch mit ihrem Exmann zusammen, und Jutta war Kundenbetreuerin bei einer Bank. Zufälligerweise bei derselben Bank, in der Björn Chef war.

Beide Frauen hatten trotz Heirat und Kindern ihre Berufe nicht aufgegeben. Nur Nele hatte sich die ersten zwanzig Ehejahre ausschließlich auf Sohn und Mann konzentriert. Aber was war schlimm daran? Ihr Leben hatte gepasst, sie hatte selbstbestimmt ihre Tage gestalten und vor drei Jahren dann trotzdem noch eine Möglichkeit finden können, sich einzubringen. Was sie tat, war wichtig. Sie brachte die Gesellschaft weiter, indem sie die Immigranten weiterbrachte. Konnten ihre Freundinnen das von sich behaupten?

Die Frage, ob Björns neue Freiheit nun gut oder schlecht war, beschäftigte Nele die nächsten Tage. Vor allem, als Björn ihr eines Abends mitteilte, dass nun seine Abschiedsparty anstehe. Sie saßen – selten genug in den letzten Jahren – im Wohnzimmer in der gemütlichen Couchecke, vor dem großen Fenster, das den Blick in den beleuchteten Garten freigab. Nele ließ ihren Blick über all die Dinge gleiten, die sie der Jahreszeit entsprechend auf dem breiten Fenstersims dekoriert hatte. Die auffällig bunte Vase mit dem Jasminzweig, der Frühling versprach, und einige Figuren, die sie aus einem Baliurlaub mitgebracht hatte. Nippes oder Erinnerung? Atmeten die Dinge Seele, wie sie es stets empfunden hatte, oder war das alles einfach nur Kitsch? Heute war sie sich nicht sicher, zumal Björn sie auf eine neue Art ansah. Was lag in seiner Mimik? Sie konnte es nicht entschlüsseln, also nahm sie das Glas hoch, das er für sie gefüllt hatte.

»Champagner?« Zumindest waren es die mundgeblasenen Gläser, die sie zu ihrem vierzigsten Geburtstag geschenkt bekommen hatte.

»Es ist so weit!« Er lächelte ihr zu und hielt ihr zum Anstoßen sein Glas entgegen. Seine Stirn legte sich in Falten, und seine Augen strahlten sie erwartungsvoll an. Nele stieß ihr Glas leicht gegen seines, sodass es einen hohen Klang gab, der kurz und leicht zitternd zwischen ihnen hing. Wie meine Nerven, dachte sie, das klingt genau wie meine Nerven. Sie wollte nicht hören, was er zu sagen hatte. Sie wollte, dass alles so blieb, wie es war. Sie mochte keine Veränderungen, jetzt, wo sie sich in ihrem neuen, berufstätigen Leben eingerichtet hatte. Jetzt, wo Alex aus dem Haus war und sie sich zusehends besser damit zurechtfand. Jetzt wollte sie die nächsten Jahre so weitermachen, so hatte es der Fahrplan, ihr eigener Lebensfahrplan, vorgesehen.

»Am Freitagabend ist meine Verabschiedung. Ganz feierlich. Und ziemlich groß. Also mit Dinner, Ansprachen und goldener Uhr.« Er grinste schräg, und für Nele sah er plötzlich aus wie sein eigener Sohn, wenn er den Lehrer überlistet hatte oder von ihr bei einer seiner kleinen Eskapaden erwischt worden war. »Sie lassen mich tatsächlich gehen. Es wird wahr! Liebling, komm, jetzt beginnt unser Leben!« Er nahm einen tiefen Schluck, ohne sie dabei aus den Augen zu lassen, dann er stellte sein Glas ab, stand auf und ging um den kleinen Couchtisch herum auf sie zu. Warum fiel ihr gerade jetzt ein, dass sie den Tisch in Venedig gekauft und mit Mühe hierher nach Frankfurt geschleppt hatte? Ihr Gehirn wollte sich partout nicht mit dem Gesagten abfinden und schon gar nicht mit dem Kommenden. Trotzdem stand sie auf, denn Björns Geste war klar. Er nahm ihr das Glas aus der Hand, und sein fordernder Kuss war der Auftakt zu seinem neuen Leben.

»Lass es uns genießen«, sagte er, während er ihr den Pullover über den Kopf zog.

Was? Hier? Auf dem Boden vor dem Fenster? Es war ewig her, dass sie nicht ordentlich im Bett … Aber Björn schmunzelte nur. »Jetzt, Nele, jetzt bist du wieder zwanzig, und ich bin 23. Nur dass es nicht das alte Wohnzimmer deines Onkels ist, sondern unser eigenes Haus. Und der abgetretene Teppichboden ist teuerstes Parkett. Aber du und ich, wir sind unverändert!« Und damit zog er sie hinunter auf den Boden.

Die Aussicht auf eine feierliche Verabschiedung erfüllte Nele mit Widerwillen. Was hieß da schon feierliche Verabschiedung? Die wollten Björns Niederlage feiern, Nele traute keinem einzigen seiner Kollegen ehrliche Motive zu. Sie wollten sehen, wie er geschlagen abtrat, so wie einst Wulff und seine Bettina. Mit erhobenem Kopf lächelnd in der Mitte stehen und trotzdem erkennbar geschlagen. Was gab es da zu feiern?

»Was ziehst du an?«, fragte Björn sie in ihre Gedanken hinein.

»Was ich anziehe? Was soll ich schon anziehen …« Sie standen an der Haustür, er in Anzug und Krawatte auf dem Sprung ins Büro, sie noch im morgendlichen Leichtdress, wie sie es nannte, Gymhose und T-Shirt.

»Ja, was du anziehst?« Jetzt schlich sich ein Funke Ungeduld in seinen Ton.

»Eine Hose? Ein Jackett?«

Ungläubig zog er die Augen zusammen.

»Zu meiner … Verabschiedung? Das ist heute der Abschluss eines ganzen Lebens, da dürfte es schon etwas feierlicher werden …«

»Abendkleid?«, spottete Nele.

»Nicht schlecht!«, meinte Björn, und es klang erstaunlich ernst. »Aber ein Cocktailkleid täte es auch!«

Mit gemischten Gefühlen sah Nele ihm hinterher. Und sie fühlte sich wie an dem Abend, als sie ihre geliebte Dekoration plötzlich mit anderen Augen sah. Fing auch ihre Welt an, sich zu verändern? Ohne dass sie es verhindern konnte? Am liebsten wäre sie krank geworden. Eine Magen-Darm-Grippe. Irgendetwas, das sie sofort blass und angegriffen aussehen ließ. Langsam schloss sie die Tür und ging in ihre Küche, in ihr Reich, wie sie ihre Küche so viele Jahre im Spaß genannt hatte. Björns Reich war seine Bank, ihres in der Küche, denn sie kochte und backte gern. Alex' Reich war sein Zimmer. Nele erinnerte sich gut, wie Alex damals »sein Reich« bezog, nachdem das Haus, ihr Traumhaus, endlich fertig geworden war. Alex war zwölf gewesen und wahnsinnig stolz auf sein großes Eckzimmer und sein eigenes Bad. Tage brachte er damit zu, seine Carrerabahn mit unglaublich vielen Figuren aufzubauen, vom Ritter bis zu Aliens war alles dabei, so viel, dass man schließlich kaum noch bis zu seinem Bett vordringen konnte. Nele hätte am liebsten alles in die Spielkisten zurückgelegt, die sich über die Jahre angesammelt hatten, aber Björn sagte nur: »Lass ihn doch. Er freut sich so!«

Nele seufzte bei dem Gedanken an diese Zeit. Damals ging ihr das auf die Nerven, heute würde sie etwas darum geben, wenn es wieder so wäre. Sie schäumte sich Milch für einen Cappuccino auf und setzte sich damit ans Fenster. Von der Küche aus blickte sie auf die Straße. Hier war selten was los, jeder achtete auf seinen gepflegten Vorgarten als gute Visitenkarte, es war ein Wohnviertel für den gehobenen Mittelstand. So bezeichnete es wenigstens Jasmin, die sich standesgemäß die oberste Etage in einem Hochhaus mitten in der Frankfurter City ausgebaut hatte.

Nele fragte sich, was sie tun sollte. Sie drückte sich um die Antwort auf diese Frage. Aber wenn sie es genau betrachtete, nüchtern, mit etwas Abstand, dann würde sie Björn heute beistehen und eine tolle Frau an seiner Seite abgeben. Seine tolle Frau. Er musste stolz auf sie sein können, und sie mussten glänzen und so tun, als erfüllte sich mit seinem Ausscheiden ein gemeinsamer Lebenstraum.

Hmm, sie verzog das Gesicht. Um 19 Uhr im Casino der Bank. Das bedeutete: Kleider durchprobieren, Friseur und Kosmetikerin. Sie betrachtete ihre Fingernägel. Und Maniküre. Nele fuhr sich mit gespreizten Fingern durch ihr Haar. Sie hatte ihr natürliches Brünett mit blonden Strähnen auflockern lassen, und der Ansatz war herausgewachsen, das bedeutete eine längere Sitzung. Ein neuer Schnitt könnte auch nicht schaden, das Haar war zu schwer geworden und fiel glatt und langweilig über ihre Schultern. Da piepste ihr Handy, und Nele zog es über den Küchentisch zu sich herüber.

»Ich hol dich um halb sieben ab, bitte sei pünktlich, sie geben sich echt viel Mühe.«

Björn hatte sich ebenfalls Mühe gegeben. Seine dichten schwarzen Haare, die durch die vielen Wirbel ein Eigenleben führten, waren frisch geschnitten und lagen ordentlich gekämmt dicht an seinem Kopf. Und auch den Anzug, den er trug, kannte sie noch nicht. Sogar die Schuhe, der Gürtel, das Hemd und die Krawatte waren neu. Offensichtlich meinte er es ernst mit seinem Abschluss. Dabei war es doch nur eine vorübergehende Freistellung. Hatte er es nicht selbst so bezeichnet?

»Meine alten Anzüge gehören der Vergangenheit an«, sagte er, während er ihr in den Mantel half. »Jetzt wird neu durchgestartet!«

Nele sah ihn kurz an, sagte aber nichts dazu.

»Du siehst phantastisch aus.« Er lächelte. »Das Rot steht dir gut!«

Rot? Sie hatte schon beim Friseur das Gefühl gehabt, dass die Tönung zu rötlich geworden war, eine Glanztönung, hatte die junge Friseurin gesagt, passend zu ihren grünen Augen. Und wäscht sich leicht wieder raus.

»Ist vielleicht etwas kurz geworden.« Jetzt musterte er sie kritisch. »Magst du die Haare nicht mal wieder richtig lang wachsen lassen?«

»Björn, ich bin 45!«

»Na und? Lange Haare sind sexy!«

»Deine Sekretärin trägt langes Haar, reicht das nicht?«

»Die hab ich ja bald nicht mehr.«

Wie wahr, dachte Nele und ließ sich von ihm die Wagentür öffnen. »Und den Dienstwagen auch nicht mehr.«

»Herrn Wagner auch nicht.«

Richtig. Herr Wagner fuhr den Bankvorstand mit der dicken Limousine zu Terminen oder wartete auch mal vor einem Restaurant, wenn eine Besprechung außerhalb der Bank stattfand und man das eine auf angenehmste Art mit dem anderen verbinden konnte.

»Mal sehen.« Björn glitt hinter das Lenkrad. »Einstweilen reicht uns ja dein Wagen.«

Mein Wagen?! Wollen wir uns in Zukunft etwa ums Auto streiten? Sie warf ihm einen Blick zu. Er hatte ein Lächeln um den Mund und startete den Motor. »Mal sehen.« Er nickte. »Ja, erst mal sehen, was die Zukunft uns bringt.« Er zwinkerte ihr zu und gab Gas.

Es war, wie Nele befürchtet hatte. Sie wurde verstohlen gemustert, als würde sie die Nationalflagge zu Grabe tragen, und sie war nur froh, dass sie so viel Zeit auf ihr Äußeres verwendet hatte. Bei Björn wurde die kollegiale Verlegenheit mit zotigen Sprüchen und kumpelhaftem Schulterklopfen überspielt. Gemütlich wurde es erst, nachdem alle ausreichend Alkohol getrunken hatten und die steife Atmosphäre lockeren Geschichten aus der Vergangenheit wich. Witze wurden gerissen, und so erfuhr Nele in diesen letzten Geschäftsstunden mehr über ihren Mann als all die Jahre zuvor. Auch dass die Geschäftstermine in London und Paris nie übers Wochenende geplant waren. Das war das einzige Mal, dass sie ihm von der Seite einen kurzen Blick zuwarf. Hatte da die langhaarige Sekretärin vielleicht doch eine größere Rolle gespielt, als Nele gedacht hatte? Nein, in Wahrheit hatte sie sich gar nichts dabei gedacht, sondern einfach die freien Wochenenden genossen. Herumgammeln, Zeit für sich haben, keine einzige Verpflichtung, keine Fragen, was man unternehmen könnte, kein missbilligender Blick auf ihre Aufmachung, am liebsten bis mittags im Schlafanzug. Nein, ihr waren seine Dienstreisen immer recht gewesen.

Sollte sie das jetzt, im Nachhinein, zum Thema machen?

Sie versuchte kurz, ihre Gemütsverfassung zu ergründen,

aber auch sie hatte neben den beiden Champagnerbegrü-
ßungsgläsern schon ein Glas Rotwein zum Essen intus, und
die Erkenntnis schmerzte kaum, eigentlich gar nicht, wenn sie
ehrlich sein sollte.

Komisch. Liebte sie ihren Mann nicht mehr? Sie müsste
doch eifersüchtig sein?

Sie betrachtete ihn noch einmal. Er spielte den Strahle-
mann mit breiter Brust, lachte und feixte und machte das
ganze Theater mit. Genoss er es wirklich? Neles Blicke suchten
seine Sekretärin. Sie saß an einem anderen Tisch, hatte die langen Haare zu einem französischen Knoten hochgezwirbelt
und sah gut aus. Doch, auch mit kritischen Frauenaugen betrachtet, war sie ein attraktiver Typ. Und sie schaute in diesem Moment genau in Neles Richtung. Ihre Blicke trafen sich,
blieben ineinander hängen. Nele griff nach ihrem Glas und
prostete ihr zu. Die tat das Gleiche. Frauensolidarität, dachte
Nele und war stolz auf sich. Einvernehmlichkeit zwischen
Ehefrau und Geliebter. Eine Affäre? Oder mehr? Aber wollte
Nele das wirklich wissen?

Sie nahm noch einen Schluck und stellte ihr Glas sanft ab.

Ab morgen würde es eine neue Zeitrechnung geben, was
sollte sie sich mit der Vergangenheit aufhalten!

Am nächsten Morgen wurmte es sie dann doch. War es der
Alkohol gewesen, der sie gestern so milde gestimmt hatte? Sie
warf einen Blick auf Björn, der friedlich neben ihr schlief.
In Embryonalstellung. Es fehlte nur noch der Daumen im
Mund. War es nicht so, dass sich die Menschen ab einem bestimmten Alter zurückentwickelten? War es bei ihm schon so
weit? Und was war das für eine Geschichte mit seiner sexy Sekretärin? Sie spürte, wie der Ärger in ihr hochstieg. Oder war
es gar nicht die Sekretärin, war es die ganze Situation, gegen
die sie sich aufbäumte wie ein wild gewordener Mustang? Sie
warf einen Blick auf die Leuchtziffern der Uhr. Schlag acht.

Acht Uhr? Sechs Uhr, das war all die Jahre seine Zeit gewesen. Er stand wochentags immer um sechs Uhr auf, eine Gewohnheit, die sich selbst an den Wochenenden und Ferientagen fortsetzte, wie sie stets missbilligend angemerkt hatte. Und jetzt war es acht Uhr, und er schlief seelenruhig neben ihr den Schlaf des Gerechten.

Sie beschloss, sich einen Tee zu machen. Irgendetwas Gesundes, das auch noch die Nerven beruhigte. Grün vielleicht? Hatte sie überhaupt grünen Tee im Haus? Die Rollläden waren noch unten, und es war so dunkel im Zimmer, dass sie sich vorsichtig am Bett entlangtastete, um zur Tür zu kommen. Mit Björns Kleidungsstücken mitten im Zimmer hatte sie nicht gerechnet. Ihre Füße verhedderten sich, und sie stürzte nach vorn, konnte den Sturz aber mit den Händen abfangen. Es war nichts passiert, trotzdem hätte sie da auf dem Fußboden plötzlich einfach losheulen können. Sie setzte sich auf und spürte ein Gefühl der Trostlosigkeit, das fast übermächtig wurde. *Er* hat sein erfülltes Berufsleben gehabt, *er* hatte ein erfülltes Sexualleben gelebt, sicherlich war es prickelnd gewesen bei all den Terminen mit seiner willigen Sekretärin, *er* lag nun einfach im Bett, ließ seine Kleider fallen, wo es ihm passte, und freute sich auf seine Zukunft.

Und *sie*? Sie hatte all die Jahre Hausfrau gespielt, hatte nie ans Fremdgehen gedacht, hatte endlich einen Job, der ihr wichtig war, und plötzlich … war sie die Frau eines Rentners. Da wäre Witwe fast besser, dachte sie und gleich darauf: Nele, reiß dich zusammen!

Langsam stand sie wieder auf, kickte die Hose zur Seite und ging zur Tür. Aufrecht, Nele, sagte sie sich, du gehst aufrecht und immer vorwärts. Das hat dir deine Mutter gesagt, als du ihr mit 22 gebeichtet hast, dass sie Omi werden würde. Ihre Mutter hatte weder die Hände über dem Kopf zusammengeschlagen noch von Abtreibung gesprochen und auch nicht nach ihrer finanziellen Zukunft gefragt, sie hatte einfach nur gesagt: »Aufrecht, Nele, du gehst aufrecht und immer vorwärts. Wir schaffen das schon!«

Ihre Mutter war vor fünf Jahren an Krebs gestorben. Mit Perücke und abgemagert, aber aufrecht bis zum letzten Atemzug, genauso wie sie es Nele damals gesagt hatte. Oh, Mama, dachte Nele und öffnete die Schlafzimmertür. Was würdest du mir jetzt raten?

Die hereinflutende Sonne traf sie wie eine Keule. Sie kniff die Augen zusammen und öffnete sie langsam wieder. Ein herrlicher Tag kündigte sich an. Im Wohnzimmer trat sie ans Fenster und sah in den Garten. Kleine Schneeinseln bedeckten das fahle Gras, aber sie sah die Spitzen der ersten Schneeglöckchen, die das Licht suchten, und auch die kahlen Äste reckten sich dem Licht der Sonne entgegen. Die stand seltsam grell am Himmel, fast so wie nach besonders heftigen Gewittern.

»Guten Morgen«, grüßte Nele die Amsel, die wie jeden Morgen unter dem Rhododendron nach den Haferflocken suchte, die ihr Nele ausstreute. Und auch die Nachbarskatze schlich heran. Wie jeden Morgen öffnete Nele kurz die Terrassentür, um sie zu verscheuchen. War das bereits ein Ritual? Jedenfalls reagierte die Getigerte stets gleich: Sie warf Nele einen kurzen Blick zu, während sie mit steil aufgerichtetem Schwanz an Nele und der Amsel vorbei durch den Garten zum Nachbargrundstück spazierte.

Die Verlässlichkeit dieses Ablaufs gab ihr Ruhe. Alles war wie sonst auch. Wieso sollte es in ihrem Leben plötzlich anders sein?

Nele machte sich einen Tee, legte die Hände um die heiße Tasse und setzte sich im Schneidersitz auf den Boden. Die Fußbodenheizung wärmte sie, und die hereinfallende Sonne kitzelte ihre Sinne. Plötzlich ging die Tür auf.

»*Da* bist du!«, sagte Björn in einem Ton, als wäre sie ohne seine Erlaubnis zum Mond geflogen. »Ich habe mich schon gewundert …«

»Gewundert? Wieso?« Sie drehte sich nach ihm um, stand aber nicht sofort auf.

»Tja, unseren ersten Tag im neuen Leben habe ich mir anders vorgestellt. Etwas ... nun ja, enthusiastischer. Liebevoller. Explosiver.« Er überlegte. »Also zumindest mit einem servierten Cappuccino und einem Überfall. Also, sexueller Art, meine ich.« Seine Stirn legte sich in missbilligende Falten. »Stattdessen sitzt du im Lotussitz da. Ommm! In deinem alten Schlafanzug.« Er legte den Kopf schief. »Ich glaube, wir müssen erst mal einkaufen gehen.«

»Einkaufen?«

»Ja, so ein bisschen was Leichteres als ein Baumwollschlafanzug. Vielleicht ein Negligé?« Er lächelte in sich hinein. »Das wäre doch sexy!«

»Trug deine Sekretärin das beim Diktat auch?«, gab sie nüchtern zurück.

Sein Lächeln erlosch. »Ich bin nicht mit meiner Sekretärin verheiratet, sondern mit dir.« Er korrigierte sich. »Mit meiner Exsekretärin.«

»Hat sie auch eine Abfindung bekommen?« Wieso konnte sie es nicht lassen? Sie konnte nicht.

»Mach dich nicht lächerlich!« Er klatschte in die Hände wie eine Kindergärtnerin vor dem Gruppenspiel. »So, auf jetzt. Du machst Frühstück, und ich hol Brötchen. Und dann könnten wir ja bei Victoria's Secret vorbeischauen.«

Anscheinend ließ sich seine gute Laune durch nichts trüben. Das kann ja heiter werden, dachte Nele. Es war Samstag. Nichts konnte sie vor ihrem Ehemann retten, die Volkshochschule nicht und auch nicht ihre Freundinnen. Heute musste sie sich alleine mit ihm auseinandersetzen. Wohl denn, aufs neue Leben, sagte sie sich grimmig und stand auf.

Sie bereitete alles vor. Liebevoll, wie jeden Morgen, viele Vitamine, gepressten Orangensaft, Joghurt und körniges Brot, ausgewogen, nahrhaft, gesund. Wozu eigentlich Brötchen, dachte sie und blieb unschlüssig vor dem Tisch stehen. Sollte sie sich jetzt tatsächlich in Schale werfen? Sie sah an sich hinunter. Gut, immerhin war er auch angezogen aus dem Haus gegangen, ungeduscht zwar, aber doch mit frisch geputzten Zähnen. Aber unrasiert, setzte sie hinzu. Auch so eine Neuerung. Nie im Leben hätte er sich früher unrasiert aus dem Haus getraut, es hätte ihn ja jemand sehen können. War das der Anfang? Steckte in ihrem Mann ein heimlicher Clochard? Der Gedanke brachte sie zum Lachen. Gott sei Dank, sie konnte auch noch lachen. Vielleicht wurde ja doch alles gut.

Sie trocknete sich gerade ab, als sie ihren Wagen hörte. Driftete Björn in die Auffahrt, oder warum spritzte der Kies weg? Oder hatte sie heute nur ein besonders sensibles Gehör? Sie schlüpfte schnell in ihre Jeans und eine Bluse, suchte mit ihren Füßen nach den Flipflops, die unter das Waschbecken gerutscht waren, sprühte sich großzügig mit ihrem neuen Parfüm ein, einem Weihnachtsgeschenk von Jasmin, die gemeint hatte, so ein spezielles Parfüm aus New York täte ihr gut, fuhr sich mit der Naturbürste durch ihr stufig geschnittenes, rötliches Haar und lief die Treppe hinunter. Björn stand an der Treppe, und an seinem Zeigefinger baumelte ein rotes, fast durchsichtiges Etwas. Ihren fragenden Blick beantwortete er mit dem Kreisenlassen dieses Fetzens um seinen Zeigefinger. Dabei grinste er sie an, als habe er eben den Unterschied zwischen Jungen und Mädchen entdeckt.

»Wolltest du nicht Brötchen holen?«

Er lachte und zauberte hinter seinem Rücken die Brötchentüte hervor. »Du hättest dein Gesicht sehen sollen«, sagte er und stopfte sich das rote Etwas so in die Hosentasche, dass es herausschaute wie ein Einstecktuch bei einem gepflegten Anzug. Nur dass an diesem Teil unzweifelhaft noch Strapse baumelten. Nele verkniff sich einen Kommentar, der ihr auf der Zunge lag: Räumst du die Ausrüstung deiner Sekretärin aus?

Aber sie dachte an den einvernehmlichen Blick vom Vorabend und verbot sich weitere Lästereien.

Stattdessen legte sie ihm den Arm um den Hals und drückte ihm einen Kuss auf den Mund. »Komm, mein Schatz«, sagte sie, »Rührei oder Spiegelei oder …«

»Am liebsten dich …«, unterbrach er sie.

Er konnte es nicht lassen. Sie musste sich wohl damit abfinden, dass ihr stets so ernsthafter und distinguierter Gatte Bankdirektor ansatzlos in seine Pubertät zurückfiel.

Zwei Wochen später begriff auch Björn selbst, dass er nervig wurde. Sein ganzes Leben war auf Pünktlichkeit, Akkuratesse und Weiterkommen getrimmt worden. Alles hatte er diesem Ziel untergeordnet. Ob Familienfeste oder Theaterbesuche – wenn beruflich etwas dazwischenkam, hatte das Geschäftliche Vorrang gehabt. Über all die Jahre war es sein Ziel gewesen, ganz oben anzukommen. Nicht nachzugeben, bis dass die Spitze erreicht und der Chefsessel eingenommen war. Und er hatte es geschafft. Alle Hürden gemeistert. Als er schließlich oben war, hatte er sich als Held gefühlt. Mächtig, unbesiegbar. Auch Nele gegenüber. Er war einfach stolz gewesen, dass er ihr seine männliche Tüchtigkeit beweisen konnte.

Jetzt begann er selbst zu spüren, dass er nach der ersten Euphorie etwas führerlos herumtigerte. Er brauchte ein neues Ziel. Oder eine neue Leidenschaft. Kurz erlaubte er sich einen Gedanken an Denise. Aber dieses Kapitel war mit dem Ende seines Beruflebens abgeschlossen. Es gab keine gemeinsamen Geschäftsreisen und keine gemeinsamen Sitzungen mehr – wie hätten sie ihre Dates jetzt vor ihren jeweiligen Partnern erklären sollen? Es war immer eine Win-win-Beziehung gewesen. Sie waren ein eingespieltes, erfolgreiches Team gewesen, kannten sich, vertrauten sich, konnten sich aufeinander verlassen. Er hatte ihr gute Arbeits- und Gehaltsbedingungen verschafft, und sie hatten gemeinsam immer Spaß gehabt.

Oder zumindest einen körperlichen, lustvollen Ausklang nach so manchen anstrengenden Besprechungen. Aber das hatte die jeweiligen Ehen nicht zu tangieren. Das war etwas ganz anderes. Und deshalb konnte diese Affäre über die Arbeitsbeziehung hinaus keinen Bestand mehr haben.

Björn saß vor dem großen Fenster und schaute seit über einer Stunde regungslos in den Garten. Vornübergebeugt in seinem Sessel, den Kopf aufgestützt, nachdenklich. Es war ein wirklich schöner Garten, den Nele da angelegt hatte. Bisher hatte er das nie wirklich wahrgenommen. Sein ganzes Familienleben war an der Oberfläche geblieben. Und jetzt? Was konnte er jetzt noch tun? Klar, er hatte sein Saxofon reaktiviert, und das machte ihm Spaß. Aber konnte ihn das erfüllen? Er brauchte eine Leidenschaft. Golf, wie all seine Geschäftspartner? Nein, dann würde er ja genau die wieder treffen, die er hinter sich gelassen hatte. Und die gleichen seltsamen Gespräch würden beginnen, wie er sie gestern mit einem Exkollegen geführt hatte, dem er zufällig im Supermarkt an der Kasse begegnet war. Ausweichend, nichtssagend, lähmend. Sie waren beide froh gewesen, als sie sich verabschieden konnten, und peinlich berührt, als sie sich im Parkhaus wieder trafen.

Er seufzte. Er könnte eine Runde joggen gehen. Aber brachte ihn das weiter? Und Nele war an der VHS. Floh sie vor ihm? Möglich. Vielleicht ging ihr seine ständige Anwesenheit auf den Nerv. Ihm ja auch. Vierzehn Tage Urlaub, das war immer das Höchstmaß an Auszeit gewesen, das er sich zugestanden hatte. Wer wusste schon, was passierte, wenn er länger nicht da gewesen wäre? All die Intrigen hinter seinem Rücken, die Emporkömmlinge, die eifrig am Stuhlbein sägten, die Statistiker, die Korinthenkacker, künstliche Gesundschrumpfungen, indem man Abteilungen zusammenlegte, die überhaupt nicht zusammengehörten, aber deren Zusammenlegung Raum schuf, künstlichen Raum, der als Gesundschrumpfen positiv zu Buche schlug. Nichts war ehrlich in diesem vermeintlich so ehrlichen Geschäft, wie konnte man da von den Mitarbeitern Ehrlichkeit verlangen?

Er beobachtete die getigerte Katze, die langsam aus der Nachbarshecke hervortrat, sich aufmerksam umsah und dann selbstsicher quer über den Rasen ging. Er hatte sie noch nie gesehen, aber sie erschien ihm plötzlich wie ein Sinnbild: sichern, vortasten, einnehmen. Fasziniert beobachtete er, wie sie sich langsam, als sei die Unendlichkeit eigens für sie erfunden worden, von Schneehaufen zu Schneehaufen anschlich. Was wollte sie dort am Rhododendron?

Björns Neugier war geweckt, aber er konnte an diesem Busch nichts entdecken, was ein solches Manöver wert gewesen wäre. Oder sah sie etwas, das seiner Aufmerksamkeit entging? Er beugte sich vor. Vielleicht unter dem Busch? Kurz blieb die Getigerte stehen, streckte sich ausgiebig, gähnte, entspannte ihre Glieder in einem Katzenbuckel und schritt anschließend völlig entspannt zur Ligusterhecke, die die Grenze zum Nachbargrundstück markierte. Anscheinend hatte sie dort ihren Durchgang. Wo gehörte sie hin? Björn hatte nicht die leiseste Ahnung.

Er ließ sich in seinen Sessel zurücksinken. Heute war er noch nicht aus seiner Jogginghose herausgekommen. Es schien zu stimmen: Je weniger man gefordert wurde, umso weniger tat man. Irgendwann würde er nicht einmal mehr duschen, sich nicht mehr rasieren und im Bett liegen, wenn Nele abends heimkam. Allerdings nicht erwartungsvoll, sondern schnarchend.

Er schüttelte sich und stand auf. Er brauchte ein Ziel. Wie diese Katze. Irgendetwas, das er anvisieren konnte. Das ihn ausfüllte, ohne ihn zu beherrschen. Arbeiten wollte er nicht mehr. Zumindest die nächsten zwei Jahre nicht. Er wollte sich frei machen von den Zwängen, denen er sich jahrelang unterworfen hatte. Aber er hatte das richtige Mittel noch nicht gefunden.

Björn sah auf die Uhr. Fast drei. Bald würde es dunkel werden, und bald würde Nele zurückkommen und ihm gut gelaunt von den sprachlichen Fortschritten ihrer Schützlinge erzählen. Und von dem jungen Puerto Ricaner, der Musik im Blut hatte, wie sie immer schwärmerisch sagte. Hatte sie was mit dem? Oder wollte sie was mit ihm haben?

Quatsch, er schüttelte sich. Björn, du siehst Gespenster. Sicher ist sie in all den Jahren nicht ein einziges Mal fremdgegangen. Er auch nicht, im Prinzip. Er hatte nur für Ausgleich gesorgt, um zu Hause entspannt zu sein. Daran war nichts auszusetzen.

Nele hielt kurz inne, bevor sie die Auffahrt zum Haus hinauffuhr. Sie bemühte sich, sich in das erzählfreudige Wesen zu verwandeln, das sie die letzten Tage vor Björn abgegeben hatte. Dabei spürte sie jedes Mal einen Kloß im Magen, wenn sie die Haustür aufschloss. Björn hatte ihr früher selten etwas aus seinem Berufsleben erzählt. Mit dem Aufschließen der Haustüre wollte er seine Burg betreten und alles Störende außen vor lassen, das war stets sein Spruch gewesen, und sie hatte das akzeptiert. Jetzt war es genau andersherum: Er war begierig darauf, von ihr zu erfahren, was draußen so abging. Wie absurd, dachte sie, während sie aus ihrem Wagen stieg. Und das war auch noch so eine Sache, dachte sie. Er brauchte ein eigenes Auto, es machte sie wahnsinnig zu wissen, dass er wie ein Eingesperrter zu Hause saß. Er musste raus, wieder hinaus, irgendetwas unternehmen, und sei es auch nur, um einen Kumpel zu treffen.

Aber welchen Kumpel, fragte sie sich im selben Atemzug. Er hatte keine Kumpels. Er hatte nur Geschäftsfreunde und … seine Sekretärin. Sollte er die treffen? Sie ließ die Frage unbeantwortet und schloss die Haustür auf.

Björn kam ihr entgegen, aufgeräumt, wie ihr schien, rasiert, aber barfüßig und noch immer in seiner morgendlichen Jogginghose.

»Wusstest du, dass wir eine Fremdkatze haben?«, begrüßte er sie und drückte ihr einen Kuss auf den Mund.

»Eine Fremdkatze?« Nele zog den Reißverschluss ihrer Daunenjacke herunter. Draußen war der Winter zurückgekehrt, und mit minus fünf Grad war es frostig kalt. Unangenehm kalt. Gut, andererseits, was wollte man in dieser Jahreszeit erwarten?

Björn nahm ihr die Jacke ab. »Ja, eine getigerte Katze. Oder ein Kater, keine Ahnung. Sie hat sich an den Rhododendron angeschlichen!«

Er sagte das mit einer solchen Inbrunst, als ob der DAX explodiert oder sonst etwas unerhört Wichtiges geschehen sei.

Sollte sie ihm seine Wichtigkeit lassen? Im Moment hatte er ja sonst nichts.

»Was will sie wohl am Rhododendron?«

Sie konnte es nicht, sie war in der Rolle der Kindergärtnerin einfach nicht gut, das war sie schon bei Alex nicht gewesen, nicht mal, als der noch ein Kleinkind gewesen war.

»Sie versucht, die Amsel zu fangen«, gab sie kühl zur Antwort.

»Die Amsel?«

»Ja, die Amsel«, bestätigte sie. »Die frühstückt schon den ganzen Winter über bei uns, und irgendwo hat sie ja auch ihr Nachtlager.«

»Die will unsere Amsel fangen!« Sein Ton war so entrüstet, dass Nele ein seltsames Gefühl beschlich. Er würde sich doch jetzt nicht mit einem Luftgewehr auf die Lauer legen?

»Kommst du, Liebling?« Sie ging an ihm vorbei. »Ich möchte jetzt einen heißen Tee mit Rum trinken. Ein Wintergetränk!«

»Ja, du bringst eine ordentliche Kälte mit herein.«

»Warst du heute mal draußen?«

»Nein, wozu?«

Ja, wozu. Sie musste ihn aus seiner Lethargie holen. Sie

musste ihn aus diesem unnatürlichen Wartezustand holen. Sie wusste nur nicht, wie.

Als sie sich wenig später auf der Couch gegenübersaßen, beide mit großen Teetassen in der Hand und Nele in ihrem geliebten Hausanzug, sagte Björn: »Nele, wir müssen raus!«

»Wir müssen raus?« Nele sah auf.

»Ja, ich habe auch schon eine Idee. Das heißt, eigentlich habe ich das schon fixiert.«

»Schon fixiert?«

Das war der alte Björn! Ständig hatte er etwas *fixiert*, Dinge abgeschlossen, die sie auch betroffen hätten, wonach er aber nie gefragt hatte. Was er für gut befunden hatte, war für sie automatisch auch gut gewesen. So hatte er das jahrelang gehandhabt.

»Wir müssen verreisen. Hier ist es eisig kalt, und obwohl wir jetzt endlich mal Zeit füreinander hätten, leben wir aneinander vorbei. Ich finde, wir brauchen einen neuen Anfang. Irgendetwas, womit wir gemeinsam starten können.«

»Sooo«, sagte sie vorsichtig. »Denkst du an einen gemeinsamen Ritt auf einem Kamel … oder so was?« Sie hatte es lustig gemeint, und wenn sie es gesimst hätte, hätte sie mindestens vier *grins* angehängt, aber er nickte ernst. »So etwas in der Art. Nur dass ich uns kein Kamel bestellt habe, sondern einen Ford Mustang von 1965. Und das Ganze als Hochzeitsreise durch Florida. Mit Ziel Key West und unterwegs Daytona, weil man dort auf dem Strand fahren kann und alles den Geist der Autorennen atmet.«

»Seit wann begeisterst du dich für Autos?«, wollte Nele schließlich wissen, nachdem die erwartungsvolle Stille schon einer unfrohen Spannung weichen wollte. Björn hatte sie schweigend beobachtet, nun hellte sich seine Mimik auf, und seine Augen glitzerten tatendurstig. »Seitdem ich keines mehr habe!« Er lachte. »Vielleicht kaufe ich mir einen Oldtimer? Ich habe mich erkundigt, da unten gibt es phantastische Angebote, ganze Automärkte, Oldtimer in Hülle und Fülle, klasse Raritäten!«

»Du verstehst doch überhaupt nichts von Autos. Du weißt doch nicht mal, wo die Batterie ist …«

»Ja, ja, schon gut … nur weil ich einmal … und das ist schon so lang her …«, er hob vorwurfsvoll die Brauen. »Nele, nur weil ich es nicht weiß, heißt das ja noch lange nicht, dass ich mich nicht dafür interessieren würde!«

Sie schwieg.

»Schau, diese Katze heute Nachmittag hat mich darauf gebracht.«

»Die Katze?« Blödes Vieh. War die jetzt etwa daran schuld, dass sie nach Florida fliegen musste? Zum Autofahren?

»Ja, die Katze!« Er nickte. Seine schwarzen Haare standen in Wirbeln vom Kopf ab. Wie der ganze Kerl, dachte Nele. Alles war völlig durcheinander.

»Ja, die Katze«, bekräftigte er leidenschaftlich. »Sie schleicht sich an ein Ziel an, das es gar nicht gibt. Vielleicht weiß sie sogar, dass es das Ziel nicht gibt. Vielleicht weiß sie, dass diese Amsel nur zum Frühstück dort hockt, wie du sagst, aber sie trainiert schon mal. Oder sie macht sich einen Spaß daraus. Wie auch immer: Sie hat ein Ziel, und sie geht es an.«

»Das hast du doch dein Leben lang getan.«

»Ja, aber die Katze macht es spielerisch. Sie täuscht nur Ernsthaftigkeit vor, verstehst du? Mittendrin bricht sie ab und lacht sich eins.«

»Lacht sich eins?«

»Ja, sie pfeift auf ihr Ziel, sie streckt sich, gähnt, hat einfach Spaß an dem, was sie tut, wenn es auch eigentlich nicht lebenswichtig ist. Das heißt sogar dann, wenn sie vielleicht ganz genau weiß, dass ihr Tun an diesem Tag kein Ergebnis bringen wird. Aber vielleicht morgen? Oder übermorgen?«

Sollte *sie* sich jetzt vielleicht mit dem Luftgewehr auf die

Lauer legen, um ihre arme Amsel vor dem Tatendrang der Katze, und sei dieser auch noch so spielerisch, zu schützen?

»Und was lehrt uns das?«

»Ja, was lehrt uns das?« Nele war mit ihren Gedanken weit fort. Sie wollte das alles nicht. Sie wollte weder eine Rat gebende Katze in ihrem Garten noch einen Mann, der sich von einer Katze inspirieren ließ. Sie wollte einfach nur eines: das Rad zurückdrehen.

»Es lehrt uns, dass ich mein nächstes Ziel spielerisch angehe. Ich bin kein Kfz-Meister, sehr richtig, und ich habe auch damals, als dein Auto nicht angesprungen ist, vergeblich nach der Batterie gesucht, auch richtig, und ich weiß, dass Alex deswegen zu spät zu seiner Matheprüfung kam, alles richtig. Aber er hat trotzdem sein Abi geschafft, und ich werde ganz einfach lernen, wo bei einem Ford Mustang die Batterie liegt.«

»Warum gerade ein Ford Mustang?«

»Weil alle wichtigen Geschichten in einem Ford Mustang spielen. Muskelprotze im weißen T-Shirt, Konkurrenz unter Kerlen, röhrende Motoren, Power, Pferdestärken, erster Sex, Petticoats, Rock'n'Roll, einfach alles.«

»Du warst doch damals noch gar nicht geboren.«

»Na und? Nele, es geht ums Lebensgefühl. Und das hat doch mit Alter nichts zu tun.«

O Gott, Lebensgefühl. Hatte sie richtig gehört?

»Du willst nach Florida, um dein Lebensgefühl aufzupolieren?«

»Unser Lebensgefühl, Nele. Unser Lebensgefühl!«

Die Katze, dachte Nele. Diese verdammte Katze!

Björn hatte tatsächlich schon gebucht. An diesem Nachmittag hatte er, ganz ohne die Hilfe seiner Sekretärin, alles selbst organisiert. Im Internet die Flüge herausgesucht und die entsprechenden Autovermietungen. Er hatte sich einen ungefähren Plan gemacht, von Orlando östlich nach Daytona Beach, ein

Katzensprung, laut Google Maps nur 58 Minuten, dort wollte er übernachten, einmal über den Strand rauschen und sich dem Swing der Wellen und dem Röhren des Motors hingeben und dann gemütlich an der Küste entlangtuckern. Stopp natürlich in Miami, auch das nur einen Katzensprung entfernt, knapp vier Stunden, dort eine oder auch mehrere Übernachtungen und dann das Highlight: in Richtung Key West. Mit offenem Verdeck, im legendären Oldtimer. Von dort aus zurück über die Westküste, Fort Myers, Sarasota, Tampa, Orlando. Das war der Traum.

»Florida?« Der Albtraum. Nele dachte an all die Fernsehsendungen, die sie schon gesehen hatte. Ganz Florida schien aus einem Altengetto zu bestehen. Braun gebrannte, Golf spielende Greise in zu kurzen weißen Shorts, die abends beim Sundowner Bridge auf ihren weitläufigen Terrassen spielten. Die schmerbäuchigen Männer mit Whiskey und dicken Zigarren und die hageren Frauen mit zu roten Lippen und zu schwarz gemalten Augenbrauen. Es schüttelte sie.

»Wie wäre es mit Paris?«, fragte sie. »Im April? Übers Wochenende?« Sie dachte an ihre VHS-Kurse. Sie konnte doch nicht einfach so abhauen …

»Das können wir ja anschließend im April machen. Sehr richtig«, sagte Björn. »Schön, dass du mitdenkst, so gefällst du mir!« Er lächelte ihr über den Couchtisch zu.

»Björn!« Sie musste das wohl nachdrücklicher klarmachen. »Ich *WILL* nicht nach Florida. New York, Kalifornien, Los Angeles, San Francisco, ja, aber bitte nicht Florida!!«

»Daytona Beach liegt aber nun mal in Florida«, entgegnete er eindringlich, als lege er einem Erstklässler dar, dass die Erde nun eben mal keine Scheibe sei.

»… und gebucht habe ich auch schon. Selbst das rote Mustang Cabrio.« Er strahlte. »Es ist alles in trockenen Tüchern.«

Vielleicht wird er ja irre? Nele betrachtete ihn mit einer Spur Besorgnis. Er sprach so langsam und dezidiert, wie sie es nur aus ihrem eigenen Kurs kannte, wenn sich Menschen unglaublich konzentrieren mussten, um Wörter zu einem verständlichen Satz aneinanderzufügen. Es konnte einem schon fast Angst werden.

Sie hörte ein Kratzen an der Tür. Es war Dienstag, wer konnte …? Ihre Zugehfrau hatte einen Schlüssel, aber die kam am Montag.

Alex?

Die Wohnzimmertür ging auf, und tatsächlich, ihr Sohn kam herein, eine leichte Schneeschicht lag auf seiner hellbraunen Lammfelljacke, seine dunklen Haare standen wirr und nass ab. Heute sah er seinem Vater besonders ähnlich, fand Nele.

»Hoppla, Alex?«, entfuhr es Nele, und Björn schaute ebenfalls auf. »Du schleppst eine Menge Wasser herein«, sagte er als Erstes und zeigte auf die kleinen Pfützen, die Alex' Stiefel auf dem Parkett hinterließen.

»Nette Begrüßung«, brummte sein Sohn.

Nele warf Björn einen kurzen strafenden Blick zu und schwang ihre Füße, die sie unter einer Decke vergraben hatte, vom Sofa.

»Lasst euch nicht stören«, sagte Alex. »Ich bleib nicht lang!«

»Jetzt setz dich erst mal hin!« Nele wies auf den Sessel zwischen ihnen und stand auf, um ihren Sohn zu begrüßen. Er war um einiges größer als sie, sodass er sich für einen Wangenkuss zu ihr hinunterbeugen musste.

»Euch geht es ja gut.« Sein Gesicht trug die James-Dean-Miene, wie Nele es nannte: unnahbar, verletzt, männlich.

»Geht es dir schlecht?«, fragte sein Vater zurück, ohne sich von der Stelle zu rühren.

Alex öffnete seine Jacke und ließ sich in den Sessel plumpsen.

»Alles Scheiße!«, sagte er.

Nele dachte sofort an sein Studium. Hatte er wichtige Klausuren vermasselt? Björn dachte dagegen offensichtlich sofort an sein Auto.

»Hast du deinen Wagen zu Schrott gefahren?«, fragte er. »Es wäre ja nicht das erste Mal.«

»Typisch!«, entgegnete Alex nur. »Dass ihr aber auch ständig mit so einem profanen Mist kommen müsst. Als ob es nichts Wichtigeres gäbe als Uni und Auto!« Er machte Anstalten, sich wieder zu erheben. »Hätte ich mir ja denken können!«

»Alex!« Nele warf Björn den zweiten strafenden Blick zu. »Jetzt warte doch! Was ist denn los? Magst du einen Tee?« Sie machte einen Schritt Richtung Küche hin, verharrte aber.

»Der Kerl ist zweiundzwanzig. Dann soll er sich auch benehmen wie ein Zweiundzwanzigjähriger!«

»Ach«, fuhr Alex Björn an. »Und wie hat sich ein Zweiundzwanzigjähriger deiner Meinung nach zu benehmen? So wie du vielleicht mit zweiundzwanzig? Deiner Freundin ein Kind machen, oder was?«

»Ich war fünfundzwanzig«, berichtete Björn gleichmütig. »Und immerhin bist du jetzt auf der Welt.«

»Toll! Darauf hätte ich auch verzichten können!«

»Jetzt kommt«, versuchte Nele zu beschwichtigen. »Erzähl doch erst mal, was los ist!«

»Was soll schon los sein, er braucht Geld!«, kam Björn seinem Sohn zuvor.

»Jetzt hör aber auf!« Auch Neles Ton wurde jetzt scharf. »Also«, sie war versucht, Alex übers nasse Haar zu streichen oder ihm wenigstens ein trockenes Handtuch zu bringen, »also, was ist passiert?« Sie blieb neben seinem Sessel stehen.

»Ich hab keine Lust mehr«, entgegnete Alex mit trübem Gesicht.

»Wozu? Zum Studium?«

»Euch etwas zu erzählen.«

»Dann lass es«, sagte Björn.

»Mann!« Nele setzte sich wieder hin, sodass sie Alex ins Gesicht sehen konnte. »Sag, was passiert ist.«

»Nee.« Er stand auf. »Tu ich nicht.« Auf dem Weg hinaus drehte er sich nochmals zu seinem Vater um. »Die Karre ist es nicht. Die Uni auch nicht. Geld brauche ich auch keines. Was meinst du, was einen Menschen noch bewegen kann außer Geld und Leistung?« Damit knallte er die Türe hinter sich zu und war weg.

Jetzt war Nele endgültig die Stimmung verhagelt. Zuerst Florida und jetzt auch noch Alex – was würde noch kommen?

»War das nötig?«, fragte sie Björn, der sich gerade ein Gähnen verkniff, als wäre die größte Langeweile angesagt.

»Bitter nötig«, sagte er. »Verwöhnt für drei.«

»Klar!« Das war Björns ewiger Spruch. Mehrere Kinder erzogen sich selbst, Einzelkinder waren wie Planeten, die glaubten, dass sich alles um sie drehen müsse.

»Wir können ja noch eines machen«, entgegnete Nele sarkastisch. »Oder besser gleich zwei.«

»Gute Idee!« Er schob seine Teetasse an die Tischkante. »Lass uns gleich nach oben gehen.«

Am nächsten Morgen telefonierte Nele mit Jutta und Jasmin. Sie brauchte dringend Rat, und überhaupt, sie brauchte Luft. Björns ständige Gegenwart erdrückte sie. Schon das Gefühl, nach Hause zu kommen und *erwartet* zu werden, war furchtbar. Sie ertappte sich schon dabei, wie sie bei Einkäufen in der Stadt auf die Uhr sah und überlegte, ob sie zu spät kam. Diese Anwandlungen hatte sie zuletzt gehabt, als Alex noch klein war. Wenn es so weiterging, brauchte sie noch einen Psychiater. Oder sonst einen Ausgleich. Was machten Ehefrauen, wenn ihnen ihre Ehemänner zu dicht auf die Pelle rückten?

Jutta sah das Ganze pragmatisch. »Das gibt sich«, sagte sie. »Er muss sich erst selbst finden. Diesen anderen Björn. Bisher kannte er ja nur den pflichtbewussten, den Karrierefuzzi. Woher soll er wissen, wie er sonst noch tickt?«

»Also bitte«, sagte Nele fast ein bisschen empört. »Er war doch kein Monster.«

»Aber eben einseitig. Entweder oder. Männer sind halt nicht wie Frauen, die alle Seiten an sich kennen. Er muss sich jetzt erst entdecken.«

»Na, danke!«, sagte Nele und blieb kurz still. »Dann kannst du ja mit ihm nach Florida!«

»Warum eigentlich nicht?«

Auf diese Antwort war Nele nicht gefasst. »Warum nicht?«, echote sie.

»Ja, in Florida war ich noch nie, dazu in einem Ford Mustang, na, bitte, Nele, das hat doch was!«

Wollte Jutta sie auf den Arm nehmen?

»Ich kann ihn ja mal fragen …«

Jutta lachte. »Sagtest du nicht was von einer Hochzeitsreise?«

»Seine Idee.«

»Dann ist es vielleicht doch besser, wenn du selbst mitfliegst.«

Das Gespräch mit Jasmin war auch nicht ergiebiger, und schließlich reichte Nele bei der Kursleiterin ihren Urlaub ein.

»Hmm, das ist ja noch mitten in Ihrem Kurs …« Sie runzelte die Stirn. »Ich weiß nicht, wer Sie ersetzen soll. Ihr Kurs läuft doch sehr gut! Schade für die Teilnehmer!«

»Ich kann es leider nicht ändern, es ist die Entscheidung meines Mannes.«

Die Kursleiterin betrachtete sie kurz mit einem undurchdringlichen Gesichtsausdruck. »Na, warten wir es ab«, meinte sie dann, »es hat ja noch etwas Zeit. Vielleicht kommt ja noch was dazwischen.«

Björn hatte sich vorbereitet. Nachdem sein Entschluss gefasst war und er alles so weit organisiert hatte, gestand er sich ein, dass Nele recht hatte. Er hatte keine Ahnung von Autos. Er füllte bei einem Wagen nicht einmal das Wischwasser selbst nach, weil er befürchtete, das Scheibenreinigermittel versehentlich ins Kühlwasser zu gießen. Oder, noch schlimmer, in den Ölstutzen. Mit dem Reifendruck ging es ihm ähnlich. Woher sollte er wissen, welcher Reifen welchen Druck brauchte? Er ließ das alles seine Werkstatt erledigen, dafür waren Fachleute schließlich da. Aber männlich war anders, das musste er zugeben. Und vor Nele wollte er sich nicht blamieren. Großartig, einen Oldtimer zu mieten und dann nicht die Handbremse finden zu können, er sah schon ihren Blick vor sich. Leicht spöttisch, von der Seite. Das konnte er leiden wie einen Genickschlag.

Als Nele morgens gegangen war, holte er sich einen zweiten Kaffee und setzte sich vor ihren Laptop. So, jetzt würde er ihr ein Schnippchen schlagen. Der Gedanke löste ein seltsames Wohlgefühl in ihm aus. Das erste Google-Ergebnis ließ ihn die Augenbrauen zusammenziehen. Die Volkshochschule bot einen Kurs an. Ausgerechnet. Er sah sich schon durch die langen Gänge schleichen, um Nele nicht zu begegnen. Ausgeschlossen! Er suchte weiter. Lehrveranstaltung an der HTWG, Hochschule für Technik und Wirtschaft. Das war auch nicht das Richtige. Meisterschule Kraftfahrzeugtechnik. Fahrschulen, Kfz-Versicherungen, Automarkt mit technischer Einführung – ja, verdammt, wo konnte man denn etwas über ein Auto lernen? Sollte er vielleicht in seine Autowerkstatt gehen? Privatunterricht? Das fand er auch irgendwie albern, und vor allem fand er sich dabei albern.

Er stand auf und trat ans Fenster. Der Garten veränderte sich täglich. Die Schneeglöckchen standen in dichten Büscheln beieinander, und was da so gelb aus dem Boden schoss, waren Winterlinge, hatte ihm Nele erklärt. Klar, dass sie das wusste. Dafür hatte er die ersten Krokusse entdeckt. Sein Blick glitt über das fahle, schlaffe Gras, über die schmelzenden Schneeinseln und blieb an der Amsel hängen, die unter dem Rhododendron aufpickte, was Nele ihr frühmorgens hingestreut hatte. Er spürte ein Lächeln, bis er aus dem Augenwinkel eine Bewegung registrierte. Nachbars Katze pirschte sich an. Björn öffnete kurz die Terrassentür, kassierte dafür einen strafenden Blick aus stechenden Katzenaugen, und schloss sie wieder. Die Amsel flatterte davon, die Katze blieb stehen.

»So, und jetzt? Was machst du jetzt?«, fragte er sie durchs Fensterglas.

Die Katze gähnte ausführlich, dann ging sie gemächlich zu ihrem Heckendurchschlupf.

»Heim zum Frühstücken, was?« Irgendwie gefiel ihm diese Katze. Die hatte die Ruhe weg.

Björn ging ebenfalls in die Küche. Irgendetwas Gutes könnte er sich doch jetzt noch gönnen. Unentschlossen blieb er vor dem geöffneten Kühlschrank stehen. Es war schon anders, wenn Nele alles herrichtete. Er war nicht der Typ, der sich selbst etwas zubereitete. Björn griff nach der Orangensaftflasche und goss sich ein Glas ein. Ich bin halt doch ein typischer Mann, dachte er, aber da fiel ihm sein Kfz-Vorhaben ein, und er ging an den Laptop zurück.

Das werde ich doch schaffen, sagte er sich, stellte das Glas neben die Kaffeetasse und googelte erneut. »Amateur Kfz-Kurs« gab er ein. Und tatsächlich. Eine neue Seite baute sich auf, ganz oben bot eine Webadresse »Regelungen im Amateurfunkdienst« an, darunter kam das Angebot für einen »Schrauberlehrgang« und dann: »Kfz-Lehrgang für Frauen«.

Björn griff zum lauwarmen Kaffee und nahm einen großen Schluck. Ist ja ein Hammer, dachte er dabei. Für Frauen wird so etwas angeboten, für Männer nicht? War das nicht die pure Diskriminierung?

Er öffnete die Seite.

»Vom Reifenwechsel über richtiges Motoröl, Probleme mit Sicherungen und das Erkennen von sich ankündigenden Schäden wird Ihnen ein umfassendes Wartungs- und Pannenpaket angeboten. Von einer ausgebildeten Kfz-Meisterin.«

Björn lehnte sich zurück. Warum gab es so etwas für Männer nicht? Ging man davon aus, dass Buben mit Benzin im Blut geboren wurden? Er jedenfalls nicht. Spontan griff er zu seinem Handy und wählte die angegebene Nummer.

Er landete in einem Autohaus und wurde dreimal verbunden, bis er die Kfz-Meisterin persönlich am Ohr hatte.

»Nein«, wehrte sie ab, »ein Mann hemmt die Frauen. Sie sind untereinander sehr aufgeschlossen, stellen tausend Fragen, aber neben einem Mann würden sie sich diese Blöße nicht geben. Kurz, sie haben viel Spaß mit einem Schraubenzieher in der rechten und einem Glas Apérol in der linken Hand.«

»Das habe ich auch!«

Sie musste lachen. Ihr Lachen war warm und glockenhell und machte Björn irgendwie an.

»Ich dachte, Männer machen eher Kochkurse«, sagte sie mit einem Lächeln in der Stimme.

»Ich habe ein weibliches Element in mir«, versuchte es Björn. »Ich kann schon kochen. Aber mein Auto ist mir fremd.«

Die Meisterin zögerte. Das war schon mal gut, dachte er. Noch ein bisschen, dann war er am Ziel. »Ich koche Ihnen auch gern was vor.«

Sie lachte wieder. »Es geht weniger um mich als um meine Kursteilnehmerinnen. Sie kommen, weil es eine männerfreie Zone ist.«

»Männerfreie Zone«, wiederholte Björn, und das Bild einer Bikinizone schob sich vor sein inneres Auge. »Wie sich das anhört …«

»Aber so ist es!«

»Geben Sie mir doch Privatunterricht«, schlug er vor.

Es war kurz still.

»Ich rufe Sie zurück«, hörte er sie schließlich sagen. »Geben Sie mir Ihre Nummer, ich schau, was ich für Sie tun kann.«

Nele fuhr eine Schleife durch ihr Wohngebiet. Das hatte sie noch nie getan. Aber seit ein paar Tagen hatte sie das deutliche Gefühl, dass irgendetwas nicht mehr stimmte. Björn rasierte sich, er sprudelte vor Mitteilungsbedürfnis, begrüßte sie abends frisch geduscht und war so gut gelaunt, dass bei Nele sämtliche Alarmglocken schrillten. Auf dem Parkplatz um die Ecke parkte sie ihren Wagen zwischen anderen und wartete ab. Näher traute sie sich nicht heran, schon wegen der Nachbarn nicht. Die kannten ihr Auto, und Nele um die nächste Straßenecke herum in ihrem parkenden Wagen sitzen zu sehen, das hätte Fragen ausgelöst.

Aber die Fragen hatte sie ja selbst. Sie suchte die Antwort.

Wenn Björn in die Stadt wollte, musste er an ihr vorbei. Sie hoffte nur, dass ihre Chefin nicht zu Hause anrief, um sich nach ihren Magenschmerzen zu erkundigen. Damit hatte sie sich heute unterrichtsfrei genommen.

Nach einer halben Stunde Warten kamen ihr Zweifel. Hier zu sitzen, in der klammen Kälte eines völlig ausgekühlten Autos, das war doch völlig idiotisch. Was hatte sie sich dabei nur gedacht?

Dann sah sie ihn kommen. Zu Fuß. In Jeans, seiner roten Daunenjacke und einer schwarzen Wollmütze auf dem Kopf. Er sah unternehmungslustig aus und steuerte genau auf sie zu. Nele duckte sich hinter ihr Lenkrad. Es war fast unmöglich, dass er sie nicht entdeckte. Und wenn ja, was konnte sie sagen? Dafür gab es keine Ausrede, nur die Wahrheit: dass sie ihm misstraute. Und ihn deshalb bespitzelte.

Aber Björn zog einen Autoschlüssel aus seiner Jacke, und in der Reihe hinter ihr blinkte ein Wagen, mit dem Björn kurz darauf an ihr vorbeifuhr. War er blind? Oder verliebt? Vor Aufregung überdrehte sie den Zündschlüssel, aber das kratzende Geräusch des Motors brachte sie zur Besinnung.

Langsam, dachte sie. Tausend Gedanken stürzten auf sie ein. Woher hatte er den Wagen? Wohin fuhr er? Steckte seine Sekretärin dahinter, mit der sie doch am Verabschiedungsabend noch Einverständnis signalisiert hatte? War das ein Fehler gewesen?

Er fuhr mit einem schwarzen BMW vor ihr her, und Nele hielt Abstand, trotzdem fürchtete sie, dass er sie im Rückspiegel entdecken würde. Schließlich kannte er ihren kleinen weißen Golf. Aber offensichtlich drehten seine Gedanken sich um etwas anderes. Außerdem sprach er pausenlos in sein Handy.

Er fuhr direkt in die City, und Nele versuchte nun, trotz des zunehmenden Verkehrs, an ihm dranzubleiben. Aber als er plötzlich nach rechts abbog, schaffte sie es nicht mehr. Die Ampel schaltete vor ihr von Gelb auf Rot und bremste sie aus. Eine Weile fuhr sie noch die Straßen ab, aber dann musste sie sich eingestehen, dass es keinen Sinn mehr hatte weiterzumachen. Sie würde den BMW nicht finden, und wenn doch, dann würde sie ihn wahrscheinlich noch nicht einmal erkennen, weil sie sich die Nummer nicht gemerkt hatte. In der nächsten Einfahrt parkte sie und blieb eine Weile sitzen, um ihre Gedanken zu ordnen. Aber sie konnte keinen klaren Gedanken fassen. Schließlich fuhr sie wieder los, zur Volkshochschule. Dort würde sie Zerstreuung finden. Grübeln tat ihr nicht gut.

Die Kurse fanden in einem großen BMW-Autohaus statt, und Björn hatte sich für die Tage gleich einen entsprechenden Wagen geliehen, damit er nicht auf Neles Golf oder ein Taxi angewiesen war. Die Idee eines Technikkurses war gut und der Marketingeffekt auch, fand er. Sicherlich würden die Kursteilnehmer beim nächsten Autokauf ein Auto bevorzugen, das sie bis auf die letzte Radmutter kennengelernt hatten.

Björn gefiel das moderne Ambiente der Werkstatt, und zudem genoss er die Rolle des Hahns im Korb. Und zu seinem eigenen Erstaunen genoss er die Rolle des Mannes, der überhaupt keinen Technikverstand besaß. Den Frauen zu gestehen, dass sie ihm überlegen waren, brachte ihm sofort Sympathien ein, und schnell war er etwas wie das Kursmaskottchen. Insgesamt waren es zehn Kursteilnehmerinnen unterschiedlichsten Alters, und alle hatten sehr unterschiedliche Motive zu kommen. Aber eines einte sie: Sie wollten dazulernen, nahmen es aber nicht so ernst, wie Männer es vielleicht getan hätten, sondern fanden ihre technische Unkenntnis eher lustig. Die Meisterin war, ganz anders, als Björn es ihrer Stimme und ihrer Art am Telefon nach vermutet hatte, ein burschikoser Typ Mitte dreißig. Sie fuhr Oldtimer-Rallyes mit ihrem Freund, und Björn konnte sich sehr gut vorstellen, wie sie mit ihrem Opel-Cabrio von 1952 bei dichtem Schneetreiben offen und gut gelaunt einen der Alpenpässe hochzog, von denen sie so gern erzählte. Die älteste Kursteilnehmerin war Anfang siebzig. Björn hegte so etwas wie zärtliche Bewunderung für sie, denn sie war vor einem halben Jahr Witwe geworden, nahm gerade wieder Fahrstunden und wollte das Thema Auto ganzheitlich angehen, wie sie den anderen erklärte. Nach dreißig Jahren Beifahrersitz wollte sie auf Nummer sicher gehen. Aber es gab auch Dana. Dana war Mitte zwanzig, und Björn fand, dass sie mit ihren langen dunkelbraunen Haaren und der Jeanslatzhose, die sie über einem weißen, ausgefransten T-Shirt trug, perfekt zu James Dean gepasst hätte. Er hatte Mühe, sich nicht spontan in sie zu verlieben, und sagte ihr in einem Anfall von Selbstschutz, dass sie die Tochter war, die er sich gewünscht hätte. Sie lachte auf, und ihr Blick wurde bei ihrer Antwort schelmisch: Wenn er sich da mal nicht täuschte …

Es war vor allem Dana, die Björn so fröhlich in die Unterrichtsstunden gehen ließ. Klar waren auch die anderen gut drauf, brachten selbst gebackenen Kuchen mit und blieben anschließend noch zu einem kleinen Umtrunk sitzen. Es bildeten sich bereits kleine Freundschaften über den Kurs hinaus, aber Dana stach einfach heraus. Sie war frech und irgendwie wild und genau so, wie sich Björn Nele gewünscht hätte: draufgängerisch. Unbekümmert. Entdeckungsfreudig. So wie Nele früher gewesen war. Er wusste nur nicht, wie er es anstellen könnte, Nele wieder etwas lebenslustiger werden zu lassen, die Dinge lockerer zu sehen. Jetzt, da er den Beruf hinter sich gelassen hatte, wollte er einfach leben. Die Welt jenseits der Flughäfen und Businesshotels kennenlernen, ohne Verpflichtung im Handgepäck einfach losfahren, ein Koffer oder ein Rucksack und sonst nichts. Und da klebte Nele in ihrer Ritterrüstung, die sie sich über die Jahre zugelegt hatte, und besaß den Drang nach Planung, Ordnung und Übersicht.

Nele war zu ihrem Arbeitsplatz gefahren, aber sie konnte sich nicht konzentrieren. Einige der Kursteilnehmer waren noch da, sie entschuldigte sich, aber alle hatten Verständnis. Es konnte einem ja auch mal schlecht gehen, das war weiter nicht schlimm. Das Mitgefühl machte alles noch schlimmer. Am Schluss hätte Nele heulen können … über sich, über die Situation, über Björn, über den Verrat, dem sie heute auf die Schliche gekommen war … aber war es denn wirklich Verrat? Aber was sollte es sonst sein? Weshalb fuhr er heimlich mit einem fremden Auto herum? Sollte sie ihn darauf ansprechen, oder würde sie damit Wahrheiten zu hören bekommen, die sie lieber nicht wissen wollte?

Als er in dieser Nacht mit ihr schlafen wollte, wehrte sie ihn brüsk ab. Sie konnte ihn nicht anfassen. Es hätte nicht viel gefehlt, und sie wäre fluchtartig aus dem Bett gesprungen. So redete sie sich mit den Bauchschmerzen vom Morgen heraus, was ihr einen sorgenvollen Blick ihres Mannes eintrug.

»Lass nachschauen«, sagte er. »Nicht dass es der Blinddarm ist und wir in Florida Probleme bekommen.«

»Den Blinddarm habe ich vor zehn Jahren entfernen lassen. Ich lag einige Tage im Krankenhaus, und meine Mutter hat sich um das Haus und Alex gekümmert.«

Björn schwieg. Der Vorwurf war klar gewesen, und sie hatte ja recht. Vieles war an ihm vorbeigegangen. Alex war neben ihm aufgewachsen, nicht mit ihm. Deshalb sagte er nichts, sondern stand auf und ging zum Apothekerschrank im Badezimmer, um Nele eine Schmerztablette zu holen.

Der Abflugtag kam schneller, als es Nele lieb war. Auch Björn fand es etwas schade. Er gab den BMW zurück und bedauerte, dass das gemeinsame Abschlussfest zu spät für ihn kam. »Es gibt noch den Fortgeschrittenenkurs nach dem Anfängerkurs«, tröstete ihn die Meisterin, und Dana sagte ihm beim Abschied, dass ein älterer Mann vielleicht ja doch eine Option sei, sie hätte so manchen Ärger mit ihrem jüngeren Freund. Der sei eben noch recht unreif. Vielleicht läge es aber auch an seinen Spießereltern. Arriviert, reich und furchtbar langweilig.

Wie müssen Eltern denn sein, wollte Björn wissen.

»So wie du. Jung und aufgeschlossen!« Ihre Augen blitzten. »He, du bist hier in einem Frauenkurs, das allein spricht doch für dich.« Und die anderen Frauen gaben ihr uneingeschränkt recht. Mit dem Bewusstsein, dass er ein ganz besonderes Kerlchen war, fuhr er an diesem Abend mit dem Taxi nach Hause. Der weiße Golf stand bereits vor der Garage. Das bedeutete, dass auch Nele früher gekommen war und außerdem noch etwas anstand, sonst hätte sie den Wagen direkt in die Garage gefahren. Hatte er einen Termin übersehen? Oder hieß das, dass der Kühlschrank leer war und einer von ihnen noch zum

Supermarkt musste? Das hasste er. Aber seit seiner »Freistellung« konnte er sich nicht mehr herausreden.

Nele stand plaudernd mit einem Mann in der Küche, der Björn sofort an einen Reiseprospekt erinnerte: Er war jung, hatte die Hautfarbe und den Körper eines hawaiianischen Wellenreiters und so, wie er vor Nele herumtänzelte, offenbar auch das passende Temperament dazu.

Beide sahen ihn an, als komme er total ungelegen.

»Ah.« Neles Lächeln schien Björn nicht ganz echt. »Schon da?«

»Ja, schon da.«

»Mit dem Taxi?«, fragte Nele überrascht.

»Ja, wie sonst?«

»Eben.« Sie wies auf ihr Gegenüber, das mit einer Flasche Bier lässig am Edelstahlkühlschrank lehnte.

»Das ist Enrique. Er ist bei mir im Kurs. Enrique, das ist mein Mann Björn.«

Die beiden Männer gaben sich förmlich die Hand, und Björn überlegte, ob wohl Enrique der Grund war, weshalb Nele in letzter Zeit so abweisend war. Wie alt war er wohl? Ende zwanzig? Flüchtig dachte er an Dana. Dann hätte er ja auch … aber er schüttelte den Gedanken gleich wieder ab.

»Aha«, sagte er. Sollte er diesen Enrique nun etwa duzen? Hatte der Mann keinen Nachnamen? »Und was tun Sie so, wenn Sie nicht den Kurs meiner Frau besuchen?«

Enrique musste lachen und entblößte dabei eine unverschämt weiße und gerade Zahnlinie.

»Die Definition über den Beruf.« Enrique warf Nele einen Blick des Einverständnisses zu, der Björn schon wieder ärgerte.

»Ja, davon hatten wir es gerade.« Auch Nele lächelte, wie Björn sie lange nicht mehr hatte lächeln sehen. Völlig offen und entspannt. »Genau davon, Björn, dass sich in Deutschland die Menschen ständig über ihren Beruf definieren. Man fragt nicht: Wer bist du, was denkst du? Sondern: Was tust du.«

»Ja, und?« Björn fühlte sich angegriffen. »Wie will er mir in fünf Minuten erklären, wer er ist oder was er denkt?«

»Ja, die Fünf-Minuten-Terrine, davon hatten wir es auch gerade«, nickte Nele, und Björn dachte, ein bisschen viel *wir*.

»In anderen Ländern spricht man erst mal übers Leben, übers Wetter, über die Familie, bis man zur eigentlichen Frage kommt. In Deutschland fragt man: Wie geht es dir – und erwartet keine Antwort. Zumindest keine, die über zwei Sätze hinausgeht, und vor allem keine, die mit *schlecht* beginnt.«

»Okay, gut!« Björn hätte nun gern selbst zu einem Bier gegriffen, aber dazu hätte er erst einmal Enrique zur Seite schieben müssen. »Wie geht es Ihnen also?«

Nele warf ihm einen eisigen Blick zu, und Björn fand, dass es jetzt der Höflichkeit genug sei. »Ist noch irgendwas zu tun?«, fragte er. »Weil das Auto noch draußen steht.«

»Ich fahre Enrique nachher wieder in die Stadt zurück. Er hat mir geholfen, meine ganzen Geräte, die ich für meine Kurse in die VHS geschleppt habe, wieder hierher zurückzubringen.«

Björn hörte schon wieder den leisen Vorwurf heraus, den er so überhaupt nicht vertrug. »Gut«, sagte er, »dann sehen wir uns ja nachher.« Er nickte dem Fremden zu: »Und Ihnen wünsche ich noch einen schönen Abend.« Damit ging er aus der Küche und verfluchte sich, seinen BMW schon abgegeben zu haben. Wie gern wäre er jetzt in die nächste Kneipe gefahren. Was glaubte Nele eigentlich, wer er war? Ein kleiner Junge, den man vor einem Fremden so einfach abkanzeln konnte? Wieder schob sich Danas Gesicht vor sein inneres Auge.

»Scheiße!«, sagte er laut und ging ins Wohnzimmer.

Am Flughafen versuchten sie sich gegenseitig gute Laune vorzuspielen. Es war früh, beide waren unausgeschlafen, und jeder schob dem anderen heimlich die Schuld an der schlechten

Stimmung zu. Außerdem waren sie spät dran und die Schlange vor dem Schalter länger als befürchtet.

Nele holte tief Luft. »Wir hätten es eben doch mal mit der Elektronik versuchen sollen.«

»Wir oder ich?«

Björn runzelte die Stirn. Aber es stimmte natürlich, vieles war kein Hexenwerk, man musste es einfach nur angehen. Auch das Vorab-Einchecken per Handy. Aber immerhin hatte er an ESTA gedacht, allerdings war Neles Reisepass abgelaufen, und sie hatte ihn nur nach einer Zitterpartie rechtzeitig verlängert bekommen. Damit hätte er sie jetzt auch aufziehen können. Aber tat er das? Nein. Er war großzügig.

Nele zeigte ihren Reisepass vor und dachte, dass sie ihn, verdammt noch mal, ganz hätte verschwinden lassen sollen. Seitdem sie Björn an jenem Morgen hinterhergefahren war, hatte ihr diese Reise wie ein Fels auf der Seele gelegen. Enrique hatte sie mit seiner fröhlichen karibischen Art aufgeheitert, aber nach diesem denkwürdigen Zusammentreffen in ihrer Küche hatte sie Björn nur noch vergiften wollen. Wie konnte er nur so überheblich reagieren? Und dann, beim anschließenden Gespräch über die Situation, noch nicht einmal verstehen wollen, wie peinlich ihr das Enrique gegenüber gewesen war? Ganz, wie Alex immer gesagt hatte: »Papas Kosmos besteht aus fünf Buchstaben: B J Ö R N.«

Endlich waren sie auch durch die Sicherheitskontrolle und vergewisserten sich auf der Anzeigetafel, dass der Flug am geplanten Gate zur geplanten Zeit abflugbereit war.

»Verspätung«, sagte Nele und wies zur Anzeigetafel. *Delayed*, stand da. Dreißig Minuten.

»Gut, dass wir uns so beeilt haben«, sagte Björn und sah sich um. »Da, das Bistro. Sieht doch ganz nett aus. Lass uns frühstücken.«

Nele nickte ergeben. Sie war mit ihrem Mann auf dem Weg in den Urlaub, es wurde Zeit, dass sie fröhlich wurde.

Gleichzeitig mit ihnen kam eine Gruppe Männer und Frauen, die alle eine bemalte schwarze Lederweste über ihren Jacken trugen und, ihrer Lautstärke nach zu urteilen, mehr als nur gut gelaunt waren.

»Oje!« Nele schaute von ihrer Speisekarte auf, und auch Björn runzelte die Stirn. »Sind die auf Drogen, oder was?«

Offensichtlich hatte das der Typ mit dem grauhaarigen Pferdeschwanz gehört, der neben ihnen wartete, bis drei Tische zu einer Tafel zusammengeschoben waren. Er bückte sich zu Björn hinunter. »Nein, mein Lieber. Ganz im Gegensatz zu manch anderen einfach nur gut gelaunt.«

Nele überlegte, ob sie den Platz wechseln sollten, aber Björn legte seine Hand auf ihre. »Vielleicht hat er ja recht!«

»Er hat recht? So ein Altrocker?« Neles verständnisloser Blick amüsierte Björn. Er dachte an seine Autowerkstatt, die ihm lieb geworden war, und an die Kursteilnehmerinnen. Sie alle hatten Lebensgeschichten, die nicht nur lustig waren, wie er während der Kursstunden mitbekommen hatte, aber sie alle hatten sich ihren Humor bewahrt.

Endlich saßen die Altrocker an ihrem Tisch und bestellten eine Runde Bier. Während Nele und Björn Cappuccino und Rühreier serviert wurden, stießen sie neben ihnen mit Bierkrügen an.

»Pfui Deibel«, sagte Nele. »Wie geht das schon so früh?«

»Vielleicht haben sie durchgemacht?«

Sie musterte Björn, als sähe sie ihn zum ersten Mal. »So friedliche Töne?«

»Jeder soll sein Leben leben, wie er mag.«

»Und Schwule dürfen Kinder adoptieren ...«

»Warum nicht. Vielleicht sind es ja bessere Eltern als viele heterosexuelle Paare.«

Björn sah ihr an, dass sie an eine Erwiderung dachte. Wie er sich bei solchen Fragen echauffiert hatte und weshalb er plötzlich anders dachte? Und jetzt dämmerte es ihm. Nele sagte nichts, weil sie einen Grund vermutete: Männer veränderten sich, änderten ihre Meinung, änderten ihre Frisur, änderten ihre Kleidung – wenn sie sich verliebt hatten.

Da fing Björn an zu lachen.

»Was ist so lustig?«, fragte Nele irritiert.

»Denkst du, dass ich eine andere habe? Jetzt, wo wir gemeinsam in ein unbeschwertes Leben nur für uns beide aufbrechen können?« Er lachte wieder. Er lachte wirklich, das war nicht gespielt. Es war ein ehrliches Lachen aus tiefer Seele. Nele betrachtete ihn mit leichtem Stirnrunzeln.

»Meinst du das wirklich?« Er lachte noch immer.

»Nun …«, sie zögerte. »Warum versteckst du einen schwarzen BMW auf dem Parkplatz?« Das war aus ihr herausgebrochen, lange aufgestaut. Björns Lachen erstarb. Jetzt war er es, der sie nachdenklich betrachtete.

»Seit wann weißt du das?«, wollte er wissen.

Ja, wie lange? Sie spürte, dass sie rot anlief. Das passierte, wenn sie sich ertappt fühlte. Das hatte sie ihr ganzes Leben, seit der Schulzeit, begleitet.

»Rein zufällig«, wich sie aus. »An einer Ampel in Frankfurt. Auf dem Nachhauseweg. Aber du bist nicht vors Haus gefahren, sondern hast ihn versteckt.«

Björns Gesicht entspannte sich. Nicht zu fassen, dachte Nele, die seine Mimik genau beobachtete.

»Und warum hast du mich dann nicht darauf angesprochen«, fragte er, »sondern dir lieber irgendwelche Geschichten zusammengereimt?«

»Was soll ich schon denken, wenn du dein Auto vor mir versteckst?«

»Ja, was sollst du schon denken …«, wiederholte er langsam, dann nahm er ihr Gesicht zwischen seine beiden Hände und zog sie zu einem langen Kuss zu sich herüber.

»He, he«, kam es spöttisch vom Nebentisch herüber, »am frühen Morgen?!?«

Sie saßen auf einem Fensterplatz über dem Flügel, während die Lederwestengruppe etliche Reihen der Mittelsitze neben ihnen belegte.

»Na, fein«, sagte Nele mit einem Blick hinüber. »Ausgerechnet!«

»Es sind jedenfalls nicht die Hell's Angels.« Björn lächelte ihr zu. Er hat sein besänftigendes Gesicht aufgesetzt, dachte Nele. Er will die Stimmung retten. Gut, dachte sie, was soll's. Ob da jetzt ein paar Lederjacken saßen oder nicht, das war ziemlich unerheblich, schließlich konnte jeder tragen, was er wollte.

»Ganz schön viele«, bemerkte da Björn und wies nach vorn. »Da muss irgendwo ein Nest sein …«

Tatsächlich, eine weitere Gruppe kam den Gang herunter. Kurzes Begrüßungspalaver mit den Nachbarn, was den Gang für die nachrückenden Passagiere blockierte, aber keinen von den Motorradfans zu stören schien. Diese hier trugen keine Lederwesten, sondern ausgefranste Jeanswesten, deren Rückenteile bunt und mit unterschiedlichen Motiven bestickt waren.

»Gut, dass wir unsere Sitze schon haben«, sagte Nele leise, während Björn die Rückenteile betrachtete. Sieht gut aus mit den bunten Perlen und Pailletten, phantasievoll, dachte er. Besonders der schmale Rücken mit dem dick geflochtenen, braunen Zopf direkt vor ihm gefiel ihm. Den Sonnenuntergang auf ihrer Weste fand er zwar ziemlich kitschig, aber gut gemacht. Da drehte sich die Frau um und wollte weiter nach hinten zu ihrem Sitzplatz. Ihre Blicke trafen sich, und über ihr hübsches Gesicht glitt ein Lächeln.

»Ja, hoppla«, sagte sie. »Wen haben wir denn da?«

»Dana!« Björn schüttelte überrascht den Kopf und wollte sich zur Begrüßung erheben. Da er aber bereits angeschnallt war, fiel die Bewegung ziemlich lahm aus.

»Was willst du denn in Orlando? Autos reparieren?« Sie

lachte herzlich. »Bleib sitzen«, sagte sie und bückte sich für ein Begrüßungsbussi zu ihm hinunter.

»Und du?«, wollte er wissen, da fiel ihm Nele ein. »Dana, das ist meine Frau Nele, und Nele, das ist Dana!«

»Noch eine Sekretärin?«, fragte Nele, aber Dana lachte bloß.

»Nein, noch nicht mal das«, konterte sie.

Björn löste den Gurt, aber Dana winkte ab. »Ich mach jetzt mal den Gang frei, wir sehen uns nachher.« Damit lächelte sie ihm kurz zu und ging ihrer Gruppe hinterher.

»War das jetzt nötig?«, fragte Björn ungehalten.

»War dein Auftritt bei Enrique nötig?«

»Das war kein Auftritt, er blockierte meinen Kühlschrank.«

»Und sie hier hat den ganzen Gang blockiert!«

Sie verstummten und starrten einige Minuten geradeaus auf den Vordersitz, dann wandte sich Björn ihr zu. Neles Gesichtszüge waren eingefroren, die Lippen schmal, ihr Blick grub sich in die graue Rückenlehne vor ihr.

»Lass uns in Frieden in den Urlaub fliegen«, sagte Björn leise und legte seine Hand auf ihr Knie. »Vielleicht war ich an dem Abend nicht so gut drauf. Ich entschuldige mich dafür.«

Nele wartete kurz ab, bevor sie ihre Hand auf seine legte.

»Ja, vielleicht haben wir beide eine Auszeit bitter nötig, um uns wiederzufinden.«

In stillem Einvernehmen blieben sie sitzen, bis die Maschine in der Luft war, dann schloss Björn die Augen und dachte an Dana.

Nele hatte eine halbe Schlaftablette genommen, aber sie wachte kurz vor Ankunft nicht entspannt, sondern völlig gerädert auf. Ihre Träume waren sehr intensiv gewesen, viele heftige Szenen, aber ohne erkennbaren Sinn. Wie Filmschnipsel ohne Zusammenhang.

Sie entspannte die Schultern und schaute hinaus. Noch sah sie eine graue Fläche, somit waren sie noch über dem Atlantik.

»Möchtest du ein Frühstück?«

Björn machte auf die Stewardess aufmerksam, die sie mit einem kleinen Tablett in der Hand abwartend ansah.

»Ja, gern«, sagte Nele, aber noch dringender als ein Frühstück bräuchte sie eigentlich eine Toilette, dachte sie. Und hoffentlich standen sie dort jetzt nicht Schlange, es war unaufschiebbar. »Gleich«, sagte sie, »darf ich kurz raus?«

Es war etwas umständlich, aber schließlich ging Nele auf Strümpfen den Gang entlang nach hinten. Sie fühlte sich verschlafen, mit verquollenen Augen und platt gelegenen Haaren, insgesamt völlig unattraktiv, dazu hatte sie auch noch schlechte Laune. Da sah sie sie. Sie hatte dieses Mädchen total vergessen. Aber jetzt stand sie vor ihr und schäkerte mit einem etwa gleichaltrigen jungen Mann.

Sie war attraktiv, keine Frage. Aber sie hatte einen Zug um ihren Mund, der Nele nicht gefiel. Irgendwas war an ihr, aber was?

Offensichtlich erkannte sie Nele nicht, denn sie warf ihr zwar beim Vorbeigehen einen kurzen Blick zu, zeigte aber keine Reaktion. Nele ertappte sich, wie sie in der Toilette länger als geplant vor dem Spiegel stand und sich mit Wasser und zehn Fingern zu richten versuchte. Warum hatte sie ihr kleines Reisenecessaire nicht mitgenommen?

Björn hob die beiden Frühstückstabletts hoch, und Nele rutschte auf ihren Fensterplatz. Der Kaffee war inzwischen lauwarm, aber daran war sie durch ihren Toilettengang selbst schuld, und das Omelette unter der dicken Silberfolie sah wenig ansprechend aus. Björn hatte auf sie gewartet und begann nun ganz offensichtlich bestens gelaunt sein Brötchen aufzuschneiden und zu belegen.

Die Frage nach Dana lag ihr auf der Zunge. Woher kannte

er sie? Was hatte sie da angedeutet? Autos? Also wusste sie von ihrer Fahrt durch Florida. Aber wieso?

Sie beschloss, sich das zu verkneifen. Irgendwann, wenn es passte, würde sie der Sache auf die Spur gehen.

»Ist dein Kaffee auch so kalt?«, fragte Björn und sah sich nach der Stewardess um. »Sicher bekommen wir da noch Nachschub!«

Nele nickte.

»Und«, fuhr er fort und legte sein butterverschmiertes Plastikmesser zur Seite, »ich weiß jetzt, warum wir diesen Lederjackenauftrieb im Flieger haben …«

»Ach ja?« Nele behielt das Messer im Auge. Nicht, dass es ihr auf die helle Hose flog. »Warum?«

»Es ist die Daytona Beach Bike Week. Deshalb.«

Nele zuckte mit den Schultern. »Daytona Beach Bike Week? Sagt mir nichts.«

»Das weltweit größte Harley-Treffen. Rund 500 000 Harleyfahrer kommen da aus der ganzen Welt zusammen.«

»Du lieber Himmel«, sagte sie, »dann lass uns dort ganz schnell verschwinden, das hört sich ja fürchterlich an!«

»Ich habe mich vorhin so ein bisschen unterhalten, während du geschlafen hast«, er druckste herum, das hörte Nele ganz genau.

»Und jetzt willst du Motorrad fahren?«, fragte sie schnell und bemühte sich, nicht zu missbilligend zu klingen.

»Quatsch!« Er lachte und sah aus wie ein kleiner Junge, stellte Nele fest. Wie ein kleiner Junge, der sein Weihnachtsgeschenk entdeckt hat und nun so tun muss, als wüsste er noch von nichts. »Das will ich natürlich nicht. Aber wenn wir schon zu so einem Zeitpunkt dort sind, dann sollten wir doch einen Blick drauf werfen, findest du nicht?«

»Auf die Harleyfahrer?« Ihre Frage klang nun doch abweisender, als sie wollte.

»Das sind ganz normale Leute. So wie du und ich.«

»Wie du und ich«, wiederholte sie.

»Na ja, das sind auch Geschäftsleute, Angestellte, Lehrer, was weiß ich, die haben eben Harleyfahren als Hobby.«

»Mit Lederjacken.«

»Gehört halt irgendwie dazu. Für den Spaß – nicht für irgendeine Gesinnung!«

»Du bist ja gut informiert.«

»Du hast ja auch lange geschlafen.«

Nele spürte, wie sich ihr Ton veränderte. Hatten sie nicht Frieden bewahren wollen?

»Und mit wem hast du dich jetzt während meiner langen Schlafphase«, das konnte sie sich nun doch nicht verkneifen, »verabredet?«

Jetzt lachte er. »Da ich ja unsere erste Nacht sowieso in Daytona gebucht habe, um mal das Strandfeeling mit unserem Mustang zu haben, sind wir quasi mittendrin. Ich habe mich noch gewundert, warum diese Buchung so ein unglaublicher Glücksfall gewesen sein soll. Das stand jedenfalls in der Antwortmail. Ausdrücklich nur, weil gerade ein Zimmer freigegeben wurde, aber jetzt ist mir das klar. 500 000 Leute, da ist jedes Weinfass ausgebucht.«

»Was für ein Zufall!«, sagte Nele lapidar.

»Ja, ein Traum!«, sagte er und drückte ihr spontan einen Kuss auf. Der nächste Albtraum, dachte Nele und beschloss, möglichst im Hotel zu bleiben und bei Björns Rückkehr ganz schnell auf ihre Weiterfahrt zu drängen.

Beim Anblick des roten Ford Mustang musste selbst Nele lächeln. Gut, sie war keine Autonärrin. Autos sollten sie an ihr Ziel bringen, wenig Parkplatz beanspruchen, genug Stauraum haben und günstig sein. Wie sie aussahen, war Nele ziemlich egal. Aber Björn hatte schon recht. Mit diesem Wagen einen Teil der Route Number One hinunterzufahren, den Highway 1, der von der kanadischen Grenze bis nach Key West verlief und 4000 Kilometer lang war, wie Björn ihr begeistert erzählt hatte, das war schon was. Da kam ein Golf nicht mit, das musste sie zugeben.

Das rote Cabrio stand offen und auf Hochglanz poliert in der Sonne. Schwarzes Verdeck, schwarze Lederausstattung, blitzende Felgen. Nele beugte sich hinein. Die verchromten Armaturen und das alte Autoradio entzückten sie. Kein Hightech-Schnickschnack. Die Ledersitze zeigten feine Risse, aber das war gelebt, das fand sie gut.

Sie spürte Björns Blick in ihrem Rücken und richtete sich auf.

»Das hast du gut gemacht«, sagte sie und gab ihm den seit Wochen ersten ehrlichen Kuss. Vielleicht wurde ja doch noch alles gut, dachte sie.

Björn grinste und verstaute das Gepäck im großen Kofferraum.

»Nun hoffen wir, dass die Technik mit der Optik mithält«, sagte er und ging in das Büro, um die letzten Formalitäten zu erledigen.

Nele öffnete die Beifahrertür, setzte sich auf den von der Sonne erhitzten Ledersitz und sah sich um. Viel Beinfreiheit, und überhaupt kam ihr der Innenraum, wo sie jetzt drin saß, viel größer vor als von außen.

Schon interessant, dachte sie, welche Leidenschaften man im Leben entwickeln konnte. Aber das zeigte wohl auch, dass der Mensch nach etwas suchte, das über seinen normalen Alltag hinausging. Autos, Tiere, Kunst, Sport, sie überlegte, welche Leidenschaften sie in den letzten Jahren entwickelt hatte. Oder Björn, während er noch voll im Berufsleben gestanden hatte. Sie beschloss, sich diese Frage als gutes Gesprächsthema für den Abend zu merken, denn ihr fiel auf Anhieb keine Leidenschaft ein. Tiere? Die Katze in ihrem Garten. Oder vielleicht noch mehr die Amsel. Aber sie hatte sich auch nie ein Tier zugelegt. Autos genausowenig. Sport eher, um etwas zu tun, weniger, weil sie eine Leidenschaft dazu getrieben hätte. Ein etwas armseliges Fazit, fand sie. Hatte sich alles auf Alex konzentriert? Hatte sie tatsächlich ihre ganze Energie in die Familie gesteckt?

Björn kam freudestrahlend zum Wagen zurück, schwang sich hinter das Steuer und ließ den Motor an. Ein sattes Brummen, für Neles Geschmack etwas laut, aber Björn tätschelte ihr Knie. »Acht Zylinder, 200 PS, alles original, Schatz, das passt zu uns!« Mit Siegermiene rollte er aus dem Tor hinaus.

»Aber Navi hat er nicht«, merkte Nele an.

»Natürlich nicht!« Björn schüttelte den Kopf. »Das wäre auch ein Stilbruch!«

»Und woher wissen wir, wohin wir müssen?«

»Wie früher auch«, erklärte Björn und wies mit dem Daumen auf den Rücksitz. »Landkarte und Stadtplan liegen in meiner Tasche, das Hotel habe ich rot eingekreist. Es ist direkt am Strand!«

»Und jetzt soll ich …«

Er sah sie schelmisch an. »Es sei denn, du fährst, und ich lotse uns.«

Nele sagte nichts mehr, sondern griff nach seiner Tasche. Der Faltplan war dick, aber er hatte ja recht, früher war es auch so gegangen. Musste gehen. Sie versuchte die Karte auszubreiten, aber der Fahrtwind war zu heftig und die Karte zu groß. »Das wird nichts«, sagte sie. »Und überhaupt, wo sind wir hier? Ich brauch ja einen Ausgangspunkt.«

»Wir fahren jetzt einfach mal nach Daytona. Und dort am Strand entlang, das kann ja nicht so schwierig sein.« Er wies auf ein großes Straßenschild, an dem sie vorbeifuhren. »Na also. Daytona Beach oder Ford Lauderdale, ich denke, diese Frage ist klar.«

Nele war nichts klar, aber sie beschloss, ihn einfach machen zu lassen, und verstaute die Karte wieder in seiner Tasche.

Der warme Fahrtwind strich ihr übers Gesicht, und Nele

genoss es. Auch die bewundernden Blicke der anderen Autofahrer, das musste sie zugeben. Ich bin doch sonst so uneitel, dachte sie an einer roten Ampel, als der junge Fahrer auf der Spur neben ihr breit grinsend den Daumen hochreckte.

»Wir kommen gut an«, sagte Björn.

»Das Auto kommt gut an«, korrigierte Nele.

»Aber wir fahren das Auto«, insistierte er.

»Im Golf würde uns keiner anschauen!«

»Dich schon!«

Nele warf ihm einen Blick zu. Schon lange hatte er so etwas Liebes nicht mehr gesagt.

»Doch!« Er nickte ihr zu. »Du bist heute besonders hübsch. Ich weiß nicht ... abenteuerlustig vielleicht?«

Abenteuerlustig? Sie horchte in sich hinein. Konnte man abenteuerlustig sein, ohne es selbst zu merken?

»Hm«, sagte sie. »Ich weiß nicht ...«

»Aber ich. Du wirst von Minute zu Minute entspannter und damit hübscher.«

Entspannt zu sein passte nicht wirklich zu einer Abenteuerlust, dachte sie, aber wie auch immer, er war gut drauf, und seine liebe Art tat ihr gut.

Sie fuhren aus Orlando hinaus, und Björn suchte im Autoradio einen Sender. Er drehte an dem schwarzen Knopf und hatte ihn plötzlich in der Hand.

»Oh!«, sagte er erschrocken und hielt ihn hoch.

»Abgebrochen?«, fragte Nele und nahm ihn ihm aus den Fingern.

»Abgefallen.«

Nele begutachtete ihn, konnte aber weder Klebespuren noch sonst etwas Auffälliges entdecken, deshalb steckte sie ihn einfach an seinen Platz zurück. »Ist halt alt«, sagte sie und zuckte mit den Achseln. »Macht nichts.« Hoffentlich ist das kein schlechtes Omen, dachte sie.

»Es geht auch so.« Björn probierte die Tasten durch, und

tatsächlich waren die Sender einprogrammiert. »Rock 'n' Roll, wer sagt's denn ... ganz wie es sich gehört!«

Inzwischen waren sie aus der Stadt heraus und fuhren Richtung Daytona. Knapp eine Stunde, hatte Björn gesagt, und Nele freute sich schon darauf, irgendwo am Strand gemütlich Mittag zu essen. Einen frischen Salat mit Seafood, stellte sie sich vor. Dazu ein leichtes Glas Weißwein und anschließend einen Liegestuhl am Meer.

Ein lauter werdendes Geräusch schreckte sie auf. Besorgt sah sie zu Björn hinüber.

»Björn, was ist das?«

»Oh, là, là«, sagte er.

Oh, là, là? »Ist was mit dem Motor?« Sie hielt den Atem an.

Björn tippte mit dem Zeigefinger auf den Rückspiegel. Nele sah hin. Es war ein schmaler Chromspiegel an einer noch schmaleren Halterung. Dann verstand sie und drehte sich um.

Hinter ihnen näherte sich eine unendliche Menge von Motorrädern.

»Oje«, sagte sie.

»Geil, oder?«

Die Harleys übertönten sogar den Sound des Mustangs, als sie einer nach der anderen überholten. Die Beine vorgestreckt, die Arme an den hohen Lenkern, die Körper in schwarzem Leder und die Haare durch Tücher gebändigt – aber auch hier der hochgereckte Daumen in ihre Richtung.

»Lauter freundliche Gesellen«, kommentierte Björn breit grinsend. Es waren erstaunlich viele Frauen dabei, fand Nele. Und zwar nicht auf dem Sozius, sondern als Fahrerinnen.

»Das macht doch Laune!«, freute sich Björn. Und ob er wollte oder nicht, bei all den Bikern, die sich nun langsam an ihnen vorbeischoben, kam ihm Danas Bild wieder in den Sinn. Dana im Lederdress auf einer Harley, das musste unglaublich sexy aussehen. Ob er sie noch einmal treffen würde? Sie hatte ihm während des Flugs zwar gesagt, dass er diese

Show auf keinen Fall verpassen dürfe, aber sie hatte ihm keinen Hinweis für ein Treffen gegeben. Er griff hinüber zu Neles Hand. Es war nicht richtig, dass er an Dana dachte.

Die fünfzig Harleys, die sie gemächlich überholt hatten, waren nur ein kleiner Vorgeschmack gewesen. Kurz vor Daytona blieben sie in Motorrädern stecken. Vor ihnen, hinter ihnen, neben ihnen … es ging gar nichts mehr.

»Ist ja verrückt!« Nele schüttelte den Kopf. Dann musste sie lachen. Es war einfach unglaublich. Wie in einem roten Gummiboot in einem Meer von Harleys. Schade, dass sie dieses Bild nicht von oben sah, sie hätte es gern als Foto mit in ihren Kurs genommen, zumal es wirklich verrückt war, was sie sah: Die wildesten Outfits konkurrierten da miteinander. Wo kein Leder war, zeigte sich viel nackte, meist tätowierte Haut, die Motorräder waren phantasievoll lackiert, Farben, Bilder, Haie, Heilige, ganz egal, alles war geboten.

»Wahnsinn«, sagte Björn, während er im Schritttempo dahinschlich.

»Wir müssen hier falsch sein«, meinte Nele. »Haben wir ein Autoverbotsschild übersehen?«

»Verbotsschild?« Björn lachte. Er sah jung aus mit seiner Sonnenbrille und den vom Fahrtwind zerzausten Haaren. Jung und unternehmungslustig, dachte Nele. Völlig anders als Björn, der Bürohengst. »Wir sind in Amerika, dem Land der unbegrenzten Möglichkeiten!«

Nele hatte gleich wieder tausend andere Bilder vor Augen, aber sie verdrängte sie. Irgendwie war Amerika schließlich mal zu diesem Ruf gekommen, und irgendwas musste ja dran sein.

»Aber manche sehen trotzdem ganz schön bedrohlich aus«, sagte sie und wies auf einige bärtige, grimmig dreinschauende Gesellen, die stoisch neben ihnen herfuhren.

»Das ist wahrscheinlich ihr Image«, sagte Björn. »Ich finde, es ist eine schöne Mischung«, und er zeigte auf zwei junge

Frauen, die mit buntem Bikiniobertteil und Hotpants auf ihren Maschinen saßen. Ihre langen Haare flatterten, und die Hinterreifen waren breiter als ihre Hintern. »Hat doch was!«

Die Atlantic Avenue, der Boulevard auf dem schmalen Uferstreifen zwischen Halifax River und dem Atlantik, an dem auch ihr Hotel liegen sollte, war wirklich nicht schwierig zu finden. Eher war es schwierig, dorthin zu kommen. Überall fanden Shows oder Vorführungen statt, alle Straßen waren verstopft. Menschen, Motorräder, auch die passenden Hunde, alles schien auf den Beinen zu sein. Neles Magen knurrte. Außerdem brannte die Sonne vom Himmel, und sie waren aus dem Winter gekommen. Möglicherweise würden sie gleich mal einen schönen Sonnenbrand bekommen, vor allem in Björns Nacken sah sie schon erste rote Flecken. Die Sonnencreme hatte sie fest verschlossen im Koffer, aber wie konnte sie auch mit so einer Verzögerung rechnen?

»Langsam reicht's«, sagte sie.

»Wir sind auf dem richtigen Weg«, beruhigte Björn sie. »Hier kommen die ganzen Hotels, da kann das Hilton nicht mehr weit sein.«

»Hoffentlich«, stöhnte Nele. »Und sofort ein Mittagessen am Swimmingpool. Oder besser: im Swimmingpool.«

Björn war nicht hungrig, er war viel zu aufgeregt. Er hätte liebend gern den Wagen einfach abgestellt, eingecheckt, den Koffer ungeöffnet aufs Bett geworfen und wäre los, sich mitten ins Getümmel werfen, vielleicht irgendwo an einem Stand eine Kleinigkeit essen und ansonsten nur schauen, staunen, fragen, sich mitreißen lassen. Aber es war ihm klar, dass er Nele damit enttäuschen würde. Also schritt er durch die riesige Halle zur Rezeption, wartete in dem großen Doppelzimmer mit Meerblick, bis Nele geduscht und sich umgezogen hatte, und machte dann mit ihr einen kleinen Rundgang durch all die Bars, Restaurants und Wellnessmöglichkeiten des Hotels, bis sie endlich am Swimmingpool zu sitzen kamen und Nele sich einen grünen Salat mit Geflügelstreifen bestellte. Björn hatte Lust auf ein Bier und einen Burger, den er zu Hause nie essen würde.

Nele fand es bewundernswert, wie sehr er sich anstrengte. Sie spürte seine fiebernde Ungeduld, aber er machte jeden kleinen Umweg mit und trommelte auch nach der Bestellung nicht mit den Fingern auf die Tischplatte, wie er es sonst gern tat, wenn ihm etwas zu lange dauerte, sondern saß ihr völlig relaxed gegenüber und griff nach ihrer Hand.

»Haben wir nicht ein Glück? Alles, was sich anfangs schlecht anhört, wird mit der Zeit gut. Man muss nur Vertrauen haben.«

»Vertrauen in wen?«

»In sich selbst.«

Nele fragte sich, ob im Leben Vertrauen in sich selbst genügte? Hatte sie in ihrem Leben überhaupt jemals ein gesundes Selbstvertrauen entwickeln können?

»Meinst du?«

»Ja, und vielleicht auch Vertrauen darauf, dass sich die Dinge positiv entwickeln.«

»Das wäre zu einfach.«

»Das ist einfach!« Er lächelte ihr zu. Die Getränke kamen, und sie prosteten einander zu. Sie sahen über das Blau des Swimmingpools hinweg direkt zu den Wellen des Atlantiks. »So habe ich mir das erträumt«, sagte er. »Sonne, eine wunderschöne Sicht und keine Verpflichtungen mehr, außer der Familie gegenüber.«

Nele nickte. »Das, was du bisher nicht hattest.«

»Nicht haben konnte.«

»Alex wird sich über deine neue Ansicht freuen.«

»Alex ist erwachsen. Das hast du ja gesehen.«

»Alex braucht seinen Vater. Hat ihn immer gebraucht …« Den Rest des Satzes ließ Nele in der Luft hängen.

Björn griff nach seinem Bierglas und trank es in einem Zug leer. »Familie und Beruf sind eben nicht so einfach zu verbinden.«

»Sag das mal all den arbeitenden Müttern. Die müssen das auch irgendwie hinbekommen.«

»Es arbeiten nicht alle Mütter.«

Da war er wieder, der Unterton, so als ob sie sich all die Jahre nur ausgeruht hätte.

»Das bisschen Haushalt …«, summte sie.

Er warf ihr einen kurzen Blick zu. »Ich habe nie gesagt, dass du nichts leistest«, sagte er. »Ich habe uns immer als Team gesehen, du Haushalt und Kind und ich der Versorger, ganz klassisch. Sag mir, was daran falsch ist.«

Nele zuckte mit den Achseln. Sie wusste es selbst nicht. Sie hatte sich in dieser Rolle über viele Jahre wohlgefühlt. Ihre Zweifel waren erst später gekommen, als Alex aus dem Haus war und sie sich eines Morgens im Spiegel betrachtet hatte. Was hatte sie geschafft, auf das sie stolz blicken konnte? Jeder, der mit seinen Händen etwas tat, hielt ein Produkt in Händen, hatte sie damals gedacht. Jeder Bauarbeiter, jeder Gärtner, jeder Architekt, jeder Bäcker. Sie war von allem ein bisschen. Sie hatte das Haus mit geplant, sie pflanzte die Blumen, sie backte Kuchen und Brötchen, sie kochte exklusive Menüs, und trotzdem blieb davon einfach nichts hängen. Es war alles so selbstverständlich. Wie konnte sie ihm erklären, wo diese Leere manchmal herkam, die sie fühlte? Dass ihr Leben nach Alex' Auszug eben nicht mehr erfüllt war, sondern wie eine bedrohliche Schwärze vor ihr gestanden hatte, wie ein Loch, in das sie unweigerlich fallen würde? Und dass ihr der Job an der VHS deshalb lebenswichtig war? Dass ihr diese Anerkennung nicht nur guttat, sondern weiterhalf?

»Wenn es falsch war, was wäre dann richtig gewesen?«, unterbrach Björn ihre Gedanken.

»Ja, eben, Björn. Darüber habe ich in den letzten Jahren

nachgedacht. Du hast deine Bestätigung in deinem Beruf bekommen. Und ich war deine Frau.«

»Aber was ist daran falsch?«

Wenn sie es nur so genau wüsste. »Es war einfach das Gefühl, nicht so viel wert zu sein wie du. Der Herr Bankdirektor und seine Frau.«

»Ja, dann hättest eben du die Bankdirektorin werden müssen. Dann hätte es *die Bankdirektorin und ihr Mann* geheißen. Es heißt ja auch die *Kanzlerin und ihr Mann.*«

»Und du hättest auf deinen Beruf verzichtet?«

»Das weiß ich nicht. Das hättest du mich damals fragen müssen, nicht heute.«

Ja. Jetzt war es zu spät. Die Dinge ließen sich nicht zurückdrehen. Sie sah, wie er einen schnellen Blick auf seine Armbanduhr warf.

»Vielleicht habe ich ja gerade eine depressive Phase, entschuldige«, sagte sie schnell.

»Die bekämpfen wir sofort.« Er wies mit dem Kopf auf den Kellner. »Schau, da kommt unser Essen, und mit vollem Bauch kommen auch die Glückshormone wieder, du wirst sehen. Und dann, Liebling, kommst du mit, und wir stürzen uns in den fröhlichen Trubel, das ist jedenfalls ansteckend.«

Nele schenkte ihm ein Lächeln. »Lieb von dir, aber ich buche lieber eine Massage und genieße die Sonne und das Meer.«

Hätte ihm das jemals einer gesagt, er hätte es nicht geglaubt. Er, der sich immer für super seriös gehalten hatte, ein Bild der Korrektheit und das Gegenstück aller Ausgeflippten, stand nun inmitten der krassesten Typen und fand es genial. Eines war sicher, hier war viel Phantasie im Spiel. Die Kleidung, die Aufmachung, die Motorräder, die Designs – überhaupt, er hatte noch nie Motorräder mit einer so langen Vorderradgabel gesehen. Und so einem schmalen Sitz. Dass man damit überhaupt fahren konnte? Und dann die Frauen. Alle trugen sie ihre Kurven zur Schau. Manche so üppig, dass sie sich in Deutschland nur verhüllt gezeigt hätten, aber hier, unter Floridas Sonne, war ganz einfach schön, was den Menschen gefiel. Ob schreiend bunt oder schwarz mit silbernen Nieten, ob mit tätowierten Bierbäuchen oder Pobacken, hier war alles erlaubt. Die größte Geschmacklosigkeit war gerade gut genug, solange sie aus dem Getümmel der Auffälligen herausstach. Björn kam sich in seiner Jeans und dem Polohemd fürchterlich normal vor. Wie der sprichwörtliche Biedermann aus einem deutschen Spießerviertel. Fehlten nur noch der Schrebergarten, der Gartenzwerg und die weißen Socken in den braunen Wandersandalen.

An einem der vielen Verkaufsstände tauschte er sein weißes Poloshirt gegen ein Hawaiihemd. Jetzt trug er eine dekorative Motorradbraut auf der Brust und ließ die ersten drei Hemdknöpfe offen. Und er ertappte sich bei einem breiten Grinsen.

Nele versuchte die seltsame Stimmung, die sie seit dem Mittagessen erfasst hatte, abzuschütteln. Woher kam es, dass man manchmal nicht wusste, warum man einfach nicht glücklich sein konnte, obwohl doch alles gut war? Sie war gesund, ihr Sohn studierte, ihr Mann war unternehmungslustig, sie hatten genug Geld – und trotzdem wohnte da ein seltsames Gefühl in ihrer Brust. Sie wurde aus sich selbst nicht schlau und fragte an der Rezeption nach einem Massagetermin. Eine junge Schwarze telefonierte für sie, aber es schien schwierig, und sie bat Nele um ihre Mobilnummer, falls sich eine Möglichkeit ergab. Nele nahm es gelassen, zog ihren Bikini an und legte sich mit einem Buch an dem hoteleigenen Badestrand unter einen Sonnenschirm. Sie beobachtete die hohen Wellen und genoss es, mit sich und ihren Gedanken alleine zu sein, auch wenn tief in ihr etwas war, das ans Licht wollte.

Das Buch, das sie mitgebracht hatte, hatte sie schon dreimal angefangen und nie die Ruhe gefunden, sich auch hineinzuversenken. Jetzt schien die Gelegenheit gut. Nichts konnte sie stören, außer vielleicht ein Anruf von der Rezeption, und darüber würde sie sich freuen.

Björn hatte sich mit vielen anderen an die Straße gestellt und sah den vorbeidröhnenden Harleys zu. Es waren unfassbar viele verschiedene Modelle. Nachdem er sich an den Menschen, die sie fuhren, sattgesehen hatte, betrachtete er nun die einzelnen Maschinen, hatte aber überhaupt keine Ahnung, was er da sah. Er konnte nur an den Reaktionen der anderen Schaulustigen ablesen, ob da ein besonders seltenes oder besonders gut inszeniertes Stück vorbeirollte. Irgendwann dröhnte sein Kopf von den Motoren und den hämmernden Bässen der allgegenwärtigen Musik, und er wollte sich gerade umdrehen, um sich ein ruhigeres Plätzchen zu suchen, als er eine Hand auf seiner Schulter spürte.

»Wen haben wir denn da?«, fragte eine Stimme, ziemlich tief und ziemlich deutsch.

Björn drehte sich um. Es war einer aus der Clique um Dana, mit dem er sich auf dem Hinflug unterhalten hatte. Sofort begann sein Herz schneller zu schlagen.

»Na«, sagte er, »das ist aber ein Zufall!«

»Es gibt keine Zufälle«, war die Antwort des bärtigen Gesellen, der sich ihm im Flieger als Joe vorgestellt hatte.

»Anscheinend doch!«, widersprach Björn. »Sonst stünden wir beide jetzt nicht hier!«

»Alles ist vorherbestimmt«, antwortete Joe und kratzte sich am Kinnbart.

»Sind alle Harleyfahrer religiös?«

»Wie meinst du das?«

»Na, glaubt ihr an eine höhere Macht, die alles lenkt?«

»Du etwa nicht?«

Nein, ich nicht, dachte Björn. Dann fiel ihm sein Gespräch

mit Nele ein. Vertrauen darauf, dass die richtigen Dinge geschehen, das hatte er ihr gesagt. »Ich weiß es nicht.«

»Schlechte Antwort.«

»Welche ist die bessere Antwort?«

»Vertrauen.«

Konnte Joe Gedanken lesen? Konnte er dann auch lesen, dass Björns erster Gedanke bei Joes Anblick Dana galt? War sie hier?

Björn nickte. Joe grinste und schlug ihm wieder auf die Schulter. »Und?«, fragte er. »Wie findest du es hier?«

»Phantastisch! Ich habe nur leider keine Ahnung.«

»Aber sie gefallen dir?«

Björn nickte.

»Und die Stimmung auch? Die Kraft, die einen mitzieht, die Brüderlichkeit, die Kameradschaft?«

Björn stutzte. Brüderlichkeit, Kameradschaft? Er runzelte die Stirn.

»Bist du denn alleine hier?« Björn schoss eine Versuchsrakete ab.

»Die anderen sind gerade beim späten Mittagessen.« Joe grinste und schlug sich auf den zwischen der Jeansweste vorgewölbten Bauch. »Das brauch ich nicht, ich habe vorgesorgt.«

»Dana auch?« Björn musste es einfach wissen.

»Die nicht«, entgegnete Joe arglos, »die hat andere Probleme. Deswegen ist sie hier. Und nebenbei hat sie auch Probleme mit ihrem Freund. Dem schreibt sie gerade eine Mail nach der anderen.«

»Freund …«, wiederholte Björn. Das hatte sie ja bereits gesagt. Sie hatte sogar von einem jüngeren Freund gesprochen. Was hatte er denn gedacht? Sie hatten gemeinsam an Autos herumgeschraubt, mehr nicht. War sie vielleicht auf ihn geflogen? Nein. Sie war jung, und es war mehr als klar, dass sie keinen Frühpensionär wie ihn wollte. Ein Abwrackteil ohne Amt und Würden. Björn verzog das Gesicht und verbannte den Gedanken sofort wieder aus seinem Kopf.

»Die Arme«, sagte er.

»Kann man wohl sagen. Wir hätten ihn ja mitgenommen, aber er wollte nicht. Selbst schuld, kann man da nur sagen.«

»Man sollte sich durch Partnerprobleme nicht den Urlaub vermiesen lassen«, erklärte Björn und dachte an Nele. Da musste er auch ganz fein justieren. Aber ein Anfang war immerhin gemacht.

»Soll ich dir ein bisschen was aus dieser Welt erklären?« Joe machte eine allumfassende Handbewegung.

»Klar.« Björn nickte. »Es ist jedenfalls eine Invasion der Eisenhaufen.«

»Feuerstühle«, korrigierte Joe. »Hier hat keiner weniger als 1600 Kubik. Und bei einem Gewicht von durchschnittlich 320 Kilo rollen hier bei 600 000 Bikes also gut 200 000 Tonnen Stahl, Gummi und Kunststoff durch die Straßen und über den Sand.«

»Ich bin beeindruckt!«

»Gut.«

Und in der nächsten Stunde bekam Björn Namen zu hören, die er sich nur bruchstückhaft merken konnte: Street Glide, Fat Bob, Switch Back, manche sahen aus wie dicke Cruiser, andere wie pures Gestänge mit einem kleinen Tank, aber eines vereinte sie alle: das stolze Gefühl ihrer Besitzer und Besitzerinnen.

Bei einem Bier, das sie sich an einer Straßenbar genehmigten, klingelte Joes Handy. »Okay, Mann, jetzt haben sie die Bäuche voll!« Er grinste und schaute auf. »Wir treffen uns wieder. Willst du mitkommen?«

Björn überlegte kurz. Nein, eigentlich sehnte er sich nicht nach der deutschen Meute. Er schüttelte den Kopf.

»Okay, falls du es dir anders überlegst …« Joe zog zu Björns großem Erstaunen eine Visitenkarte aus seiner Westentasche und reichte sie ihm. »Wir schwingen uns jetzt wieder auf unsere Böcke. Gemietet, aber okay. Falls du eine Runde mit willst – meine Handynummer steht drauf.«

Reflexartig zog Björn seinen Geldbeutel hervor und reichte Joe seine Visitenkarte.

»Okay.« Joe steckte sie ein, ohne ein Blick darauf zu werfen. Und Björn warf Joes an der nächsten Ecke weg.

Nele lag schlafend auf ihrem Liegestuhl, und das Buch war ihr aus der Hand gerutscht. Ihre Träume waren aber trotz des beruhigenden Wellenrauschens seltsam düster und konfus. Als ihr Handy klingelte, schreckte sie hoch, und sie brauchte einen Moment, um sich zurechtzufinden. Dann aber war sie froh, aus dem Traum aufgeweckt worden zu sein, und noch besser fand sie, was die junge Frau von der Rezeption ihr sagte: Eben sei eine Ayurveda-Stunde abgesagt worden, und Nele könne, wenn sie flexibel und schnell sei, direkt einspringen. Nele freute sich. Ganz offensichtlich war das Hilton ein Hotel der spontanen Möglichkeiten. Sie zog den Hotelbademantel über ihren Bikini, lief zur Rezeption und ließ sich den Weg zum Wellnessbereich zeigen.

Eine junge Frau in einem weißen Hemdblusenkleid nahm sie in Empfang und führte sie in einen völlig weiß eingerichteten Raum. In der Mitte stand die Massageliege, und auf einem weißen Sideboard blühte als einziger Farbklecks ein knallroter, weit geöffneter Hibiskus in einer schmalen, roten Vase. Die Mitarbeiterin zeigte ihr einen Nebenraum, in dem sie sich ausziehen und ihre Kleider deponieren konnte. Was sie noch ausziehen sollte, wusste Nele zwar nicht, aber sie hängte ihren Bikini an den Kleiderhaken, zog das dort für sie deponierte Höschen an und ging in den weißen Raum zurück. Leise Musik empfing sie, ansonsten war der Raum leer. Unentschlossen blieb sie stehen. Sollte sie sich jetzt im Bademantel hinlegen? Das war ja wohl affig. Oder ihn ausziehen und sich einfach auf den Bauch legen? Sie hatte ja dieses kleine Höschen an, aber es erschien ihr trotzdem falsch. Also lehnte sie sich an die Liege und wartete ab. Waren es drei Minuten oder fünf? Die Zeit war hier nicht messbar, und sie dachte gerade darüber nach, wie man in einem Raum ohne Fenster überhaupt Stunden oder Tage ausmachen konnte, da ging die Tür auf. Ein junger Inder erschien, begrüßte sie freundlich und bat sie, den Bademantel abzulegen und sich entspannt auf die Liege zu legen. Das mit der Entspannung fiel Nele nicht leicht, denn mit einem Mann hatte sie nicht gerechnet. Aber er war ansprechend, sehr ästhetisch in seinem weißen Longhi, einem großen, über die Hüften gebundenen Tuch. Seine grünen Augen betrachteten sie freundlich, und genauso freundlich betrachtete Nele sein Gesicht mit den hohen Wangenknochen. Es wirkte wie gemalt.

Sie legte sich auf den Bauch, und unter seinen Händen und den feinen Linien des warmen Öls lösten sich ihre schweren Gedanken und verwandelten sich in weiche Daunenfedern, die ihr durch den Körper schwebten, und plötzlich mündeten diese Gefühle in einem heftigen Begehren. Sie hatte Mühe, ihre Lust zu unterdrücken und weder im Rhythmus seiner Hände zu stöhnen noch sich selbst anzufassen. Ihre Sinne hatten sich auf den Mittelpunkt ihres Körpers konzentriert, und dort blieben sie nun. Nele vergaß sich, ihre Überlegungen und Ängste, sie fühlte sich schwerelos und frei. Warum, dachte sie noch, habe ich diese Gefühle bei Björn nie? Kurz darauf dachte sie überhaupt nichts mehr, sondern war nur noch Nehmende …

Nach über einer Stunde öffnete er mit einer kleinen Verbeugung für sie eine Tür zu einem Dampfbad, in dem sie nun noch entspannen sollte, und reichte ihr eine grüne Paste, um anschließend das Öl abzuduschen. Aber als sie danach in ihren Bademantel schlüpfte, war sie immer noch von Kopf bis Fuß ölig. Sie mochte lieber in ihrem Zimmer duschen, so ganz mit ihrem Körper, ihren Sinnen und ihren Gedanken alleine sein. Sie konnte es kaum erwarten, gab ihrem Wohltäter ein dickes Trinkgeld und fühlte sich wie eine Königin, als sie mit dem Lift nach oben fuhr. Der Boden unter ihren Füßen war weich ausgelegt, und während sie den Gang entlang zu ihrem Zimmer lief, hatte sie noch immer dieses seltsam schwebende Gefühl. Wie berauscht, dachte sie. Waren es die dezent duftenden Räucherstäbchen? Sie war sich nicht sicher. Vielleicht war es auch einfach nur ihr Körper, der sich gut fühlte. Für Björns nächste Freiheitspläne hatte sie ein geniales Ziel: Ayurveda in Indien.

Sie schloss die Tür auf, ließ den Bademantel von ihren Schultern gleiten und kickte ihn mit einem Fuß zum Bett. Dort saß schon jemand.

Björn betrachtete seine Frau, als hätte er sie im Leben noch nie gesehen. Dieses selbstvergessene Gesicht, die nach hinten geklebten Haare, diese laszive Bewegung, wie sie den Bademantel von sich kickte, und der glänzende Körper, der diesem Bademantel entstieg. Es war unfassbar. War das wirklich Nele? Wem zeigte sie dieses Gesicht? Dieses so andere Gesicht, wenn nicht ihm?

Nele entdeckte ihn im gleichen Moment. Nach einer Sekunde des Erschreckens glitt sie an ihn heran, pflückte seine Hand von der Bettkante und fuhr damit über ihren Körper. Über die Brüste, über den Bauch, bis zur Scham.

Björn hielt den Atem an. Er hatte Angst, sie könne durch eine unbedachte Bewegung aus diesem Traum erwachen. So entrückt, wie sie sich nun vor ihm wand, seine Hand überall hinführend, wo sie lange nicht gewesen war, war das Nele? Die normale Nele? Sex, ja. Auch mal leidenschaftlich. Nicht oft, aber nie schlecht. Trotzdem – dies hier war eine andere Frau.

Er stand auf, und Nele schmiegte sich an ihn, riss mit beiden Händen und einem kräftigen Ruck sein Hawaiihemd auf.

Die Knöpfe flogen zur Seite und das Hemd in eine Ecke. Macht nichts, dachte er, ist jetzt sowieso ölig, aber schon rekelte sie sich an seiner nackten Brust, und er vergaß das Hemd. Das Gefühl dieser weich schimmernden Haut auf seiner war unvorstellbar. Sie rieb sich an ihm, rauf und runter, dann öffnete sie seine Jeans, schob sie lasziv mit dem Fuß nach unten und zog ihn hinter sich her ins Badezimmer zu der großen, gemauerten Dusche. Björn dachte kurz an seinen Nachmittagswunsch, Dana wiederzusehen. Aber was sollte er mit Dana, war sein nächster Gedanke, wenn er eine Frau wie Nele hatte?

Nele hatte den Sex ihres Lebens. Jedenfalls dachte sie das, während er sie zu greifen versuchte, aber durch ihren öligen Körper nie recht zu fassen bekam. Das Wasser perlte an ihr ab, und sie ließ alle Wünsche und Sehnsüchte, die sich vorhin aufgestaut hatten, an Björn aus. »Nimm mich!«, fauchte sie, und Björn hob sie auf seine Oberschenkel und presste sie mit dem Rücken gegen die Wand. Von oben regnete es aus tausend Düsen, und ihre Körper waren glitschig. Nele schrie und kratzte, und gemeinsam waren sie der Raserei nah, dem leidenschaftlichen Begehren, das sich weiter aufbaute und noch kein Ventil gefunden hatte. »Anders!« Sie gab die Kommandos. Das war auch neu, dachte Björn. »Von hinten!« Er ließ sie herunter, und sie drehte sich breitbeinig zur Wand. Björn hätte rasen können vor Lust, vor allem, weil sie ihm nun rhythmisch mit seinen Stößen gegen seine Oberschenkel schlug, immer stärker, immer schneller, bis er mit aller Macht kam. Kurz wurde ihm schwarz vor Augen, er hielt Nele fest, die keuchend an den Kacheln stand, den Kopf auf die vor sich gekreuzten Arme gelegt.

»Liebling, bist du gekommen?«

War er zu schnell gewesen? Björn betrachtete sie von hinten.

»Morgen kaufe ich mir einen Dildo!«

Björn verharrte, da drehte sie sich lachend um und schlang die Arme um ihn. »Nein«, sagte sie. »Es war phantastisch! Das war mal wieder ein richtig guter Orgasmus. Und jetzt bitte: erst Seife und dann Champagner!«

Sie aßen im Hotelrestaurant mit Meerblick zu Abend, weil Nele keine Lust mehr auf kreischende Motorradbräute und dickwanstige Harleymonster verspürte. So sagte sie es, und Björn verkniff sich die Widerworte und stimmte zu. Er war rundherum glücklich, die zweite Hälfte seines Lebens hatte wunderbar begonnen. Nach der Vorspeise hob er das Glas und machte ihr die schönste Liebeserklärung der letzten 23 Jahre: »Ich würde dich morgen sofort wieder heiraten!«

Nele saß in ihrem weißen, fließenden Kleid entspannt auf ihrem Stuhl und lächelte ihm zu. Sie hatte Farbe bekommen, und heute Abend hatte sie sich im Spiegel selbst gemocht. Und nicht nur das, sie fand sich richtig gut. So war sie auch durch das Restaurant zu ihrem Platz gegangen, aufrecht und selbstbewusst. Schon interessant, hatte sie dabei gedacht, wie anders es ist, ob man selbstbewusst wirken muss oder es tatsächlich ist. Sie griff über den Tisch nach Björns Hand. »Ich dich auch …«, sagte sie.

Er wartete ab. »Aber?«, fragte er nach und zog eine Augenbraue hoch.

»Kein Aber.« Sie lächelte wieder.

»Du bist schön«, sagte er nachdenklich. Ihre grünen Augen, ihr Gesicht, die offenen Haare und ihr entspannter Mund, alles war heute Nacht von großer Schönheit. Nele nickte. Es war nur das, was sie heute auch schon gedacht hatte, aber es tat ihr gut, dass er es bemerkte, und noch wertvoller war, dass er es auch aussprach.

In dieser Nacht liebten sie sich nicht. Sie hätten das Ereignis von vor ein paar Stunden nicht toppen können, so kuschelten sie sich in Löffelchenstellung aneinander, bis einer von beiden ausbüxte, weil er Freiraum brauchte. Björn hörte in der Ferne den Sound der Motorräder und die dröhnenden Bässe der Musikgruppen und verkniff es sich, darüber nachzudenken, was ihn daran anzog. Nele sagte nur: »Was für ein Lärm« und zog sich die Decke über die Ohren.

Der nächste Morgen zeigte sich bewölkt.

»Gar nicht so schlecht«, witzelte Björn, »auf die Art wird es uns nicht so heiß um die Ohren.«

Sie standen nach dem Frühstück auf ihrem Balkon und sahen übers Meer.

»Wenn du mich fragst, dann sieht es nach Regen aus«, erklärte Nele.

»Na, wir haben ja ein Dach«, sagte Björn gut gelaunt. »Und wir fahren jetzt den Highway Number One gemütlich runter. Nach Miami sind es etwa vier Stunden, und wir haben über Melbourne, Vero Beach, Palm City und wie sie alle heißen, den ganzen Tag Zeit. Können durch eine der Städte bummeln oder uns einen schönen Strand suchen und relaxen.«

»Aber nicht, wenn es regnet.«

»Wird es schon nicht.«

Sie waren kaum losgefahren, da kam die erste kräftige Böe vom Meer und mit ihr ein kräftiger Regenguss, der allerdings so schnell verging, wie er gekommen war. Björn war in die nächste Parkbucht gefahren und aus dem Auto gesprungen, aber das Verdeck ließ sich nicht so einfach zudrücken, es fehlte eine gute Handbreit bis zum Rahmen.

»Ist es nicht elektrisch?«, fragte Nele, aber es war scherzhaft gemeint, wenn Björn es jetzt auch nicht so auffasste.

»Du musst rauskommen«, erklärte er schroff. »Ich krieg's alleine nicht hin!«

»Ah. Und was soll ich tun?«

»Dich drauflegen!«

»Mich was?«

»Aufs Dach!«

Der Regenguss war vorüber, jetzt setzte ein Schnurregen ein. Nele hatte eine Bluse an und war durch den Platzregen schon ein wenig durchnässt. Nochmals in den Regen hinaus hatte sie keine Lust. Aber Björn hatte recht, alleine konnte er es nicht schaffen.

»Also gut.« Sie stieg aus. Björn versuchte nun, von innen die Verschlusshaken in die dafür vorgesehenen Mulden einzuhängen, während Nele mit aller Kraft von oben gegen das Dach drückte. »Mehr, stärker«, rief Björn genervt.

»Zieh doch mehr!«, schrie sie zurück.

»Es geht nicht!«

Nele warf sich bäuchlings auf das Verdeck, Björn schrie auf. »Verdammt, mein Finger!«

»Wie soll ich das denn wissen!«

»Au, au, au!« Nele glitt vom Verdeck hinunter und sah ins Wageninnere, wo Björn seinen Zeigefinger im Mund hatte.

»Ist er noch dran?«

Seine Antwort war wütendes Grummeln. Er zog den Zeigefinger aus dem Mund und schüttelte ihn.

»Entschuldige, aber das Dach ist immer noch offen!«

»Heißt das: Stell dich nicht so an?«

»Das heißt nur: Das Dach ist immer noch offen!«

»Wann wurde dieses elende Dach denn zuletzt geschlossen?«

Nele schüttelte nur leicht den Kopf. Wie eine Mutter, deren Sohn mal wieder eine Sechs geschrieben hat, dachte Björn wütend.

»In Florida scheint ununterbrochen die Sonne«, sagte sie und stieg wieder aus. »Komm, probier's noch mal!«

Oh, diese Wehleidigkeit, dachte sie. Mal hatte er Kopfweh,

dann tat ihm wieder der Bauch weh, oder die vielen Flüge machten ihn grippig, und damit fühlte er sich neben den Menschen, die wirklich etwas Ernsthaftes hatten, auch noch wie im Fokus des Weltgeschehens. Björn, der Zenit des Himmelsgewölbes. Sie legte sich wieder auf das Dach, was bei ihrer Größe nicht so ganz einfach war, und rief nach unten: »Jetzt! Auf geht's!«

Es rumorte, und tatsächlich, er schaffte es, die beiden Verdeckhaken einzuklinken.

»Super!«, rief sie und glitt auf den Boden zurück. Er war beleidigt, da brauchte sie nicht hinzusehen, sie hörte es an der Stille.

»Ich habe meinen Finger wirklich gequetscht!«, sagte er. »Er hätte auch ab sein können, nur weil du …«

»Lass mal sehen!« Sie setzte sich neben ihn. Fast war sie versucht, kurz über den rot angelaufenen Finger zu pusten, aber sie ließ es lieber. »Da drüben ist eine Kneipe. Da gibt es auf alle Fälle Eis. Das hilft, bevor der Finger richtig anschwillt.«

Björn nickte ergeben und blieb abwartend sitzen.

»Haben deine Beine auch was abbekommen?«, fragte Nele. Er warf ihr einen ernsten Blick zu und stieg aus.

Auch gut, dachte Nele und untersuchte das Cabriodach. Rechts vorn, über dem kleinen Eckfenster, bahnte sich ein Wasserrinnsal munter seinen Weg. Nele stoppte es mit dem Finger, aber es machte keinen Sinn, es suchte sich einfach einen anderen Weg. Mit Fahrtwind würde das eine schöne Gischt werden, dachte sie, aber Florida war ja der Sonnenstaat, lange konnte das Regenwetter nicht anhalten.

Mit der Zeit begann sie in ihrer nassen Bluse zu frieren. Was machte er bloß so lange? Hatte er womöglich jemanden getroffen? Oder trank er auf den Schmerz schon seinen dritten Whiskey? Das würde gerade noch fehlen. Wenn er ausfiel, musste sie das rote Ungetüm fahren.

Der Gedanke ließ sie aussteigen, aber kaum war sie draußen, tauchte wie aus dem Nichts eine Polizistin auf, die sie mit ernster Stimme fragte, ob sie da parken wolle.

»Nein, eigentlich nicht«, begann Nele und wollte zu einer Erklärung ausholen, denn nun sah auch sie, dass die Parklücke keine Parklücke, sondern die Einfahrt zu einem Gebäudekomplex mit großem Firmennamen war. Sie mussten da weg.

»Mein Mann …«, begann sie, da bückte sich die Frau, spähte in den Fahrerraum und richtete sich wieder auf. »Haben Sie einen gültigen Führerschein?«

Nele bejahte. Sie hatte sich extra noch ein internationales Dokument ausstellen lassen, um für den Fall des Falles gerüstet zu sein. Jetzt war der Fall des Falles eingetroffen. »Go!«, befahl die Polizistin in strengem Ton und deutete auf den Zündschlüssel.

»Mein Mann …«, begann Nele.

»Fahren Sie. Sofort!«

Verflixt, überlegte sie hektisch, was mache ich jetzt? Wo sollte sie hinfahren? Die Parkreihen vor ihr waren besetzt, sie konnte Björn doch nicht so einfach zurücklassen?

Unter dem strengen Blick der Polizistin versuchte sie den Sitz auf ihre Beinlänge einzustellen, was ihr nach einigem Ruckeln gelang, drehte den Rückspiegel zurecht und legte ihn, nachdem sie ihn durch dieses schroffe Manöver in den Händen hielt, mit einem bedauernden Schulterzucken in Richtung der Polizistin sachte auf dem Beifahrersitz ab. Dann drückte sie die Kupplung und drehte den Zündschlüssel. Das Aufheulen des starken Motors und die Vibration, die sie durchs Lenkrad spürte, gingen ihr durch Mark und Bein. Noch nie hatte sie ein solches Auto gefahren. Das war eine völlig neue Erfahrung, fast schon eine Offenbarung. Bloß, wie kam sie jetzt aus der Parklücke heraus?

Der Rückwärtsgang kratzte, aber immerhin fand sie ihn, und sie fuhr zweimal hin und her, weiterhin in der Hoffnung,

Björn könnte noch erscheinen. Aber dann kam ein Wagen, der einbiegen wollte, und die Polizistin stellte sich auf die Straße, um Nele die Wegfahrt zu erleichtern. Sie gab Gas, reihte sich in den Verkehr ein und suchte den Scheibenwischer, denn es regnete ohne Unterlass, und sie sah nichts. Die vierspurige Straße war rechts und links von parkenden Autos gesäumt, und Nele fragte sich, wie sie Björn je wiederfinden sollte.

Endlich öffnete sich die Straße zu einem Supermarkt mit Parkmöglichkeiten. Nele parkte, stieg aus und öffnete beide Türen weit. Sie dampfte förmlich vor ungewohnter Konzentration, die Windschutzscheibe war völlig beschlagen.

»Lady, nehmen Sie mich mit?« Ein junger Schwarzer schenkte ihr ein blütenweißes Lächeln.

»Andermal«, gab Nele freundlich auf Deutsch zurück, fischte ihr Handy aus ihrer Tasche und rief Björn an. Wie hieß dieser Supermarkt? Sie merkte sich den Namen. Sollte er doch mit dem Taxi nachkommen, zurückfahren würde sie jedenfalls nicht mehr. Das dumpfe Klingeln verriet ihr, dass auch Björns Handy in ihrer Tasche war.

Björn war schnurstracks in die Kneipe gelaufen, die Hand weit von sich gestreckt und den Zeigefinger erhoben. So musste ja jeder gleich sehen, dass es ein ernsthaftes Problem gab. Das ernsthafte Problem gab es aber erst, als zwei düstere Gesellen auf zwei wackeligen Barhockern auf ihn aufmerksam wurden.

»Hey, guy, you wanna fuck with us?«

»Fuck?« Quatsch! Das war doch der Mittelfinger, dachte Björn, der war doch in Ordnung. Und um dies zu demonstrieren, reckte er erst den rot anschwellenden Zeigefinger, dann den gesunden Mittelfinger in die Höhe.

Der eine zog hörbar die Nase hoch. Es war dunkel in der Kneipe, und im schummrigen Licht sah Björn nur schwarzes

Leder und Stirnbänder über ungepflegtem Haar. Verbeulte Gesichter, dachte er noch, aber da hatte ihn der eine schon am Poloshirt gegriffen.

»What you want«, nuschelte er, und Björn musste sich anstrengen, um den breiig ausgesprochenen Satz überhaupt zu verstehen. »Crushed ice. For my finger!« Er versuchte den Typen abzuschütteln. »Where ist the barkeeper?«, fragte er dabei freundlich. Vielleicht waren die Kerle ja blau, da konnte man nie wissen.

»Looking für ice«, sagte der eine, und der andere grölte los: »Looking for ice!« Er wollte sich vor Lachen ausschütteln. »We're looking for whiskey.«

»Auch recht«, sagte Björn auf Deutsch und fasste nach der fremden Hand an seinem Shirt. »Bitte!«, sagte er so nachdrücklich er konnte.

»Ah! German!«, erkannte der eine. »Bullshit German!« Er stieß ihn etwas von sich weg. »Hitler, he?«

»Hitler?« Björn glaubte, sich verhört zu haben. Aber er wollte die beiden nicht provozieren, offensichtlich war das hier ein Pulverfass. Besser war es wohl, auf das Eis zu verzichten und einfach wieder zu gehen.

»You know Hitler?«, wollte der eine wissen und richtete sich auf seinem Hocker auf. Das war mehr Masse als Mensch, dachte Björn. Wieso war hier sonst niemand? Und wieso kam der Barkeeper nicht? Lag der vielleicht zusammengeschlagen hinter dem Tresen? Die Hand an seinem Polohemd griff stärker zu. »Hey! My friend asked you something.« Er rülpste, und sein Gesicht war Björn nun so nah, dass er kurz die Luft anhielt. Das Gemisch aus Alkohol und Zwiebeln war widerwärtig. »You know Hitler?«

»He ist dead!«, antwortete Björn.

»Ha!« Der andere lachte dröhnend. »Dead! You can buy us a whiskey on his death!«

Das hätte er sogar noch getan, um hier wieder heil herauszukommen, aber er hatte nur fünf Dollar in der Hosentasche. Mit mehr hatte er für das Eis nicht gerechnet.

Den Schein zog er jetzt heraus und knallte ihn auf den Tresen. »Okay, man, that's all I have. Bye!« Damit versuchte er, sich umzudrehen, aber die Hand hielt ihn wie ein Schraubstock fest. Das darf doch nicht wahr sein, dachte Björn. Er war schließlich auch ein Mann und kein schlabberiges Weichei, aber der hier hatte Hände wie ein Bär.

Die zwei sahen sich an, und Björn erkannte, dass sie sich verarscht fühlten.

»What's with your finger?« Die linke Pranke griff nach Björns lädiertem Zeigefinger, aber jetzt war er schneller. Mit einem Satz nach hinten riss er den Kerl von seinem Barhocker. Der ließ im Fallen los, aber der andere sprang erstaunlich schnell auf die Beine und verstellte ihm den Weg. Björn rannte hinter den Tresen und durch die angrenzende Türe in den nächsten Raum, in der Hoffnung auf einen zweiten Ausgang. Es war eine schmuddelige Abstellkammer, vollgestellt mit leeren Getränkekisten und anderem Gerümpel, ganz hinten an der Wand ein schmutziges Waschbecken, ein alter Herd und daneben eine Tür. Björn rannte hin und hörte, wie sich die beiden Typen hinter ihm in Bewegung setzten. Die alte Holztür war offen und führte in ein düsteres Treppenhaus. Er hätte gern hinter sich abgeschlossen, aber es steckte kein Schlüssel, so rannte er den Gang entlang in die Richtung, in der er den Ausgang vermutete.

Wieder eine Tür, diesmal mit vergitterter kleiner Scheibe in Kopfhöhe.

»Fuck it«, hörte er hinter sich. Er drückte die Klinke hinunter, aber die Tür gab nicht nach. Björns Adrenalinspiegel schoss hoch, er meinte, sein Herz müsste aussetzen. Eine weitere Begegnung mit den beiden würde er sicherlich nicht unbeschadet überstehen. In diesem Moment öffnete sich die Tür. Björn starrte auf das breite Kreuz eines Mannes, der die Tür mit seinem Rücken nach innen aufdrückte. »Hey«, grunzte er, nickte ihm zu und trug zwei Kästen Bier an ihm vorbei. Björn hielt die offene Tür fest, dann schlüpfte er hinaus. Er war in einem Innenhof gelandet, vor ihm ein alter verbeulter Kastenwagen mit offenen Wagentüren. Offensichtlich hatte der Wirt Nachschub geholt, drei Kisten Bier standen auf der Ladefläche. Am liebsten hätte sich Björn hinter das Steuer geklemmt und wäre losgefahren, aber ein Blick nach hinten zeigte ihm, dass ihm niemand folgte. Die vergitterte Eingangstür war wieder zugefallen, und alles blieb ruhig. Trotzdem beeilte er sich, von hier wegzukommen. Doch die Hofeinfahrt ging nach hinten raus, und als er endlich wieder auf einer belebten Straße stand, hatte er keine Ahnung mehr, wo er eigentlich war.

Der Regen hatte aufgehört. Nele stand ans Auto gelehnt und überlegte. Wo traf man sich, wenn man sich verloren hatte? Welche Regel galt in der Vor-Handy-Zeit? Immer da, wo man sich zuletzt gesehen hatte. Rückkehr zu diesem Punkt. Da nur sie weg war und er noch dort, musste also sie aktiv werden. Mit dem Wagen?

Warum traute sie sich das eigentlich nicht zu? Sie musste doch nur irgendwo auf dieser vierspurigen Straße zwei U-Turns machen. Einen auf dieser Straßenseite, den zweiten auf der anderen, danach müsste sie die Einfahrt zwangsläufig wiederfinden. Björn würde dort warten, und alles wäre gut.

Sie schickte einen Blick nach oben. Der Himmel war verhangen, aber ein Stoßgebet würde sicherlich helfen, auch wenn man längst aus der Kirche ausgetreten war. Sie setzte sich in den Mustang und ließ den Motor an. Dieser kräftige Sound schenkte ihr Vertrauen. Schräg, dachte sie, jetzt fange ich schon an, ein Auto zu vermenschlichen. Trotzdem strich sie kurz über das große Lenkrad und flüsterte: »Prima machst du das, und jetzt führst du mich zu Björn!«

Sie fädelte sich in den Verkehr ein und verfluchte die vielen Motorräder. Überall waren sie, wie eine Invasion der Heuschrecken. Hoffentlich fuhr sie keinen über den Haufen.

War das die vierspurige Straße, auf der sie gehalten hatten, oder war es eine andere? Björn stand am Straßenrand und versuchte sich zu orientieren. Aber er erkannte nichts wieder. Er hatte auch auf nichts geachtet. Wie hatte denn die Kneipe geheißen? Keine Ahnung. Es schüttelte ihn, wenn er nur daran dachte. Aber irgendwie musste er zu dieser Parklücke zurück. Nele würde sicherlich schon ungeduldig warten. Einmal Eis holen und spurlos verschwinden, hoffentlich machte sie keine Dummheit und ging in diese verdammte Kneipe. Der Gedanke macht ihm Angst. Welche Möglichkeiten hatte er jetzt?

Die Straße war dicht befahren, Harleys über Harleys, aber dafür hatte er jetzt keinen Sinn. Bis er drei Harleyfahrerinnen sah, die nicht weit von ihm entfernt am Randstein hielten. Die eine zog eine Schachtel Zigaretten aus ihrer hellen Fransenweste und ließ sie herumgehen. Sie lachten laut und hatten offensichtlich richtig Spaß. Björn gab sich einen Ruck. Mehr als Nein sagen konnten sie nicht. Aber wie ging man auf drei Harleyfrauen zu? Schlendernd? Straight? Cool, gewinnend lächelnd oder ernst? Während er noch darüber nachdachte, starteten die drei ihre Maschinen schon wieder, und Björn sprintete los.

»Halt!«, schrie er und fuchtelte mit den Armen.

Die eine der drei, eine Superblondine mit engem Lederbustier und hohen Stiefeln und Hotpants, drehte sich nach ihm um.

Björn kam außer Atem bei ihr an. »Sorry«, entschuldigte er sich. »Ich brauche Ihre Hilfe.«

Das hatte er in seinem ganzen Leben noch zu keiner Frau gesagt. Nicht mal zu seiner Mathelehrerin, als sie ihm eine Fünf gegeben hatte und er deswegen sitzen geblieben war. Nie.

Aber jetzt war ihm das egal. Was brachte ihm sein männliches Ego, hier, verloren in Daytona Beach?

»Hey, guy!« Sie öffnete ihren kirschrot geschminkten Mund. »What's up?«

Das war schon mal gut. Sie hatte erkannt, dass er weder blöder Spaßmacher noch aufgegeilter Macho war. In wenigen Sätzen erklärte er ihr, dass er seine Frau in einem roten Ford-Mustang-Cabrio verloren hätte. Die drei Frauen lachten, schauten sich an, und in der Drehung klappte die Blonde die hinteren Fußhalter herunter. »Steig auf«, sagte sie. Er fragte sich, wo. Hinter ihr war so gut wie kein Platz. Dieser Feuerstuhl war einfach zu klein für zwei. »Come on.« Ein zweites Mal ließ er sich nicht bitten. Hier stehen zu bleiben war keine Alternative.

Sie fuhr an, und er wäre fast nach hinten weggekippt, also hielt er sich an ihr fest, an dem schmalen Lederteil zwischen üppigem Busen und freiem Bauchnabel. Ihre Haare wehten ihm ins Gesicht, und er dachte nur: Mein Gott, wenn ihn jemand so sehen könnte! Aber dann, zwischen all den anderen Harleyfahrern, fing er an, sich wohlzufühlen. Er balancierte zwar knapp über dem Abgrund, so war zumindest sein Gefühl, aber er schien keine Lachnummer zu sein. Jedenfalls nicht mehr als die anderen, denn selbst die optisch Grimmigsten trugen ein breites Lachen unter ihren Bärten.

Sie fuhren die vierspurige Straße hinauf und anschließend wieder hinunter. Björn konnte die Parklücke nicht finden, zumal nirgendwo ein roter Mustang zu sehen war. Es musste doch die Straße sein? Oder nicht?

Da drehte sich seine Bikerin locker zu ihm um und deutete auf die andere Straßenseite. Tatsächlich. Da kam ihnen sein roter Mustang entgegen. Nele am Steuer. Er traute seinen Augen nicht. Wo fuhr sie hin?

Er nickte. Sie grinste und gab Gas, schlängelte sich zwischen den anderen dahingroovenden Harleys durch, fuhr an der nächsten Kreuzung auf die andere Straßenseite und drehte nun richtig auf. Björn sah überhaupt nichts mehr, hatte nur noch flatternde Haare vor seinen Augen und das schmerzliche Gefühl, gleich auf den Asphalt zu knallen. Er hielt sich mit aller Macht an ihrer Ledertaille fest. Seinen schmerzenden Zeigefinger hatte er längst vergessen.

Als das Motorrad neben ihr auftauchte, wollte Nele erst wütend hinüberschimpfen, weil es so nah kam, dass es sie regelrecht bedrängte. Dann sah sie die typische Rockerbraut mit Tätowierungen, dickem Busen und halb nacktem Hintern, und an ihr klebte eine seltsam normal aussehende Gestalt. Erst auf den zweiten Blick erkannte sie, dass es ihr eigener Mann war. Vor Schreck trat sie auf die Bremse und hätte fast eine Massenkarambolage verursacht. Es gab ein kurzes Hupkonzert hinter ihr, aber mehr aus Spaß als aus Verärgerung. Nele brauchte ein paar Sekunden, um sich zu besinnen und ein Zeichen nach vorn machen zu können, aber Björns Fahrerin verstand gleich und reihte sich vor dem Mustang ein. Flankiert von zwei weiteren Harleyfahrerinnen, fuhr Nele ihr hinterher. Sie konnte kaum glauben, was sie da sah, und war zwischen Lachen und Unbehagen hin- und hergerissen. Aber dann zog sie ihr Smartphone heraus und machte wenigstens noch ein Foto von der ungewöhnlichen Rückenansicht ihres Mannes.

An der nächsten Straßenkreuzung bog Björns Fahrerin ab und hielt auf einem Parkplatz an. Björn glitt von dem breit bereiften Bike herunter, richtete sich langsam auf, rieb sich das schmerzende Kreuz und sah sich nach Nele um. Die stieg aus und blieb abwartend neben der offenen Autotür stehen.

»I'm Sue!« Björns Bikerin nickte ihm zu, zog ihre Zigarettenschachtel heraus und reichte sie an ihre Freundinnen weiter. Björn überlegte, wie er sich bedanken könnte. Mit Geld? Unmöglich.

»I'm Björn, that's my wife Nele.«

Nele lehnte die Zigarettenschachtel mit einem leichten Kopfschütteln ab. Sie wusste einfach nicht, wie sie reagieren sollte. Wie kam Björn zu dieser Frau aufs Motorrad? Und ausgerechnet bei so einer? Einem solch wilden Straßenfeger? Die hätte ebenso gut an irgendeiner Stange in einer zwielichtigen Bar tanzen können.

»Thank you so much, Sue!« Björn nahm die Lederlady in den Arm, und ihre schwarz gemalten Katzenaugen funkelten belustigt, während sie breit lachte und zwischen den knallroten Lippen strahlend weiße Zähne zeigte.

»Don't worry«, sagte sie. »Have a nice day!« Sie steckte sich die kalte Zigarette zwischen die Lippen und hob den Arm. »Hey, girls, let's go!« Dann brausten sie davon.

Björn sah ihnen nach. Unfassbar. Auch unfassbar erotisch, so von hinten gesehen.

Sie brauchten eine Weile, bis sie sich alles erzählt hatten, danach wollte Björn das Verdeck wieder öffnen. Nele wies in den tief hängenden grauen Himmel. Björn zuckte mit den Achseln. »Ich weiß ja jetzt, wie es zugeht«, sagte er und hielt seinen gequetschten Zeigefinger in die Höhe. Das war der Moment, da sie beide aus vollem Hals lachen mussten und sich lachend in die Arme nahmen.

Außerhalb von Daytona Beach wurde es ruhiger. Einige Harleygruppen waren unterwegs, aber es waren wohl geführte Reisegruppen, denn sie sahen erstaunlich zivilisiert aus und fuhren diszipliniert hintereinander her.

»So gefällt mir das«, sagte Nele. Björn lächelte nur und erwiderte nichts. Er hätte seine Bikerinnen wenigstens fotografieren sollen, dachte er bei sich, eine solche Gelegenheit würde sicher nie mehr wiederkommen. Drei Rockerbräute – und er als ihr Beifahrer.

Hinter Cape Canaveral fanden sie am Strand ein kleines

Restaurant, das ihnen mit der offenen Holzterrasse zum Meer hin zusagte, und dort bestellten sie eine große Platte Seafood. Und ein Wasserglas mit gecrushtem Eis für Björns pochenden Finger. »Jetzt beginnt der Urlaub«, sagte Björn und streckte die Beine weit von sich. »Und unser neues Leben«, fügte er hinzu. Nele suchte sich als Getränk einen kalifornischen Riesling aus und bedauerte Björn wortreich, dass er ja leider der Fahrer sei und keinen Alkohol trinken dürfe. Björn nahm's hin, fand aber, dass sie eines ja nun auch bewiesen habe.

»Was denn?«

»Dass du dich am Steuer eines Oldys gut machst!«

»Wehret den Anfängen.« Sie schüttelte den Kopf.

»Too late, my dear«, erklärte er und bestellte sich ebenfalls einen Wein.

»Wie stellst du dir unser zukünftiges Leben nun eigentlich vor?«, fragte Nele nach einer Weile.

Björn brach die Schale einer Garnele auf und sah hoch. »Wie meinst du das?«

Er war vorsichtig, dachte Nele. Immer erst einmal eine Gegenfrage stellen.

»Ja, ich habe darüber nachgedacht, ob wir in unserer Ehe irgendwelche Leidenschaften hatten.« Sie lächelte. »Außer uns selbst natürlich.«

»Leidenschaften?«

»Ja, so wie andere. Fußball zum Beispiel oder Tennis, Tiere, Engagement bei Hilfsorganisationen, irgendwas halt.«

»Und zu welchem Ergebnis bist du gekommen?«

»Ich?«

»Ja, wenn du schon darüber nachgedacht hast, bist du doch auch bestimmt bereits zu einem Ergebnis gekommen?«

»Ich wollte mit dir darüber nachdenken«, sagte sie langsam.

»Leidenschaften?«, wiederholte er nachdenklich, und sofort schob sich Denise' Bild vor sein inneres Auge. Auf dem Bett, im schwarzem Spitzenbody mit Strapsen, Netzstrümpfen und

High Heels. Sie wollte das so. Nicht mit ihrem Mann, aber mit ihm: das Hurenspiel. »Bezahl mich dafür, dann kann ich mich gehen lassen.« Und das hatte er getan. Nur symbolisch, aber immerhin. Die Zeit war vorbei, dachte er wehmütig.

»Ist dir was eingefallen?«, hakte Nele nach.

»Leider nein!« Er steckte sich das weiche Fleisch der Garnele in den Mund und leckte sich die Finger ab. »Wahrscheinlich hatte ich keine«, sagte er und hob den Blick. »Und habe keine. Hast du denn welche?«

Nele dachte an Enrique. Der könnte eine Leidenschaft werden. Aber das galt ja nicht. »Ich habe für nichts eine richtige Leidenschaft entwickelt. Kochen, Backen, Nähen, Stricken, Sport. Oder Gartenarbeit. Ich habe alles jahrelang betrieben, aber nichts davon treibt mich um.«

Sie sahen einander an.

»Armseliges Ergebnis, findest du nicht?«, fragte sie.

Björn zuckte mit den Achseln. »Ich hatte bisher ja keine Zeit. Aber jetzt ändert sich mein Leben. Ich schau mal, was mir Spaß macht. Außer Saxofon spielen. Vielleicht angeln? Oder Eisstock schießen? Oder Billard? Wenn ich in zwei Jahren wieder zu arbeiten anfange, dann biete ich vielleicht Anglerreisen nach Norwegen an? Wer weiß?«

Nele war sich nicht sicher, ob er sie auf den Arm nehmen wollte.

»Angeln?«, sagte sie gedehnt. »Dafür hast du doch gar keine Geduld.«

»Ja, eben. Ich hatte nie Geduld, weil ich ein Getriebener war. Jetzt könnte ich Geduld entwickeln.«

»Ja, das könntest du«, sagte Nele, konnte sich aber den spöttischen Unterton nicht verkneifen.

Sie fuhren wie ein zufriedenes Ehepaar weiter, und eigentlich waren sie es ja auch. Jeder hing seinen Gedanken nach und war in seiner eigenen Welt. Der Himmel war noch bedeckt, aber sie hatten das Verdeck wieder geöffnet. Nele fühlte sich wohl. Das hätte sie vor Antritt der Reise nicht gedacht. Aber jetzt sagte ihr ihr Bauchgefühl, dass alles rund sei. Und was rund war, war auch gut.

Björn war auch zufrieden mit sich und der Welt. Er fand, dass er im Leben alles richtig gemacht hatte. Er hatte den richtigen Job gehabt, er hatte die richtige Frau an seiner Seite, er hatte eine großartige Abfindung herausgekitzelt, es ging ihm gut. Er atmete tief durch und gab Gas. Der 8-Zylinder-Motor röhrte und verschaffte ihm ein weiteres gutes Gefühl. Er liebte Kraft, und die hatte er unter der Motorhaube. Dafür musste er sich nicht mal anstrengen. Er grinste bei dem Gedanken, da stupste ihn Nele. »Du, schau, es fängt wieder an.«

Sie zeigte nach oben – und tatsächlich, die ersten auftreffenden Regentropfen platzten auf der Windschutzscheibe und hinterließen kleine, schmale Spuren auf dem Glas. Und es wurden schnell mehr. Solange man eine hohe Geschwindigkeit fuhr, sausten sie von der Windschutzscheibe aus waagrecht über den Wagen hinweg. Aber an der ersten roten Ampel war klar: Von oben prasselte es.

»Ist klar«, sagte Nele, und Björn parkte bei der nächsten Gelegenheit. Nele warf sich aufs Verdeck, und Björn hakte die Verriegelung ein. Es lief wie geschmiert, in drei Minuten fuhren sie trocken weiter und schlugen die Hände aneinander. High Five.

»Das war richtig gut«, sagte Björn. »Ein echter Boxenstopp!«

»Ich will aber keinen Regen!«, erwiderte Nele.

Björn schwieg, dann zeigte er nach vorn. »Die Scheibenwischer offenbar auch nicht.«

»Du musst sie halt einschalten.«

»Danke! So weit war ich auch schon.«

Die dünnen Wischer waren einfach auf der Windschutzscheibe stehen geblieben. Die Regentropfen sammelten sich und verbreiteten sich von dort aus wasserfallartig über die Scheibe.

»Schlecht!«, sagte Björn. »Ich sehe nichts mehr.«

»Du musst anhalten!«

»Außerdem ist die Scheibe total ölig!«

»Dann brauchen wir ein fettlösendes Mittel!«

Beide suchten die Umgebung ab. Überall hatten sie diese riesigen Supermärkte in ihrer abstoßenden Hässlichkeit genervt, aber jetzt, da man einen hätte brauchen können, sahen sie keinen mehr. Nur Wasser, das von oben kam, linker Hand der Atlantik und rechts: nichts.

»Mist!«

Björn rollte langsam weiter. Andere Wagen überholten sie und bedachten sie mit einem Schwall Wasser, denn jetzt goss es richtig.

»Ich sehe überhaupt nichts mehr!«, sagte Nele vorwurfsvoll.

Björn hielt sich zurück, denn er wollte an dieser Panne nicht schuld sein.

»Ist das da vorn ein Restaurant?«

Tatsächlich, ein Steakhouse am Straßenrand mit einem großen Plastikbüffel in der Einfahrt.

»Und?«, fragte Nele. »Finden wir da einen Elektriker?«

»Nein, aber vielleicht eine Kartoffel.«

»Eine Kartoffel?« Er spürte ihren ironischen Blick, wollte aber erst nicht darauf eingehen. »Ja!«, sagte er kurz. »Das Innere einer Kartoffel ist ein perfekter Fettlöser. Schon mein Vater hat seine Windschutzscheibe damit sauber gewischt. Streifenfrei. Und anschließend perlte das Wasser ab!«

»Ein Hoch auf deine Erinnerung.«

Er nickte und fuhr direkt vor den Restauranteingang. »Kauf dem Wirt einfach zwei Kartoffeln ab. Dann sehen wir weiter.«

»Hauptsache, wir sehen weiter …« Nele nahm den Geldbeutel und lief rasch zum Restauranteingang, denn ein zweites Mal wollte sie nicht nass werden.

Björn dachte an den Radioknopf, an den abgefallenen Rückspiegel und jetzt die Scheibenwischer. Hoffentlich war es damit gut. Was er noch nicht so richtig wahrhaben wollte, war, dass er mit dem ersten Gang Probleme hatte. Der hakte beim Einlegen mehr, als ihm lieb war.

Es dauerte eine Weile, bis Nele zurückkam. Sie schwenkte triumphierend zwei dicke Kartoffeln in der Hand.

»Haben wir denn ein Messer?«, fragte er, als sie einstieg, aber sie klappte die Hälften auseinander und grinste ihn an: »So, jetzt bist du dran!«

»Hat lange gedauert. Ich hatte schon Sorge …«

»Die haben hier weiß Gott wie viele Kartoffelsorten, und auf irgendein Produkt musste ich mich mit dem Koch einigen, der den Grund kaum glauben konnte …« Über den Dialog musste sie jetzt noch lachen.

»Na, gut.« Björn stieg aus, griff nach seiner Regenjacke und bearbeitete die Scheibe mit der Innenfläche der Kartoffel.

Dann fuhren sie weiter. Aber nicht lange, und sie sahen wieder nichts.

»Tolles Hausmittel von deinem Vater«, sagte Nele maulig.

»Du hast die falsche Kartoffelsorte genommen«, meinte Björn.

Danach herrschte Schweigen.

Nachdem der Wagen in Miami mitten auf der Kreuzung stehen geblieben war, weil er sich einfach nicht mehr schalten ließ, und das Hupkonzert um sie herum einer riesigen Kakofonie geglichen hatte, wollte Nele aus dem Wagen springen und nach Hause laufen.

»Das ist ein kleiner technischer Defekt«, erklärte Björn ungerührt, »dafür habe ich mich ausbilden lassen!«

»Dafür hast du dich was?«

Während er mit Engelsgeduld immer wieder die Kupplung drückte, um wenigstens den Leerlauf einzulegen, damit sie den

Wagen von der Kreuzung schieben konnten, erzählte er Nele von seinem heimlichen Kfz-Kurs, den er gemacht hatte, um im Falle eines Falles nicht so blöd vor ihr zu stehen.

»Wir blockieren den Verkehr«, sagte sie nur. »Was nützt uns jetzt dein Kurs?«

»Ich weiß zumindest, dass es das Getriebe ist.«

»Phantastisch.« Sie stieg aus und reckte beide Hände nach oben, um den anderen Verkehrsteilnehmern zu signalisieren, dass sie ein Problem mit diesem amerikanischen Wagen hatten und nicht mit einer deutschen Frau.

Die Polizei war schneller da als der Abschleppwagen, aber alles in allem hatte Nele endgültig die Nase voll. Sie verlangte für den Rest der Reise einen Golf. Da wusste sie, was sie hatte. Und den bekamen sie auch. Björn war enttäuscht, und Nele verstand ihn auch. Er hatte sich alles so schön vorgestellt, und jetzt lief alles anders – und noch schlimmer: Sein ganzer Kfz-Kurs hatte ihm nicht weiterhelfen können. Nun fand Nele, dass es an ihr sei, ihn aufzuheitern. Beim Abendessen schickte sie ihm heimlich eine MMS. Er sah zu seinem piependen Handy, dann warf er einen Blick zu ihr, bevor er es in die Hand nahm.

»Entschuldige«, meinte er, während er die Nachricht öffnete. Sie enthielt ein Foto: ein breiter Männerrücken, davor eine Superblondine und beides auf einer dick bereiften Harley.

Björn sah auf. »Das darf nicht wahr sein«, sagte er.

»Soll dich aufheitern!« Nele schickte ihm einen Kuss über den Tisch.

»Danke, das ist dir gelungen.«

Er betrachtete das Bild und speicherte es ab.

»Super Schnappschuss!« Er grinste. »Das war es doch wert, das ganze Mustangabenteuer!«

»Finde ich auch«, sagte Nele.

Trotzdem war der Zauber der Reise verflogen, und obwohl sie es sich gegenseitig nicht eingestanden, waren beide froh, als sie wieder in Frankfurt landeten.

Doch nach zwei Wochen fand Björn, dass man sich durchaus steigern könne, und er begann zu Neles Erschrecken, bereits an neuen Plänen zu basteln. Sie wehrte ab und machte ihm klar, dass für die nächste Zeit erst einmal Heimat angesagt sei. Also hatte sich Björn überlegt, was man Effektives tun könnte, zumal das Wochenendwetter für Anfang April als besonders schön angesagt worden war.

Und als der Tag tatsächlich strahlend begann, holte Björn morgens den Grill aus der Garage, putzte ihn und ging anschließend reichlich Fleisch einkaufen. Nur, dann scheiterte sein Plan, Alex mit seiner neuen Freundin einzuladen, weil sein Sohn seinen Vater peinlich fand. »Sei mir nicht böse«, hatte er seiner Mutter am Telefon gesagt, »aber sie lebt in einer anderen Welt als ihr. Sie ist anders. Sie ist tough, einfach modern. So was mit Eigenheim und Grill, das ist nichts für sie.«

Nele liebte ihren Sohn, aber das war selbst ihr zu viel. »Willst du mir damit sagen, dass wir spießig und altmodisch sind, oder was?«

»Wenn du das so sagst …«

Nele hatte nachdenklich aufgelegt. So viele Jahre war Alex ihr Ein und Alles gewesen, so viele Jahre glaubte sie in seine kleinsten Gehirnwindungen sehen zu können, aber seit Kurzem lief alles aus dem Ruder. Sie verstand ihn einfach nicht mehr.

Daher waren sie an diesem Sonntagnachmittag allein geblieben, denn auf weitere Einladungen hatte Nele keine Lust. Aber vielleicht hatte Alex ja recht. Sie waren nicht die Einzigen, die ihren Grill anschmissen. Hinter den Ligusterhecken der Nachbarhäuser zischte und rauchte es ebenfalls. Wahrscheinlich war es ein kollektives Spießergrillereignis, dachte sie.

»Lass uns demnächst doch mal eine richtige Grillparty starten!« Björn kam mit zwei vollen Biergläsern aus dem Haus. »Wir haben den Garten, wir haben den Grill und jede Menge eingefrorenes Fleisch und Würste. Wir brauchen nur ein Fass Bier und ein paar Leute.«

»An welche Leute denkst du?«

Er reichte ihr das Glas und zuckte mit den Achseln. »Aus deinem Kurs, aus meinem Freundeskreis, Hauptsache, es wird lustig!«

Er warf etwas Bauchfleisch, ein Steak und eine rote Wurst auf den Grill, und Nele rührte die Schüssel mit ihrem Kartoffelsalat auf, den Björn so liebte. Dann hörten sie es: Ein tiefes Donnern kam näher.

Sie sahen beide zum Himmel, aber der Tag war sonnenklar, fast zu warm für einen Apriltag.

Es kam von der Straße und wurde immer lauter. Vor ihrem Haus blubberte und knallte es, dass die Fensterscheiben vibrierten.

»Ich glaube, wir bekommen Besuch.« Björn legte die Grillgabel zur Seite und sah Nele an.

Nele zuckte mit den Achseln, und Björn ging neugierig durch den Garten nach vorn. Vor seinem Haus hatte sich eine wilde Gesellschaft zusammengefunden. Zehn Harleys standen da, darauf die Typen aus dem Flugzeug, allen voran Joe, der nun abstieg und ihm mit Lederhose, Lederjacke und abgeschnittener Jeansjacke entgegenkam. Etliche Ketten schmückten seinen Hals und sein Handgelenk.

»Hey, Kumpel«, sagte er, »schön, dich zu sehen!« Er hielt die rechte Hand hoch, und Björn schlug ein. Noch etwas verwirrt, aber das mochte er nicht zeigen.

»Wir wollten mal sehen, wie es dir so geht!«

»Gut.« Björn zögerte. »Ja, dann …«

»Hast du was zum Trinken in deiner Hütte?«, fragte einer. Dieser Typ sah nun wirklich verwegen aus. War er im Flieger dabei gewesen? Mit seinem knallroten Pferdeschwanz und den Tattoos am Hals? Björn war sich sicher, dass er sich an ihn erinnert hätte. Aber während er noch überlegte, fielen ihm die beiden Frauen hinter dem Kerl auf. Sie saßen auf ihren Harleys, die Beine auf den Boden gestemmt, und die eine grinste ihn an. Dana!

Das war schon gigantisch. Dana war dabei.

»Ja, was wollt ihr denn trinken?«, fragte er eher automatisch, aber damit war es schon passiert: Sie stellten ihre Maschinen in Reih und Glied vor seiner Einfahrt ab und stiefelten durch den Garten nach hinten.

»Hast du mein Maschinchen gesehen?«, fragte ihn Joe, der neben ihm herlief. »Ich sage dir, die ist wie eine Geliebte. Wenn ich sie sehe, bin ich heiß auf sie. Und wenn ich eine Weile auf ihr gesessen bin, ist sie genauso heiß … glühend heiß …« Er lachte laut, und Björn beschloss, das zu übergehen.

Nele stand abwartend am Gartentisch. Wieso hatten diese Leute ihre Adresse? Offensichtlich war Björn näher dran gewesen, als er erzählt hatte. Dann sah sie Dana. Dana in einem knallengen Lederoutfit. Nicht offenherzig und auch nicht gewollt auf sexy gemacht, aber das war auch gar nicht nötig. Gerade weil sie überhaupt keinen Wert auf ihre Wirkung zu legen schien, wirkte sie ungemein anziehend. Und sie fuhr ihre Harley selbst.

»Und jetzt?«, fragte Nele Björn leise.

»Jetzt werfen wir auf den Grill, was wir haben. Was meinst du?«

»Oder wir werfen sie raus.«

»Nele …«

Gut, sie hatte es nicht wirklich ernst gemeint. Aber es waren auch nicht die Gäste, die sie sich für einen Sonntagnachmittag gewünscht hätte. Wenn wenigstens Alex hier wäre, aber der schien sich wirklich mit aller Gewalt von seinem Elternhaus fernzuhalten. Vielleicht habe ich ihn doch zu sehr zum Mamasöhnchen erzogen, und jetzt übertreibt er die Ablösephase, dachte sie. Und fügte selbstkritisch hinzu: nachdem er das in der Pubertät versäumt hatte. Aber, dachte sie, welche Eltern machen es schon richtig? Ihre Eltern hatten andere Fehler gemacht.

»Gibt es ein Bier?«, fragte einer aus der Runde, die anderen riefen: »Was heißt da eins?« Nele lächelte Björn zuckersüß an: »Am besten holst du gleich den ganzen Kasten aus dem Keller!«

Im Nu war hier eine Party im Gang, wie Nele es in ihrem Haus überhaupt noch nie erlebt hatte. Einer stand im Wohnzimmer an der Musikanlage und hängte sein Smartphone an, sodass die Heavy-Metal-Charts durchs Haus dröhnten und nicht nur durchs Haus, denn einer der von Björn so geliebten Bose-Lautsprecher stand recht schnell in der Terrassentür und beschallte den Garten. Am Grill tauten zwei Männer Fleisch auf, das Björn aus der Tiefkühltruhe geholt hatte, und die anderen fanden in der Garage die längst verstaubten Bierbänke, die sie mitsamt dem Holztisch in den Garten trugen und aufstellten.

»Ist ja super gemütlich bei dir«, sagte einer und klopfte Nele kräftig auf den Rücken. »Du bist echt 'ne gute Braut!«

Plötzlich stand Dana mit einer Tigerkatze im Arm vor Björn. »Ist das eure?«

»Kann man die anfassen?« Björn war instinktiv einen Schritt zurückgewichen, denn bisher hatte er die durch seinen Garten schleichende Katze für gefährlich gehalten. Doch so auf Danas Arm zeigte es sich, dass sie auch vermeintliche Raubtiere zähmen konnte.

Dana lachte, und Björn stellte mit einem leichten, ziehenden Schmerz fest, dass er dieses Lachen vermisst hatte. Die Zeit in der Autowerkstatt war besonders gewesen, eine Auszeit für ihn und die Frauen. Etwas völlig anderes, vielleicht auch Schräges, das sich nicht wiederholen ließ.

Dana hob das getigerte Tier hoch. »Es ist ein Kater. Und er traute sich bei all dem Getöse nicht mehr durch den Garten, also bin ich jetzt sein fahrbarer Untersatz.«

»Der Kater hat einen guten Geschmack«, stellte Björn trocken fest. »Alle Achtung.«

Nele stellte sich zu ihnen. Sie hatte Dana beobachtet, wie sie an der Hecke den sich duckenden Tiger auf den Arm genommen hatte, und irgendwie passte es ihr nicht, dass das Tier ausgerechnet Dana so viel Vertrauen entgegenbrachte. Es war *ihre* Katze und *ihre* Zeremonie, das Spiel zwischen der Amsel, der Katze und ihr, Nele. Dana hatte damit nichts, aber auch gar nichts zu schaffen.

»Nele, es ist ein Kater!«, sagte Björn wichtig, und Nele setzte ein freundliches Lächeln auf: »Das freut mich ja nun ganz besonders!«

Björn hörte den Unterton. Er wusste, dass er sie auf irgendeine Weise besänftigen musste.

»Ich habe dir doch erzählt, dass ich einen Kfz-Kurs gemacht habe, damit ich bei der nächsten Autopanne nicht ganz so hilflos dastehe …«

»… was aber nicht wirklich was gebracht hat.«

»Ja.« Björn sah nicht Nele, sondern Dana an. »Gegen einen kaputten Scheibenwischermotor und ein defektes Getriebe bin auch ich machtlos. Da wäre wahrscheinlich der weiterführende Kurs nötig gewesen.«

Dana lachte ihr glockenhelles Lachen. »Ach, nein«, sagte sie. »Aber er hat sich im Kreis der Damen wacker geschlagen. Und alles nur mit Blick auf die Ferien mit Ihnen. Das war ihm wichtig. Er wollte nicht als Autoversager dastehen.«

Es war kurz still. Nele wurde erst jetzt klar, dass er sich durch ihre despektierlichen Äußerungen offensichtlich blamiert fühlte. Und er hatte sein Defizit aufholen wollen, egal, wie. Er war ehrgeizig genug gewesen, als technisch versierter Mann durchgehen zu können. Pech war nur, dass nichts von dem gefragt gewesen war, was er sich im Kurs angeeignet hatte.

Sie sah ihn an und drückte ihm spontan einen Kuss auf den Mund. »Danke!«, sagte sie.

Björn grinste. Der Kurs war doch gleich zweifach gut gewesen: Seine Frau sah in ihm einen Helden, und er hatte Dana kennengelernt.

»Ist Ihr Freund auch so ein Motorradfreak?«, wollte Nele von Dana wissen.

»Leider nein. Wir haben uns ineinander verliebt, ohne uns zu kennen. Das macht es etwas schwierig, denn er ist ein ganz anderer Mensch als ich.«

»Kann doch auch spannend sein«, meinte Björn.

»Ja«, sagte Dana nachdenklich, »wir sind wahnsinnig ineinander verliebt, aber wir können nicht miteinander umgehen.«

»Was heißt das?«, fragte Nele. Aber die Musik war schon so laut, dass sie sich kaum mehr verstanden. »Muss das so laut sein?«, wandte sie sich an Björn. Der zuckte mit den Schultern. Danas Liebhaber interessierte ihn mehr. Was war mit dem Kerl los, dass er mit Dana nicht umgehen konnte?

»Wieso nicht?«, fragte er nach. »Warum könnt ihr nicht miteinander umgehen?«

»Weil er aus einem bürgerlichen Milieu stammt und ich eher …«, Dana lächelte schelmisch, »unkonventionell bin.«

»Ach, du je«, sagte Nele leise für sich und rief dann: »Unkonventionell. Was heißt das genau?«

»Nun, ich bin frei, unangepasst, aber trotzdem sozial. Eine echte Harleyfahrerin eben.«

»Diese Mischung müssen Sie mir mal erklären.« Nele sah Björn an, um ihm mit einem Blick klarzumachen, dass dieses Küken weit entfernt von lebensfähig war.

»Easy Rider«, sagte Björn nur.

»Ja, Easy Rider!« Der Blick, den er dabei mit Dana austauschte, gefiel Nele ganz und gar nicht.

»Gibt es da noch eine zweite Kiste Bier?«, tönte es von der Bank, und vom Grill kam die Meldung, dass die ersten Steaks gleich fertig seien und die Würste schon fast schwarz.

»Gut für Raucherlungen!« Joe kam zu ihnen. »Das kann ja nicht sein, dass du uns hier zwei Frauen abziehst!«

Dana nickte. »Es gibt ja jetzt was zu essen, hab ich gehört!«

Nele sah ihr hinterher. »Die ist nichts für dich, Easy Rider!«

»Ich finde sie auch einfach nur … anders. Eine Mischung aus Werkstattöl und Petticoat.«

»Du hängst deinen alten James-Dean-Träumen nach.«

»Ja, vielleicht.« Björn holte tief Luft und legte seinen Arm um Neles Schulter. »Vielleicht ist es so mit alternden Männern, dass sie sich an irgendwas festhalten müssen.«

»Im Zweifelsfall an mir!« Nele tätschelte seine Hand und sah ihn an. »Und wie werden wir die Geister, die du gerufen hast, wieder los?«

»Mit einem starken Espresso?« Seine Augen hefteten sich auf sie, und Nele war sich, wie schon so oft, nicht sicher, ob der Ausdruck seiner eisgrauen Augen eher liebevoll spöttisch oder abweisend war.

Mit der Abenddämmerung kam die Kälte, und die Biker zogen ins Haus um. Lesley, der Typ mit dem roten Pferdeschwanz, kniete vor dem Kamin und schichtete Feuerholz auf. Tom blies schräge Töne auf Björns Saxofon, und Gerd, ein langer Dünner, stand in der Küche und schlug Eier in die Pfanne.

»Meinst du nicht, dass das jetzt etwas zu weit geht?«, fragte Nele, aber Björn hatte inzwischen selbst so viel intus, dass er alles nur noch lustig fand.

»Lass doch«, sagte er. »Endlich ist mal was los. Schade nur, dass unser Sohn nicht mitbekommt, dass seine Eltern auch mal nicht spießig sein können!«

Nele dachte an die Begegnung von Björn und Enrique vor nicht allzu langer Zeit. Damals wäre es auch schön gewesen, wenn Björn weniger spießig reagiert hätte. Aber auf irgendeine geheimnisvolle Art schien sich gerade alles zu ändern.

Björn hatte seinen Anzug abgelegt und damit sein Business-korsett, und jetzt umarmte er die Welt, die ihm unkonventionell erschien.

Nele sah sich um. War sie zu nüchtern? Ihr Sofa war belagert, Dana saß mit ihrer Freundin vor dem Kamin auf dem Boden, überall, wo sie hinsah, lagen Lederjacken herum, und die Männer hatten Bierflaschen in den Händen. Wie wollten die überhaupt noch nach Hause kommen? Sicherlich nicht auf ihren Motorrädern.

Björn wollte sich gerade von ihr abwenden, da sagte sie: »Mit Enrique hätte ich gern Sex gehabt. Sein südamerikanisches Temperament hätte mich interessiert.«

»Was?« Björn drehte sich wieder zu ihr. Und im gleichen Moment dachte Nele, dass dieses spontane Bekenntnis vielleicht keine so gute Idee war. »Mit … wie war das?« Er sah sie an. Ungläubig. Und es juckte sie, das Spiel weiter zu treiben. »Jung«, sagte sie, »gut gebaut, charmant, das wäre doch eine echte Erfahrung gewesen.«

Björn war total verwirrt. Spinnst du??, wollte er sagen, aber er verkniff sich den Kommentar. Ein Puerto Ricaner?, dachte er, aber auch das sagte er nicht. Schließlich sagte er: »Willst du fremden Sex? Denkst du an einen Swingerclub oder so was?«

»Ihhh«, sagte Nele. »Irgendwelche schweißnassen Männer, nein danke!«

»Wer sagt denn, dass die schweißnass sind?«

»Das stelle ich mir so vor.«

»Man stellt sich manches vor, wenn man nicht Bescheid weiß.«

»Aber du! Klar! Du weißt ja über alles Bescheid, entschuldige, dass ich das vergessen hatte!«

Beide holten kurz tief Luft und zogen es vor, das Gespräch nicht weiterzuführen.

»Kommt ihr?« Der Ruf kam aus der Küche, wo es nun Rührei mit gebratenem Speck gab. Der Esstisch war auf zehn

Leute ausgelegt, heute fanden zwölf Platz. Selbst Nele setzte sich dazu, weil sie fand, dass sie schon mitessen sollte, wenn ihr Kühlschrank leer geräumt wurde.

Gegen Mitternacht fuhren drei Taxen vor, und ihre Gäste verteilten sich je nach entsprechendem Nachhauseweg auf die Wagen. Zehn Harleyschlüssel blieben zwischen all dem Geschirr, Gläsern und Essensresten auf dem Tisch liegen.

»Wenn dir was im Weg steht, park's um«, sagte Tom, von Beruf Anwalt, wie er behauptet hatte, und äußerst seriös.

»Von dem möchte ich morgen nicht vertreten werden«, bemerkte Nele, aber auch ihr graute vor dem Montag. Sie hatte Kurse und noch überhaupt nichts vorbereitet, dafür aber leichte Gleichgewichtsstörungen. Das kam selten vor, aber irgendwann hatte auch sie die Kontrolle verloren und mitgetrunken. Die leeren Flaschen lagen überall herum, und das Ergebnis dieses Sonntags nahm einen ganzen Golfkofferraum in Anspruch.

Nele war gerade zu ihrem Kurs abgefahren, leichenblass und überschminkt, da kam der Anruf. Björn rollte sich schlaftrunken über die Matratze zum Telefon. »Wer stört?«, meldete er sich undeutlich.

»Björn? Ich wollte mich für diesen tollen Nachmittag bedanken! Das war großartig, und ich darf dir als Chef unserer Gruppe sagen, dass wir dich aufnehmen werden! Du bist ein vollwertiges Mitglied! Was sagst du?«

»Ähm.«

»Wir dachten uns schon, dass du begeistert sein würdest!«

»Ja, ich …«

»Und deshalb gehen wir am Mittwochabend mit dir los.«

»Wie? Wohin?«

»Mittwoch Abend ist unser Clubabend, aber für dich verzichten wir auf unsere Kneipe und gehen zu Charly.«

»Charly …«

»Charly hat die geilsten Harleys gebunkert, der hat das richtige Modell für deinen Arsch. Also, abgemacht. Wir holen dich gegen sechs ab.«

»Aber ...«

»Und keine Sorge, unsere Feuerstühle holen wir heute. Du musst nur die Schlüssel rauslegen, am besten hinter den Busch am Hauseingang.«

Björn hielt das Telefon noch in der Hand, da hatte der andere längst aufgelegt. War das Joe gewesen? Oder Lesley? Oder Gerd? Tom? Oder wie hießen die alle? Er hatte nicht mehr sämtliche Namen im Kopf, er wusste auch nicht wirklich, was der Typ ihm gerade erzählt hatte, er war nur erstaunt, dass der so nüchtern geklungen hatte. Wie konnte das sein?

Björn warf einen kurzen Blick auf die Uhr, dann legte er das Telefon beiseite, rollte sich wieder ein und schlief weiter.

Als Nele abends nach Hause kam, versuchte sie mit Björn über den unangemeldeten Sonntagsbesuch zu reden. Aber worüber eigentlich genau? Auf der einen Seite waren ihr solche Überfälle ein Gräuel, zumal so rollkommandoartig und lautstark, auf der anderen Seite entsprach es ihrer Revoluzzerseele, wie sie ihr zweites Gesicht nannte. Das verborgene Ich im Bürgerherz.

Und auch Björn wusste nicht so recht, wie er den Besuch einordnen sollte. Da war noch etwas in seinem Hinterkopf, aber es war so im Nebel, dass er es nicht richtig zu fassen bekam.

Sie saßen sich auf der Couch gegenüber und versuchten die Flecken zu übersehen, die der helle Bezug vor vierundzwanzig Stunden noch nicht gehabt hatte.

»Sag du was«, begann Nele.

»Wenn ich bloß wüsste, was ...«

»Es sind doch deine Freunde!«

»Neeele!«

Es klingelte kurz, aber gleich darauf hörten sie die Haustüre aufgehen. »Haben deine Freunde jetzt auch schon einen Schlüssel?«, fragte Nele boshaft.

Höchstens Dana, hätte Björn gern geantwortet, aber er verkniff es sich.

Alex sah vorsichtig zur Tür herein, als ob er die Stimmung testen wollte.

»Hey«, sagte er.

»Hey«, antwortete Björn.

»Hey«, sagte auch Nele.

Danach war es still.

»Bin ich willkommen?«, wollte Alex wissen.

»Alex!« Nele stand auf, um ihren Sohn zu begrüßen.

Björn blieb sitzen. »Schön, dich zu sehen.«

»Ja, ich dachte mal …«

»Da hast du völlig richtig gedacht«, sagte Björn.

»Was macht die Harley vor eurem Haus?«

»Die Harley?« Björn war erstaunt. Bis vor Kurzem waren es noch zehn gewesen. Er hatte nicht bemerkt, wie sie abgeholt wurden, denn er hatte bis zum späten Nachmittag oben im verdunkelten Schlafzimmer gelegen. Arbeitsfähig wäre er nicht gewesen. Er fühlte sich noch immer halb tot und war im Halbschlaf durch den Tag gedämmert.

»Ja, da steht eine Harley. Mitten in der Einfahrt.«

Björn kratzte sich am unrasierten Kinn. »Frag deine Mutter, die hat so seltsame Freunde.«

»Ach, lass!« Nele warf ihm einen kurzen zurechtweisenden Blick zu. »Magst du was trinken?«, fragte sie Alex.

Allein bei dem Wort hätte es Björn übel werden können. »Setz dich doch«, lud er Alex ein und klopfte auf die Couch.

»Oh, oh, oh«, sagte Alex. »Wo kommen denn die ganzen Flecken her?«

»Party«, sagte Björn. »Lauter hemmungslose Leute. Aber so ist das halt in der High Society.«

»Klar. Darunter tust du es ja nicht …«

»Haaaallloooo.« Nele beschwichtigte die beiden Streithähne. »Du warst lang nicht bei uns, und wir freuen uns. Magst du was essen? Oder trinken?«

»Ich mag, dass mir meine Eltern mal zuhören.«

Björn richtete sich auf und holte Luft, und Nele spürte einen Adrenalinstoß. Was hatte er auf dem Herzen?

Alex ließ sich neben Björn auf die Couch fallen. »Na, Väterchen«, sagte er, »wie geht es dir?«

»Wie es mir geht? Ich denke, du willst erzählen, wie es dir geht.«

»Ja, aber vielleicht können wir das mit einer allgemeinen Konversation beginnen?«

Nele setzte sich hin. »Magst du nicht deinen Mantel ausziehen?«, fragte sie.

»Lass ihn doch mal in Ruhe. Er ist doch alt genug, um zu entscheiden, ob und wann er seinen Mantel ausziehen will!«, sagte Björn unwirsch.

Alex und Nele sahen Björn erstaunt an.

»Da hat er recht«, sagte Alex und behielt seinen Mantel an.

Es war wieder still, und Björn schloss die Augen. »Okay, Alex. Ich war nicht der beste Vater, ich hatte selten Zeit, und du bist mir wahrscheinlich zu ähnlich. Deshalb gehen wir leicht in die Luft.«

»Ah!« Alex sah ihn groß an. »Warst du beim Psychiater?«

»Was?«

»Oder beim Psychotherapeuten? Hast du Familienbilder gelegt?«

»Familienbilder?«

»Jaaa.« Alex hob beide Hände. »Ja, wer mit wem oder auch nicht, welche Figuren man in einer Familie zusammen sieht, welche ausgestoßen oder eben außerhalb … wo man sich in so einer Familienkonstellation selbst sieht. Und so weiter.«

»Na ja«, sagte Björn langsam, »jetzt ist unsere Familie ja extrem klein, und welche Positionen da die einzelnen Familienmitglieder einnehmen, muss ja wohl von keinem Psychologen erklärt werden.«

Nele betrachtete ihren Sohn. Er sah gut aus. Schmales Gesicht mit dunklen, gut geschnittenen Haaren, groß, trainiert, ein Hingucker. Und plötzlich kroch ihr eine Gänsehaut der Erkenntnis den Rücken hinauf. Er hatte ihnen schon beim letzten Mal etwas sagen wollen und im letzten Moment geschwiegen. Er hatte sich nicht getraut. Sie schloss kurz die Augen. Es ging nicht um ein Mädchen, das angeblich *tough* war ... es war ein Kerl! Ihr Sohn war schwul, das war die Botschaft!

»Alex«, begann sie vorsichtig, »egal, was du uns sagen willst, sag es einfach!«

Alex zog die Nase hoch. »Habt ihr jemals über die Liebe nachgedacht?«

Björn warf Nele einen hilflosen Blick zu. »Na, klar«, sagte er dann. »Ständig!«

»Ich meine nicht deinen Machoscheiß, ich meine, bist du jemals in die Tiefen deiner Seele gedrungen?«

Gedrungen. Es musste am Restalkohol liegen, dass er schon wieder Denise in ihren Strapsen vor sich sah. Er räusperte sich und riss sich zusammen. »Vielleicht ist meine Seele ein verschlossener Garten«, begann er vorsichtig, »in den ich mich nicht wirklich hineintraue, weil ich ...«, er änderte den Ton, »na ja, ich will nicht wirklich wissen, was in mir schlummert. Wenn ich weiß, wer ich bin, will ich mich vielleicht gar nicht mehr haben!« Björn verstummte und staunte selbst. Wo war *das* denn hergekommen? Er sah hoch. Zwei Augenpaare lagen auf ihm.

»Aber ...«, Björn wollte retten, was noch zu retten war, »wollten wir nicht dir zuhören?« Er lächelte Alex an, dessen eisgraue Augen noch immer auf seine gerichtet waren. Verdammt, dachte Björn, er hat meine Augen. Und diese Augen hatten etwas Beunruhigendes. Wie hinter einem Vorhang. *Nur manchmal schiebt der Vorhang der Pupille sich lautlos auf. – Dann geht ein Bild hinein, geht durch der Glieder angespannte Stille – und hört im Herzen auf zu sein.*

Hatte er das laut gesagt? Er war sich nicht sicher. Aber plötzlich war ihm sein eigener Sohn so unheimlich, dass ihm spontan diese Verse in den Kopf gekommen waren. Was brodelte da unter Alex' Coolness?

»Ja.« Alex lächelte ein undefinierbares Lächeln. »Alles geht seinen Gang, alles ist so weit in Ordnung. Das Einzige, das nicht in Ordnung ist, und deshalb glaubt ihr auch vielleicht, ich wäre total unausgeglichen oder … was weiß ich … jedenfalls, ich habe mich verliebt, und diese Liebe ist nicht ganz einfach.«

Nele holte Luft. Jetzt kommt's dachte sie. Keine Enkelkinder, aber, na ja, auch keine weibliche Konkurrentin. Es hatte irgendwie alles sein Gutes.

»Hä?«, sagte Björn. »Denkst du etwa, bei uns war alles einfach? Das ist es bis heute nicht. Jede Beziehung ist Arbeit und braucht Geduld.« Er griff nach seinem Glas Mineralwasser. »Oder zumindest einen Geduldigen.«

»Und das bist natürlich du!« Nele nickte.

Björn zog die Augenbrauen hoch. »Siehst du, was ich meine?«

»Siehst du, was *ich* meine?«, echote Nele.

»Ihr seid solche Kinder!« Alex schüttelte den Kopf. »Dass ihr meine Eltern seid, ist eigentlich unvorstellbar. Habt ihr mich vielleicht adoptiert?«

Jetzt waren beide sprachlos, Nele und Björn.

»Oder vielleicht war es ein anderer?« Das war Björn.

»Jetzt werd nicht kindisch!«, gab Nele zurück.

»Ihr seid es doch schon!« Alex zog seinen Mantel aus. »Darf ich euch erinnern? Es geht um mich!«

»Ja, genau!« Björn runzelte die Stirn. »Um deine Liebe.«

»Ja, genau! Ich bin wahnsinnig verliebt, aber wir passen einfach nicht zusammen! Das macht mich ratlos. Und rasend!«

»Das Gefühl kenne ich«, sagte Björn.

»Wie?« Nele beugte sich vor.

»Na«, sagte Björn, »bei uns war es doch nicht anders. Wir haben doch anfangs auch nicht zusammengepasst.«

»Wir haben nicht zusammengepasst? Das ist mir jetzt aber neu!«

»Haaallloooo, es geht um *meine* Liebe!« Alex klopfte auf den Tisch. »Könntet ihr euch bitte mal konzentrieren? *Ich* bin unglücklich. Was bei euch war, ist tausend Jahre her. *Ich* irre durch die Straßen, bin der Panther hinter den Gitterstäben und sehe keinen Weg. Klar? *Ich!*«

Beide sahen ihn an.

»Stimmt«, sagte Nele, »entschuldige bitte.«

Björn beugte sich vor. »Unglücklich verliebt.« Er stützte die Arme auf seinen Knien auf und legte den Kopf hinein. »Ja dann, schieß mal los.«

Alex saß ihm gegenüber und nahm nun die gleiche Haltung ein. »Weißt du, wie das ist, wenn man jemanden liebt und trotzdem keine Chance sieht?«

Björn dachte an Dana. Aber die liebte er ja nicht. Die beschäftigte einfach seine Phantasie, das war etwas anderes.

»Verliebt – oder wirklich Liebe?«, fragte er zurück.

»Wirklich Liebe!«, antwortete Alex. Er fuhr sich mit seiner Hand durchs Haar.

Oje, dachte Nele, da hatte es ihren Sohn so richtig erwischt.

»Und wieso passt es denn nicht? Was ist so verkehrt?«

»Sie hat als Mädchen dramatische Erlebnisse gehabt und ist anders aufgewachsen als ich«, begann Alex. Aha, also doch eine *Sie*, das wäre schon mal geklärt, dachte Nele. »Sie hat andere Werte, andere Vorstellungen vom Leben. Ich will studieren, um mir mit diesem Studium etwas aufzubauen. Sie sagt, dass es im Leben Wichtigeres gebe.«

»Na ja«, sagte Björn, »im Normalfall reicht es ja auch, wenn einer von beiden was aufbaut…«

Nele warf ihm einen Blick zu.

»Oder stimmt es etwa nicht?«, fragte Björn sie.

»Die Zeiten haben sich geändert«, gab sie zur Antwort.

»Von mir aus …« Björn suchte wieder Blickkontakt mit Alex. »Also, ihr liebt euch, aber eure Ansichten sind völlig verschieden. Und was meint deine Freundin mit *wichtiger*?«

»Ja …« Alex zögerte. »Sie ist so ein Plattenbaukind. Aber sie hat mich noch nie mit zu ihren Eltern genommen. Sie spricht nicht über sie. Sie sagt nur, dass manches in ihrem Leben anders gelaufen ist als geplant. Sie hat zwar ihr Abitur gemacht, aber seither … Ich weiß nicht, wie ich es sagen soll, keine Ausbildung, kein Studium, keine Kultur, sie sagt, sie habe daran kein Interesse. Aber ich glaube ihr nicht. Ich denke, da ist irgendwas … irgendwas, an das ich nicht rankomme.«

»Bring sie doch mal mit«, schlug Nele vor. »Muss ja nicht unbedingt ein spießiger Grillsonntag sein.« Sie warf Björn einen Blick zu.

»So oder so, ihr seid ihr zu gesettled, sie würde nicht kommen.«

Björn räusperte sich. »Trägt sie Springerstiefel und tausend Ringe im Gesicht?«

»Nein, sie ist äußerlich völlig normal und dazu verdammt hübsch. Und ich fühle mich total am Arsch, weil mein Kopf sagt, dass das nicht gut geht, mein verdammter Bauch aber nach ihr schreit!«

»Dein Bauch also?« Björn zog die Augenbrauen zusammen.

»Ja, mein Bauch!«, wiederholte Alex. »Mein Gefühl, falls du so was kennst.«

»Hmm.«

»Was soll ich tun? Ich brauche euren Rat.«

»Ja, was soll er tun?« Björn sah Nele an.

»Was würdest du an Alex' Stelle tun?«, fragte Nele zurück.

Björn musste nicht lange überlegen. »Das Hier und Jetzt genießen, solange es geht.«

Nele zuckte mit den Schultern. »Aber nicht jeder ist der Typ, der bei einer Frau das Gehirn ausschalten kann.«

»Was soll denn das nun wieder heißen?«

»Dass man sich mit seinem Partner ja auch unterhalten will, gemeinsam ins Theater oder zum Sport gehen will oder was auch immer. Es fängt doch schon beim Freundeskreis an – wenn da zwei Welten aufeinanderprallen, wie soll das denn gehen?«

»Ja, eben«, sagte Alex.

»Ich bleibe dabei. In deinem Alter solltest du die Liebe genießen, und den Rest kannst du ja mit deinen Kumpels erledigen.«

Alex seufzte. »Wieso muss alles so kompliziert sein?« Er sah Nele an. »Jetzt würde ich doch gern was mit euch trinken. Vielleicht ein Glas Wein? Und dann könntet ihr mir von eurer Amerikareise erzählen, dem Oldtimerabenteuer.«

»Ja«, sagte Björn, »das war wirklich was. So ein tolles Auto, dieser Mustang, aber der war auch viel Fassade und darunter manches faul.«

»Ein Glas Weißwein?« Nele stand auf.

»Für mich bitte nur Mineralwasser oder, noch besser, einen Kräutertee«, sagte Björn schnell.

Es war Joes Harley, die noch draußen stand. Am nächsten Tag rief er an und entschuldigte sich, er habe einfach keine Zeit gefunden, sie abzuholen. Björn könne sie gern woanders hinstellen, falls sie im Wege stünde. »Wann kommst du denn?«, wollte Björn wissen.

»Ja, das ist das Problem, ich habe überraschend eine Fahrt nach Italien. Vor morgen Mittag bin ich nicht zurück.«

»Eine Fahrt? Was fährst du?«

»Alles Mögliche. Ich arbeite für eine Spedition, da muss es manchmal schnell gehen.«

»Gut!« Björn nickte. »Und wie stelle ich die weg?« Sie stand nämlich wirklich ungeschickt mitten in der Auffahrt.

»Die Schlüssel hast du doch hinter dem Busch neben eurem Hauseingang deponiert.«

Björn kramte in seinem Gedächtnis, aber diese Info war weg. Das musste Nele erledigt haben.

»Dann schiebe ich sie die Auffahrt rauf in die Garage. Es soll nämlich wieder zum Schneien kommen, Wintereinbruch im Frühling.«

»Du kannst sie gern auch fahren. Das Ding hat einen Motor.«

»Ich bin … bisher nur Beifahrer gewesen.« Björn dachte kurz an seinen Ritt auf dem heißen Ofen dieser Bikerin in Daytona Beach. Wie hatte sie noch gleich geheißen? Sue. Der Name war wieder da und auch ihre schwarz gemalten Katzenaugen, wie Kleopatra.

»Jeder Junge saß irgendwann mal auf einem Moped. Das ist nichts anderes. Du musst sie nur liebevoll behandeln, und das tust du ja, wenn du sie in die Garage stellst. Schnee mag sie nämlich nicht.«

Björn nickte. »Stimmt. Moped bin ich früher auch gefahren. Ich hab sogar mit achtzehn meinen Motorradführerschein gemacht. Aber das war's dann auch …«

»Ja, super! Und falls es doch Probleme gibt, hast du hiermit meine Handynummer auf dem Display.«

Björn nickte. »Was soll es für Probleme geben? Es wird keine geben.«

»Na, eben.« Björn legte das Handy weg. Was hatte er sich da nur aufgehalst.

Aber er hatte ja eigentlich nichts zu tun, Nele war in der Stadt, und er war allein. Björn griff nach seiner Jacke, tauschte seine leichten Sneakers gegen feste Schuhe mit rutschfester

Sohle und sah hinaus. Es wurde schon dunkel. Die Straße war menschenleer, der Himmel sah aus, als würde er gleich herunterfallen, so schwer hing er da. Heute Nacht würde es schneien, das hatte der Wetterdienst angekündigt. Björn öffnete die Haustür, es roch nach Schnee. Wie an Weihnachten, dachte er. Bloß dass jetzt Frühling war und keiner mehr Schnee wollte.

Er kramte den Schlüssel hinter dem Busch hervor und betrachtete dann die Harley. Das konnte ja wirklich nicht so schwer sein. Er öffnete das elektrische Garagentor, bevor er sich auf das Motorrad setzte. Der Sattel war tief, und Björns Beine standen rechts und links sicher auf dem Boden. Schon mal gut, dachte er, richtete die Maschine auf und klappte den Seitenständer ein. Dann sah er sich nach dem Zündschloss um, betrachtete den liebevoll bemalten Tank, nicht unbedingt sein Geschmack, dachte er. Aber der Lenker und die Armaturen, das war schon schön, das musste er zugeben. So ein bisschen Mustangfeeling kam auf, der runde, verchromte Tacho und daneben der Drehzahlmesser gefielen ihm besonders. Björn hüpfte ein wenig auf der Maschine, die Federung war gut, die Maschine schwang durch. Er testete rechts die Handbremse und links die Kupplung. Fußbremse und Gangschaltung. An einer etwas anderen Stelle als früher bei seinen Mopeds, aber auch das ging problemlos.

Er startete den Motor. Wie ein Böllerschuss hörte sich das an, dann folgte ein tiefes Tuckern, das immer noch laut genug war, um am Sonntag die Kirchenglocken zu übertönen.

Björn warf einen Blick auf die beiden Nachbarhäuser und konnte sich ein Grinsen nicht verkneifen. Tatsächlich, zumindest sein Nachbar zur Rechten war ans Küchenfenster geeilt. Es war hier eben nicht viel los, da freute man sich über jeden Kanonenschuss.

So, jetzt brauchte er nur noch den ersten Gang einzulegen und vorsichtig in die Garage zu fahren. Aber ohne weiter darüber nachzudenken, wendete er die Harley und fuhr langsam die Auffahrt hinunter. Nur mal die Straße lang, sagte er sich, denn er hatte weder Handschuhe an noch einen Helm auf. Ganz wie in Florida, dachte er, aber der kalte Wind griff in seine offene Jacke und brachte ihn dazu, kurz anzuhalten, die Jacke zu schließen und den Kragen aufzustellen. Dann fuhr er weiter, die Straße entlang, von dort auf die Landstraße und schließlich kam er an eine Allee. Die war er schon oft gefahren, aber heute fand er sie besonders schön. Seine Hände waren eiskalt, aber den Wind im Haar zu spüren, das Gesicht im kalten Fahrtwind, das Knattern der Harley, der dahinfliegende Asphalt unter ihm und das Gefühl, keiner könnte ihn bremsen, das war schon etwas ganz Besonderes. Er fuhr eine große Runde und überlegte ernsthaft, zu BMW in die City zu fahren. Es war Dienstag, und er hätte die Kursteilnehmer wahnsinnig gern mit diesem Geschoss hier überrascht. Aber es waren inzwischen wahrscheinlich völlig fremde Leute in einem neuen Kurs, und außerdem hätte ihn der erste Polizist gestoppt, das war es ihm nicht wert. Mittlerweile konnte er auch kaum noch die Kupplung drücken, seine Hände waren schon fast gefühllos.

Nele hatte einen schönen Nachmittag gehabt. Ihr Leben kam wieder in normale Bahnen, Björn hatte zwar ständig neue Ideen, aber sie tangierten ihr eigenes Leben nicht sonderlich. Ihr Kurs entwickelte sich phantastisch, sie hatte Schüler bei sich, die lernen wollten und nicht nur so taten, weil sie durch irgendwelche Auflagen gezwungen worden waren. Enrique sprach sie nach dem Kurs auf die Szene mit Björn an, und Nele hatte ihn als Entschuldigung auf ein Glas Wein in eine Bodega eingeladen. Dort erzählte er in erstaunlich gutem Deutsch von seinem Leben, seiner Familie und seiner Heimat. Und Nele ertappte sich, wie sie sich in seinem Blick verlor, der eine tiefe Melancholie, gleichzeitig aber auch Freude verriet. Noch nie war sie so tief in fremde Augen eingetaucht wie in die von Enrique.

Jetzt fuhr sie gut gelaunt die Straße entlang und sah ihr Haus im Dunkeln vor sich liegen.

Na, so was, dachte sie, wo war Björn denn hin? In den Nachbarhäusern brannte Licht, nur ihr eigenes Haus war stockfinster.

Er wird vorm Fernseher eingeschlafen sein, dachte sie, für einen Spaziergang war es ihm sicher schon zu kalt. Sie drückte die Garagenfernsteuerung und fuhr langsam die Auffahrt hinauf, während sich das Tor vor ihr öffnete. Da erschrak sie. Ein Motorrad war offensichtlich gegen die Vorderwand der Garage geschlittert und lag umgekippt auf der Seite. Nele brauchte ein paar Sekunden, um alles zu erfassen, dann stieg sie aus. Von Björn fehlte jede Spur. Was war passiert? Sie ging durch die Nebentür ins Haus.

»Björn?« Keine Antwort. Angstvoll lief sie ins Wohnzimmer, von dort zurück, die Treppe hinauf in den ersten Stock. Er lag im Bett und sah ihr entgegen, als das Licht anging.

»Oh Gott, Björn, was ist passiert?« Sie setzte sich auf die Bettkante und nahm seine Hand. Er hatte eine Platzwunde an der Stirn. Offensichtlich hatte sie stark geblutet, und er hatte versucht, die Blutung zu stillen. Übrig geblieben war eine rote Kruste, die sich bis zur Nase hinunterzog.

»Ich hatte so eiskalte Hände, dass mir die Kupplung entglitten ist, und die Maschine hat einen Satz gegen die Mauer gemacht!«

»Oje!«

»Ja, ich konnte es nicht verhindern, es ging so schnell!«

»Hast du dich sonst noch verletzt?«

»Ein bisschen an der Schulter vielleicht.« Er richtete sich stöhnend auf. »Bleib liegen!« Nele drückte ihn sanft zurück. »Ich schau mir erst mal deine Wunde an.« Sie ging in die Küche, füllte eine Schale mit warmem Wasser, nahm einen frischen, weichen Schwamm und ging wieder hoch zu ihm. Björn hatte sich in die Kissen zurückfallen lassen.

»Wie sage ich es ihm nur?«, ächzte er.

»Was? Wem?«

»Joe! Diese Harley ist sein Ein und Alles, seine Geliebte, was weiß ich, sein ganzer Stolz!«

»Lass erst mal sehen.« Nele tauchte den Schwamm ein, drückte ihn aus und begann vorsichtig, die Kruste abzuwischen.

»Au!« Björn sah sie strafend an. »Das tut weh!«

»Björn! Ich muss mir doch erst mal die Wunde genau ansehen. Vielleicht muss sie ja genäht werden! Oder soll ich gleich einen Arzt rufen?«

»Arzt?« Wieder stöhnte er. »Das ist nicht nötig.«

»Und außer der Schulter? Arme, Beine, Hände?«

»Ja, ja, schon gut, ist alles halb so schlimm, mir geht es gut. Nur diese Harley, das macht mir Bauchschmerzen.«

»Ist denn viel kaputt?«

»Ich habe sie mir nicht richtig angesehen, ich hatte genug mit mir selbst zu tun.«

»Jetzt halt doch mal still!« Er hatte einen Riss über der Stirn, nicht besonders tief, aber die Schwellung, die sich schon abzeichnete, würde die Wunde womöglich stärker aufreißen. »Besonders tief ist es nicht«, sagte sie. »Aber es schwillt an. Und sicherlich wird es blau und grün. Ich hol mal Eis zum Kühlen. Und Jod zum Desinfizieren.«

Björn verzog das Gesicht, und unwillkürlich dachte sie an seinen gequetschten Zeigefinger. In letzter Zeit war er ein richtiger Pechvogel. Auf dem Weg in die Küche ging sie an der Garage vorbei und sah sich das Motorrad genauer an. War das Vorderrad krumm? Sie konnte es nicht sagen, dafür hätte man die Maschine aufstellen müssen. Die Kraft hatte sie aber nicht. Also würde der Golf heute Nacht eben draußen bleiben müssen. Sie schloss das Garagentor und ging wieder hinein.

In seinem ganzen Berufsleben war ihm noch nie ein Gespräch so schwergefallen wie dieses. Fünfmal hatte Björn das Smartphone schon in der Hand und Joes Telefonnummer aufgerufen. Und genauso oft hatte er auf das Display gestarrt und es nach kurzem Zögern wieder auf die Bettdecke zurücksinken lassen. Sein Kopf dröhnte. Er hatte schlecht geschlafen. Viel zu häufig war er aufgewacht, hatte sich widerwillig an einen seltsamen Traum erinnert und Neles regelmäßigen Atemzüge gelauscht. Als der Wecker sieben Uhr zeigte, stand er auf und ging hinunter. Den Blick in den Spiegel vermied er. Und seine schmerzende Schulter ignorierte er. Er würde sich jetzt einen Kaffee machen und sich anschließend die Harley ansehen. Er musste es angehen, länger konnte er es nicht hinauszögern. Das Ritual des mahlenden Kaffees und der aufgeschäumten Milch beruhigte ihn etwas. Mit der Tasse in der Hand fühlte er sich stärker, als er nun vors Haus trat. Es hatte in der Nacht geschneit, und es war eiskalt. Björn fror in seinem Schlafanzug, und der Boden war eisig unter seinen bloßen Füßen. Das gehörte aber alles dazu, fand er. Er hatte das Moped an die Wand gefahren, also musste er leiden.

Dann wagte er sich in die Garage. Sie lag vor ihm. Das Vorderrad direkt an der Wand. Der Tank war sicherlich demoliert. Zumindest war die Bemalung zerkratzt, wie wahrscheinlich die ganze Unterseite. Und war das Vorderrad noch in Ordnung? Joe würde bei dem Anblick bestimmt heulen, dachte er. Sollte er ein Foto für die Versicherung machen, bevor er das Motorrad aufhob? War er für einen solchen Fall überhaupt versichert? Er musste von seinem Ausflug ja nichts erzählen. Reingefahren, abgerutscht, bäng! Oder sollte er sie liegen lassen, bis Joe kam?

Joe sollte das selbst entscheiden. Es war seine Harley!

Nele hörte ihn kommen. Er schlüpfte unter die Decke und streckte seine eiskalten Füße zu ihr hinüber, um sich an ihr zu wärmen.

»Das ist aber mal ein schöner Morgengruß«, sagte sie.

»Hättest du lieber einen Morgenkaffee?«, fragte er sanft. Oh, es ging ihm wirklich nicht gut, dachte Nele und drehte sich zu ihm um. Björns Stirn war verquollen, die schwarzen Haare standen in alle Richtungen ab, seine eisgrauen Augen waren matt, aber sein Mund lächelte. Er griff nach der zweiten Tasse, die er neben seiner abgestellt hatte. »Et voilà!«

Nele lächelte und griff nach dem Kaffee. »Danke, lieb von dir.« Sie nahm einen Schluck. »Und?«, fragte sie. »Wie geht es dir heute Morgen?«

»Schlecht. Ich habe Angst vor Joes Reaktion.«

»Dass er rumschreit?«

»Schlimmer! Dass er heult!«

Sie schwiegen.

»Ja«, sagte sie, »das kann ich verstehen.«

»Am liebsten würde ich das Motorrad abholen und richten lassen und ihm eine SMS schicken.«

»Das wär feige.«

»Ja, ich weiß.«

Er nahm einen Schluck. »Gut, dass du aufgewacht bist. Du gibst mir jetzt Kraft!«

Das waren ja ganz neue Töne, dachte Nele.

»Denn irgendwann muss ich es ja angehen«, fuhr er fort. Und nach einer weiteren Minute. »Also jetzt!« Er holte tief Luft und griff nach dem Handy.

Nele hatte sich im Bett aufgerichtet, die Beine angezogen und hielt die Kaffeetasse auf den Knien. Sie hörte dem Gespräch zu, Björns anfänglichem Gestammel und seiner Versicherung, alles wieder richten zu lassen. Er sprach ohne Punkt und Komma.

Dann hielt er inne. »Nein, nur am Kopf und an der Schulter. Halb so wild.«

Schließlich warf er Nele einen Blick zu.

»Ja, wenn du meinst.« Er hielt wieder inne. »Soll ich sie liegen lassen oder aufrichten? – Ja, gut, okay. Danke! Da fällt mir wirklich ein Stein vorm Herzen, Joe.«

Zum Abschluss lachte er sogar. »Ja … dann, bis bald.«

Mit einem tiefen Seufzer legte er das Handy zur Seite.

»Es war halb so schlimm«, erklärte er. »Zuerst war er erschrocken, aber er war vor allem froh, dass mir nichts passiert ist. Der Rest lässt sich wieder richten, hat er gesagt, wenn es kein Totalschaden ist.«

»Und was meinst du? Wenn der Rahmen in Mitleidenschaft gezogen ist? Die Radaufhängung oder wie man das nennt … ist das ein Totalschaden?«, fragte sie.

Björn zuckte mit den Achseln und rutschte wieder unter seine Bettdecke. »Jetzt kann ich endlich schlafen«, sagte er und war in der nächsten Minute eingeschlafen.

Nele wollte sich eigentlich aus diesem ganzen Kram heraushalten. Sie war noch nie motorradbegeistert gewesen und hatte bisher gedacht, dass auch Björn seine Freizeit lieber kulturell oder sportlich verbrachte. Aber er musste eine Erfahrung gemacht haben, von der sie nichts wusste, denn plötzlich sprach er von der »großen Freiheit« und einem »unbändigen Lebensgefühl«.

»Dann sag doch bitte gleich, wie sie heißt.«

»Wie sie heißt?« Irritiert sah er sie an. »Keine Ahnung, komm doch mit!«

»Wohin mit?«

»Ja, wir müssen die Harley ja sowieso aufladen, dazu brauchen wir einen Wagen mit Anhängerkupplung und einen Motorradanhänger. Beides besorgt Joe.«

Er sprach von dem Motorrad. Nele musste unwillkürlich

lächeln. Das war ja mal eine feine Geliebte. Und wenn diese eine Fahrt der Schlussstrich unter diese ganze Rockergeschichte war, dann sollte es ihr recht sein.

»Wieso sollte ich da mit?«, wollte sie wissen.

»Es muss ein gigantisches Harleyhaus sein. Sie nennen es Factory, Fabrik. Auch für Leute wie uns sicherlich interessant.«

»Für Leute wie uns?«

»Ja. Joe bringt seine Maschine in die Werkstatt, da muss ich sowieso mit, und dann streifen wir ein bisschen herum. Schauen uns um. Floridafeeling.« Er grinste sie an. Seine Haare waren länger geworden, fiel ihr in diesem Moment auf. Genau wie seine früher stets akkurat kurz geschnittenen Koteletten. Achtete er nicht mehr so sehr auf sich? Oder war das sein neuer Look?

Sollte sie die beiden Männer nicht besser alleine losziehen lassen? Anderseits traute sie Joe nicht so ganz. Wer weiß, auf welche Ideen die beiden kamen, wenn sie alleine waren?

»Aber gern«, sagte sie. »Wann geht es denn los?«

Es war nicht nur Joe. Auch ihre anderen Sonntagsgäste kamen. Wie konnten die alle an einem Mittwochnachmittag Zeit haben, fragte sich Nele, aber das Hallo war so groß, dass sie sich die Frage verkniff. Einer nach dem anderen begutachtete wortreich Björns rot-grüne Beule an der Stirn, und danach schoben sie die Harley aus der Garage und wuchteten sie auf den Hänger.

»Die hättest du auch hochfahren können«, sagte Lesley. Er trug einen rostbraunen Parka zu seinem roten Pferdeschwanz und sah in Neles Augen verboten aus. Was machte der wohl beruflich? Streetworker?

Auch Dana war da. »Wollen wir so lange Kaffee trinken?«, fragte sie Nele, aber Nele wusste nicht, worüber sie mit Dana hätte sprechen können, deshalb winkte sie ab: »Ich nehme mal an, es geht gleich los …«

Joe war mit einem Kleinbus gekommen, so hatten fast alle Platz. Die anderen setzten sich in einen Kombi.

»Schade, dass es geschneit hat. Ohne Harleys zu Charly zu fahren ist total daneben!«, sagte der, der neben Nele saß. Sie schätzte ihn auf Mitte vierzig, ein vierschrötiger Typ. Klein und gedrungen, dachte Nele, eine richtige Bulldogge. Und auch seine Hände passten. Selbst Björns gequetschter Zeigefinger würde niemals die Ausmaße dieser breiten Finger annehmen. »Ich bin Hanjo«, sagte er, »falls das am Sonntag irgendwie untergegangen ist. War übrigens ein schönes Fest. Fanden wir alle. Die ideale Location!«

Nele versuchte, das zu überhören. Ganz bestimmt wollte sie nicht zum Vereinslokal dieser Leute mutieren.

»Hey, Björn«, fragte ihr Nachbar zur Rechten nach vorn. Björn saß auf dem Beifahrersitz und drehte sich um. »Wir haben auf deiner Visitenkarte gesehen, dass du bei einer Bank bist. Wir bräuchten noch einen richtigen Schatzmeister. Hättest du Lust?«

Björn lachte. »Ich *war* bei einer Bank. Ich bin raus aus dem Geschäft.«

»Na, umso besser. Dann hast du ja Zeit.« Er lachte und nickte Nele zu. »Oder nicht? Wenn er was Sinnvolles zu tun hat, nervt er zu Hause nicht rum!«

»Woher willst denn du wissen, ob ich zu Hause rumnerve?«, fragte Björn und sah dabei Nele an.

Denkt er jetzt etwa, ich hätte was erzählt, fragte Nele sich unwillkürlich.

»Weil alle arbeitslosen Männer zu Hause rumnerven«, erklärte der Typ. »Frag mal meine Alte!« Er grinste. »Oh, sorry, Lady, frag mal meine Holde zu Hause«, korrigierte er sich.

»Nicht nötig«, sagte Nele. »Ich glaub es auch so.«

Alle lachten, und Nele nahm sich vor, diese neue Bekanntschaft zu meiden. Das war erheblich unter ihrem Niveau.

Die Harley hatte ein paar Kratzer, aber sie war nicht ernsthaft beschädigt. Björn würde einen Kostenvoranschlag bekommen, und den konnte er bei seiner Versicherung einreichen. »Und wenn nicht«, sagte er leise zu Nele, »dann bezahle ich es eben so. War ja meine Schuld.«

»Wenn die uns nicht besucht hätten, wäre es gar nicht so weit gekommen.«

»Ist es aber. Und es war doch auch lustig, findest du nicht?«

Nele verkniff sich ihr hartes Nein. Sie fand ganz andere Dinge lustig. Sie fand es lustig, wenn Enrique ihr in seinem charmanten Deutsch einen spanischen Witz erzählte. Und das bei einem Glas Rotwein in einer Bodega, wie gestern Abend, als Björn unbedingt mit dem Motorrad gegen die Wand fahren musste. Sie hatte sich sogar noch beeilt heimzukommen, obwohl Enrique bereits in der Küche gewesen war und bei den spanischen Köchen die besten Tapas, wie er sagte, bestellt hatte. An diesem Abend hatte sie sich die Frage gestellt, ob sie etwa gerade im Begriff war, sich zu verlieben.

Und dann lag da Björn. Mit dem Kopf durch die Wand, das war typisch. Das hatte er sein Leben lang getan, nur diesmal war die Mauer stärker. Es entlockte ihr ein Lächeln, und sie registrierte Joes Blick, der ihr gegenüber gerade mit dem Mechaniker sprach. Er lächelte zurück. Offensichtlich war er der Meinung, sie fühle sich in diesem seltsamen Kreis wohl.

Harleys über Harleys. Die Gruppe war offensichtlich in ihrem Element, alle fachsimpelten über Details, Änderungen, Neuerungen, und plötzlich schob Hanjo ein schwarzes Modell hervor. Es war sehr schnittig, das fand sogar Nele. Der Tank dezent schwarz mit matt schwarzen Flammen.

»Schön«, sagte Björn.

»Setz dich doch mal drauf.« Hanjo machte eine einladende Handbewegung, und die anderen, die schon weitergegangen waren, kamen wieder zurück.

»Krasses Teil«, sagte Dana und fuhr mit ihrer Hand leicht über den Tank. »Sehr schick. Dürfte aber auch in einer entsprechenden Preisklasse liegen.«

»Eine Fat Boy«, erklärte Joe. Er nahm die Beschreibung aus dem Ständer und las einige Daten vor. Beim Preis schnalzte er mit der Zunge. »Rund 22 Riesen.« Er wiegte den Kopf und sah Björn an. »Aber für einen Banker …«

»Für mich?«

Björn sah Joe an, dann die Harley. Schließlich ging er um sie herum. Der Hinterreifen erinnerte ihn an Sue. Ihr halb nackter Hintern in den kurzen Pants und dieser Breitreifen, das war das Bild, das er von ihr im Kopf hatte.

»Nicht übel.«

»Na, mach schon, setz dich drauf!«

»Was macht denn das für einen Sinn?« Jetzt ging Nele dazwischen. »Motorräder standen noch nie auf unserer Wunschliste!«

»Vielleicht auf deiner nicht?« Danas Stimme klang nett, aber Nele hörte genau die Kampfansage heraus, die es war. Um was ging es hier eigentlich, fragte sie sich. War diese Mittzwanzigerin etwa auf einen 48-jährigen Mann scharf? Björn könnte ihr Vater sein, aber trotzdem passierte so etwas ja öfter mal.

Björn lächelte ihr besänftigend zu und setzte sich in den Sattel. Das passte, das musste Nele zugeben. Seine schwarzen Haare und seine schwarze Lederjacke, was für ein Witz, dachte Nele, jetzt fehlt nur noch die dunkle Sonnenbrille.

»Perfekt«, urteilte Dana, und der Blick, den sie dafür von Björn bekam, behagte Nele überhaupt nicht.

»Du bist doch ein Banker, du kannst doch verhandeln«, sagte Gerd, der lang und dünn neben dem gedrungenen Hanjo stand.

»Wozu soll er verhandeln?«, fragte Nele gereizt. Langsam ging ihr das hier auf die Nerven.

»Na, wenn er in Zukunft mit uns unterwegs sein will, braucht er einen entsprechenden Feuerstuhl.«

Björn saß indessen auf dem Sattel und erinnerte sich an seine nächtliche Fahrt, das Gefühl, die Berauschtheit. Es war schon möglich, dachte er, dass er Blut geleckt hatte. Aber das hieß ja nicht, dass er sofort in der Gruppe leben musste.

»Björn?« Nele wollte keine Spielverderberin sein, aber hier ging es um ihre gemeinsame Zukunft. Da hatte sie ja auch ein Wörtchen mitzureden.

»Wir besprechen das erst mal«, sagte Björn friedlich und stieg wieder ab. Das Blatt mit den Fahrzeugdetails faltete er zusammen und steckte es in seine Hosentasche.

Joe beobachtete ihn dabei und grinste. Und auch Dana lächelte.

»Nimm's mir nicht übel«, sagte Nele, als sie abends vor dem Fernseher saßen und eine Flasche Wein aufgemacht hatten, »aber das sind nicht die Leute, mit denen ich meine Freizeit verbringen will.«

Björn schwieg einen Moment.

»Welche Freizeitpartner schweben dir denn so vor?«, fragte er schließlich und stellte den Fernseher leiser. »Du hast mich in Florida nach unseren Leidenschaften gefragt. Ich habe ernsthaft darüber nachgedacht. Wir haben keine wirklichen Freunde, oder fällt dir jemand ein?«

»Ich habe schon Freunde«, widersprach Nele.

»Sind das welche, mit denen ich meine Freizeit verbringen möchte?« Björn meinte es ernst. Das sah sie an seinen Augen. Sie dachte an Jutta und Jasmin. Nein, das ging überhaupt nicht. Dann dachte sie an Enrique. Das ging noch weniger. Langsam schüttelte sie den Kopf. »Nein, ich glaube, dass meine Freunde nicht zu dir passen.«

»Zählst du auch den kleinen Spanier dazu?«

Lief sie rot an? Sie war sich nicht sicher. »Enrique?«, fragte sie langsam. »Ich dachte eher an Jutta und Jasmin.«

»Und das sind alle? Das ist dein sogenannter Freundeskreis?«

Sein Ton wurde ihr zu ironisch.

»Worauf willst du hinaus?«, fragte sie ihn kurz angebunden.

»Dass diese Harleygruppe ein völlig harmloser, netter Haufen ist. Vielleicht denkst du, die seien unter unserem Niveau, mag sein, ist mir auch egal, aber was ist denn unser Niveau? Das sind entweder Leute, die mit mir Geschäfte gemacht haben und mit denen ich deshalb Kontakt hatte, oder es sind Leute, die gähnend langweilig sind, weil sie außer ihrem Golftermin, dem nächsten Charityball oder sonst was in der Richtung nichts mehr im Kopf haben und dieses Nichts auch zu gehobenen Anlässen ausführlich besprechen.«

»Du bist sarkastisch. Du warst doch auch mit diesen Leuten unterwegs und hast dich mit ihnen amüsiert.«

»Ich habe mich *über* sie amüsiert, das ist ein Unterschied.«

Nele holte tief Luft. »Gut, von mir aus. Aber müssen es dann ausgerechnet Leute sein, die mit ihren Harleys hier einfallen, Bier trinken, bis zur Nasenspitze tätowiert sind, Pipi-Langstrumpf-Haarfarben tragen, zotige Sprüche klopfen und unser Haus zu ihrem Stammlokal erklären wollen?«

Björn musste lachen. »Das haben sie gesagt?«

»Wahrscheinlich eher zum Vereinslokal, nehme ich an ...« Nele merkte, wie sie sich in Rage redete. »Bestimmt hat dieser Verein auch einen Namen, wenn sie dich schon als Schatzmeister wollen. Und überhaupt – Schatzmeister. Welcher Schatz denn? Glaubst du denn, dass die auch nur fünf Euro übrig haben?«

»Immerhin sind sie nach Florida geflogen, das kriegst du auch nicht gerade geschenkt.«

»Wahrscheinlich haben sie den Piloten erpresst ...«

»Na, na, na.« Björn hob beide Hände.

»Nein, ehrlich.« Nele versuchte, ihm über den Couchtisch hinweg direkt in die Augen zu sehen. »Aus irgendeinem Grund wollen die dich dabeihaben. Wir haben sie im Flugzeug kennengelernt, gut, da lernt man durchaus mal jemanden kennen, danach die Begegnung in Daytona, auch gut, aber das muss ja noch lang nicht der Anlass für eine langjährige Freundschaft sein.«

Björn grinste. »Warum eigentlich nicht?«

»Du nimmst mich auf den Arm!« Nele zog die Stirn hoch. »Sei bitte mal ernst. Wie siehst du denn diese Leute?«

»Ich sehe Leute, die wahrscheinlich in ihren Jobs hart arbeiten und in ihrer Freizeit ihren Spaß haben wollen. Bodenständige Typen, die ein gemeinsames Hobby haben, das sie zusammenschweißt.«

»Gut«, sagte Nele und griff nach ihrem Weinglas. »Ich kann sie dir nicht ausreden.«

»Du brauchst sie mir nicht auszureden, bisher ist ja nichts weiter passiert.«

Nele nahm einen Schluck und nickte. »Ja«, sagte sie langsam, »bisher nicht. Außer einem Versicherungsfall und einer angeschlagenen Stirn.«

»Na, siehst du.« Er prostete ihr zu. »Und jetzt fängt der Film an, also entspann dich.«

Nele war hin- und hergerissen. Wenn sie nach Hause kam und Björn da war, nervte es sie, dass er ständig da war. Was machte er bloß den ganzen Tag, wenn sie Unterricht gab oder andere Termine hatte? Wenn sie aber nach Hause kam und er nicht da war, bohrte sofort die Frage, wo er wohl war. Was konnte so wichtig sein, dass er nicht zu Hause war? Manchmal dachte sie an Daytona zurück, an ihre Gefühle bei der Ayurveda-Behandlung und an den Rausch danach, an ihren ekstatischen Sex. Das schwebte seither wie eine Vorgabe in ihren Köpfen, in Björns und ihrem, und hatte dazu geführt, dass sie kaum noch Sex miteinander hatten. An dieser speziellen Stunde ließ sich einfach nichts messen. Oder sollten sie mal mutig sein und etwas völlig Neues ausprobieren? In ein Liebeshotel gehen? Es kam ihr albern vor, aber offensichtlich war die Qualität anders, wenn man von zu Hause weg war. Oder war es der Gedanke, dass man sich nach all den Jahren zu Hause einfach nicht so gehen lassen konnte? Sie dachte an den Abend zurück, als Björn ihr die große Abschiedsparty verkündet hatte und sie sich auf dem blanken Fußboden geliebt hatten. Er meinte, das sei jetzt wieder so wie damals, als sie jung und leidenschaftlich waren und überall übereinander hergefallen waren. Aber es stimmte natürlich nicht, denn ein harter Fußboden fühlte sich mit vierzig anders an als mit zwanzig. Vielleicht sollte sie einfach mal ein Experiment wagen? Sie dachte an Enrique. Er war jung. Würde es sich mit ihm anders anfühlen als mit Björn? Würde sie sich mit Enrique auf einem harten Fußboden wieder jung fühlen? Sie bezweifelte es. Aber es war das Jugendelixier, auf das so viele ältere Herren mit jüngeren Frauen hofften. Und?, fragte sie sich. Wirkte es? Das wäre eine Umfrage wert. Unter den betroffenen Frauen und bei den in die Jahre gekommenen Herren.

Nele saß in der Bodega, in der sie mit Enrique schon gesessen hatte. Nur diesmal war sie mit Jutta und Jasmin verabredet. Sie war direkt nach ihrem Kurs hierher gefahren und noch etwas zu früh. Einen spanischen Rotwein hatte sie sich schon bestellt, mit dem Essen wollte sie noch warten, las nun aber bereits zum dritten Mal die Karte durch. Bald würde sie alles auswendig können und beim Bestellen dann doch wieder vergessen haben.

Was war mit ihr los? Sie spürte ein Trauergefühl, eine Melancholie, die sie eigentlich nicht spüren dürfte, denn immerhin sollte es ein lustiger Abend mit ihren Freundinnen werden.

Die Tür schwang auf, und sie sah hin, weil sie mit Jutta und Jasmin rechnete. An Alex hatte sie nicht gedacht. Umso mehr freute sie sich, ihren Sohn zu sehen, und sie wollte ihm schon zuwinken, da hielt er die Tür für jemanden auf. Dana kam herein. Ihr dicker, brauner Zopf baumelte über einer dunkelbraunen Lederjacke, und sie trug enge Jeans in hohen Stiefeln. Sie war ein Hingucker, genau wie ihr Sohn. Und Nele registrierte, wie sich die Köpfe der Gäste nach diesem Paar umdrehten. Ihr selbst aber wurde es heiß und kalt. Konnte es sein, dass Alex von diesem Mädchen gesprochen hatte? Von seiner großen Liebe, die so völlig aus seiner Welt war? Von seiner großen Liebe, die sich niemals in seinem bürgerlichen Elternhaus wohlfühlen würde?

Nele nahm einen Schluck von ihrem Wein. Ich glaube, heute lasse ich mich volllaufen, dachte sie spontan. Das darf doch alles nicht wahr sein. Also weiß Dana nicht, dass wir die Eltern ihres Freundes sind? Und Alex weiß nicht, dass seine Freundin mit ihrer Motorradgang bei uns zu Hause gefeiert hatte? Ja, was haben die denn für eine Kommunikation?

Sie beobachtete, wie Alex die junge Frau zu einem Zweiertisch auf der anderen Seite des Lokals führte, ihr die Jacke abnahm und ihr den Stuhl zurechtrückte. Vollendete Manieren, dachte sie, und diese Beobachtung erfüllte sie mit Stolz. Alex griff in seine Hosentasche, nahm ein Feuerzeug heraus und zündete die Kerze auf ihrem Tisch an. Er schien aufgedreht zu sein, so fröhlich, wie sie ihn seit Langem nicht mehr gesehen hatte.

Ihr Sohn war verliebt. Zweifellos. Oje. Nele holte tief Luft. Warum musste das Leben immer so kompliziert sein? Wieso hatte Björn nicht einfach bis zur Rente weiterarbeiten können? Wieso musste sich ihr Sohn in die falsche Frau verlieben? Wieso mussten sie im Flugzeug ausgerechnet neben diesen Leuten sitzen? Und wieso hatte sie seit Tagen dieses bedrückende Gefühl im Bauch?

Genau deswegen, dachte sie. Das Leben ist einfach bescheuert!

Da ging die Tür wieder auf, und diesmal waren es tatsächlich Jasmin und Jutta. Sie sahen sich um, und Nele hoffte, dass sie nicht aus Versehen Alex entdeckten, deshalb hob sie die Hand und fühlte sich wie die Streberin aus der ersten Reihe.

Jutta entdeckte sie sofort und schlängelte sich durch die Tische zu ihr in die Ecke. »Wow! Toller Platz!«

»Ja, habe mich heute Morgen schon hierher gesetzt, damit ich euch nicht enttäusche.«

»Unsere Nele, wie sie leibt und lebt!« Jutta beugte sich zu einem Kuss vor.

»Na, wie geht's? Gut?«

»Keine Ahnung«, sagte Nele und umarmte Jasmin, die sich gerade aus ihrem riesigen Schal herausschälte.

»Ist das der neueste Schrei?«, wollte Nele wissen.

»Eher die Scheißkälte!«, erklärte Jasmin und warf ihren Kleiderhaufen auf den freien Stuhl. »Freu mich auf was zu trinken, auf was Scharfes zu essen und auf euer Geschwätz!«

»He!« Jutta boxte sie spielerisch mit dem Ellenbogen. »Mal langsam, Großtante!«

»Großtante?« Nele hatte sich wieder gesetzt. Und ob sie wollte oder nicht, ihr Blick wurde von dem Zweiertisch auf der anderen Seite magisch angezogen.

»Meine Nichte hat ein Baby bekommen. Rosa. Das hübscheste Kind der Familie!«

»Ist ja auch nicht schwer …« Jutta grinste.

»He, he, he! Unsere ganze Familie ist laufstegverdächtig …«

Die beiden waren offensichtlich gut drauf, dachte Nele. Vielleicht hatten sie schon einen Aperitif intus?

»Und?«, fragte sie. »Was gibt es sonst Neues? Ein Baby, super! Und sonst?«

»Und sonst?« Jasmin sah sich um. »Gibt es hier eine Bedienung, oder ist hier Selbstbedienung?«

»Hier gilt spanische Langmut, also zügle dich.«

»Solange es kein Gleichmut ist.« Jasmin zuckte mit den Schultern.

»Ihr seid gerade erst mal drei Sekunden hier.«

»Okay«, sagte Jasmin. »Und sonst hat mein Ex eine Neue, die jetzt ständig in unserem Büro auftaucht und vor mir herumtanzt. Mit ihrer neuesten Garderobe. Na ja, ich will's gar nicht wissen, solange es kein Firmengeld ist. Trotzdem, das ist ziemlich anstrengend, kann ich dir sagen!«

»Oje, die Kerle!« Jutta schüttelte ihr blondes Haar nach hinten und griff nach Neles Glas.

»Wie geht es denn dir mit einem Rentner zu Hause? Bei uns in der Bank geht ja das Gerücht, da sei nicht alles mit rechten Dingen zugegangen.«

Nele sah sie erstaunt an. »Wie meinst du das?«

»Na ja, er hat wohl ein paar nicht ganz lupenreine Geschäfte gemacht, man konnte ihm aber nichts nachweisen.«

Nele hatte Mühe, dass ihr Mund nicht offen stehen blieb.

»Björn? Das kann ich mir nicht vorstellen.«

»Tja, das mit der Vorstellung ist so eine Sache«, sagte nun auch Jasmin. »Ich hätte mir auch nie vorstellen können, dass mein Ex die Geschmacklosigkeit besitzt, diese sogenannte Nachfolgerin in unser gemeinsames Büro einzuladen.«

»Dann schmeiß sie doch raus! Schließlich seid ihr gleichwertige Partner! Halbe-halbe, ist das nicht so?«

»Was ist mit Björn?« Nele wurde ungeduldig.

»Angeblich hat er einige risikoreiche Geschäfte getätigt, um dadurch seine Boni zu erhöhen. Das hat wohl die Bank im Nachhinein viel Geld gekostet, da sie Kunden entschädigen musste.« Jutta zuckte mit den Achseln. »Egal, wie er es gemacht hat, immerhin habt ihr jetzt ein schönes Haus!«

Nele spürte, wie ihr der Kreislauf nach unten sackte. »Nein, das glaub ich nicht!«

»Musst du auch nicht«, funkte Jasmin dazwischen. »Das ist

Bankergeschwätz. Björn hat alles richtig gemacht, denk an seine Abfindung und an euer Konto. Ist doch piepwurscht, wie er das hingekriegt hat.«

Piepwurscht? Nein, das war es Nele nicht. Überhaupt nicht.

»Und was die Kerle angeht«, fing Jutta wieder an, aber unterbrach sich selbst, weil sie die Bedienung sah und versuchte, sie mit Handzeichen und Röntgenblick auf sich aufmerksam zu machen. »Okay, Leute, sie kommt, das ist eine einmalige Gelegenheit … habt ihr alle schon ausgesucht, was ihr wollt?«

»Wir nehmen einfach alles«, erklärte Jasmin, »das erspart das lästige Aussuchen.«

»Ich habe schon ausgesucht … wenn ihr mir vertraut?«

»Wer vertraut schon einer verheirateten Frau?«, frotzelte Jutta, aber sie waren beide mit Neles Auswahl einverstanden.

Als Nele gegen Mitternacht nach Hause fuhr, hatte sie nicht nur ein Glas zu viel, sondern auch tausend Gedanken im Kopf. Mal drehten sie sich um Alex, dann wieder um Björn. Wäre es nicht besser für sie, einfach die Haustür hinter sich zuzumachen und zu gehen? Sich ein Appartement zu mieten, klein, kuschelig zum Wohlfühlen, ohne ständige Probleme, Überlegungen und schrägem Bauchgefühl? Sie beneidete ihre Freundinnen um ihre Unabhängigkeit. Aber wahrscheinlich war das Singleleben auch nicht ohne Tücken und schräge Gefühle.

Völlig mit sich im Unreinen kam sie an und fuhr in die Garage. Da fuhr doch dieser Idiot tatsächlich gegen die Wand, dachte sie und rügte sich im selben Moment. So etwas durfte sie nicht denken, das war einfach nicht richtig. Aber was war überhaupt richtig?

Im Wohnzimmer lief noch der Fernsehapparat, ansonsten war es stockdunkel. Björn war auf der Couch eingeschlafen. Nele blieb eine Weile vor ihm stehen und betrachtete ihn im bläulichen Schimmer des Fernsehbilds. Sollte sie ihn da einfach liegen lassen? Warum nicht? Sagte er nicht immer, Alex sei für seine Fehler und Entscheidungen selbst verantwortlich? Nun denn, das galt für ihn auch.

Nele zog sich leise zurück und kam sich dabei vor wie der Dieb im eigenen Haus. Boni, dachte sie. Toll! Was gab es noch alles, was sie nicht wusste?

Als sie am nächsten Morgen aufwachte, lag sie alleine im Bett. Sie brauchte einen Moment, um zu wissen, warum: Björn schlief unten, vor dem Fernseher. Sie sah auf den Wecker. Acht Uhr, Zeit zum Aufstehen. Im Badezimmer schlüpfte sie in ihren flauschigen Morgenmantel, fuhr sich mit der Bürste kurz durch ihre Haare, entfernte die Reste der Wimperntusche und verrieb etwas Feuchtigkeitscreme auf ihrem Gesicht. Mit einer leeren Mineralwasserflasche unterm Arm ging sie leise die Treppen hinunter. In der Küche lief das Radio, und Björn saß mit einer Tasse Kaffee am Küchentisch, über einige Papiere und Prospekte gebeugt.

»Guten Morgen«, sagte er, ohne wirklich aufzuschauen.

»Guten Morgen«, antwortete Nele und fühlte sich seltsam unwohl. Bisher war ein Morgenkuss obligatorisch gewesen. Was war jetzt das?

»Bist du eben erst nach Hause gekommen?«

Nele blieb stehen. »Wie kommst du denn da drauf?«

Björn zuckte mit den Achseln. »Ich dachte nur so.«

»Nur so? Jetzt bitte, Björn, ich trage einen Morgenmantel und keinen Ausgehmantel. Und ich habe oben geschlafen.«

»Aha.« Diese *Aha* klang äußerst seltsam.

Nele zog sich den anderen Stuhl heran. »Wie kommst du auf so eine Idee?«

»Als ich aufgewacht bin, war dein Auto jedenfalls noch nicht da.«

»Das kommt darauf an, wann du aufgewacht bist.«

»Heute Morgen. Auf dem Sofa. Vor dem laufenden Fernseher.«

»Heute Morgen? So ein Blödsinn. Der Golf steht in der Garage.«

Jetzt sah er sie aus verengten Augen an. »Ist es dieser Typ?«

»Dieser Typ?« Nele schüttelte langsam den Kopf. »Björn, ich war mit Jutta und Jasmin unterwegs. Wie kommst du zu so einer Vermutung?«

»Gute Freundinnen sind ein ausgezeichnetes Alibi.«

»Ich brauch kein Alibi. Frag sie selbst. Das heißt, das wäre einfach lächerlich. Was unterstellst du mir da?«

Björn zuckte mit den Achseln.

Seine stoische Ruhe war das, was sie am meisten aus der Fassung brachte. Mit wenigen Schritten war sie in der Garage.

»Sieh selbst«, rief sie durchs Haus, »hier steht er. Und zwar seit Mitternacht.« Im selben Moment dachte sie, dass etwas nicht stimmte. Sie parkte stets an derselben Stelle, da, wo an der Garagenwand ein Schaumgummi die aufschlagende Fahrertür schützte. Der Wagen stand weiter vorn. Wie konnte das sein?

Sie hätte gestern überhaupt nicht mehr fahren dürfen. Nachdenklich ging sie in die Küche zurück.

»Er steht anders als sonst«, sagte sie.

»Dann hat er sich einfach von selbst anders hingestellt. So was soll unter guten Freunden ja mal vorkommen«, sagte Björn.

»Warst *du* noch weg?«, fragte Nele ihn. Das könnte immerhin sein, denn ihr Schlafzimmer lag nach hinten hinaus, und dort war nicht zu hören, was sich in der Garage tat.

»Guter Witz«, sagte er.

»*Ich* hätte übrigens einen Zeugen«, fiel ihr plötzlich ein, »denn unser Sohn war gestern Abend auch in der Bodega.«

»Ah ja?« Björn sah auf. Er sah schlecht aus, fand Nele. Die Nacht auf dem Sofa hatte ihm nicht gutgetan. Sein T-Shirt roch nach Schweiß, und seine Gesichtshaut war fahl, unrasiert. »Ihr zusammen?«

»Nein, ich glaube, er hat mich gar nicht gesehen.«

»Toller Zeuge!«

»Ich wollte gar nicht, dass er mich sieht.«

»Das kann ich mir denken …«

Nele holte kurz Luft, langsam ging ihr die Geduld aus. »Er war nicht allein.«

»Nein?«

»Björn! Was ist mit dir los?« Am liebsten hätte sie ihn geschüttelt. So wollte sie ihn nicht haben. Er war einmal souverän gewesen, ein Mann, zu dem man aufblickte. Und jetzt saß er klein und zerknittert vor ihr. Misstrauisch.

»Nein! Er war mit einer Bekannten von dir dort. Sehr verliebt übrigens!«

Björns Blick änderte sich schlagartig. Er dachte sofort an Denise. Das hätte er seinem Sohn nicht gegönnt. Das war seine Geliebte, das waren seine Stunden, seine Auszeit. Das war die Genugtuung gegen die Welt, seine persönliche Frei-Zeit, in der er sich loslassen konnte, sein Urlaub vom eigenen Ich.

»Wer könnte das sein?«, fragte er und bemühte sich, möglichst gleichmütig zu erscheinen.

»Dana. Aus deiner Harleygang.«

»Dana?« Wie kam dieser Rotzlöffel an Dana? »Dana?«, wiederholte er. »Täuschst du dich da nicht?«

»Ich habe sie oft genug gesehen.«

»Wieso, wie sollte …«

»Ja, wie sollte?«, echote Nele. »Wir sprechen hier von einem Mädchen, das unsere Werte nicht kennt, Alex' Elternhaus als oberspießig ablehnt, Fortbildung offenbar für unnötig hält und –«, sie zögerte, »außerdem deine Sinne reizt.«

Björn sagte nichts. Er hatte auch gar nicht zugehört. Dana! Sein Sohn! Das war … Er stand auf und stellte seinen leeren Becher unter den Kaffeeautomaten. Es war eine Übersprungs-handlung, das war ihm klar. Aber dass sein Sohn an dem Mädchen dran war, das ihm selbst so verdammt gut gefiel, das war unbeschreiblich. »Björn!« Er hörte Neles Stimme.

Zum ersten Mal seit seinem letzten Arbeitstag beschlich ihn ein ungutes Gefühl. Dass dem einen oder anderen mit dem Beruf auch die Macht verloren ging, war klar. Aber das waren Typen, die nur durch ihren Beruf etwas waren. Bisher war er der Meinung gewesen, dass er Persönlichkeit hatte. Dass sie seine Anziehungskraft ausmachte. Und jetzt lief ihm sein eigener Sohn den Rang ab? Vielleicht war seine Anziehungskraft ja enger mit seiner Position verknüpft, als er selbst glaubte? Was, wenn er plötzlich nichts mehr wert war?

Er sah zu Nele hinüber. Was, wenn seine eigene Frau einen dahergelaufenen Puerto Ricaner vorzog? Der Gedanke versetzte ihm einen Schlag. »Wenn du fremdgehst und mich belügst«, begann er. Nele sah ihn wortlos an, stand auf und ging hinaus.

Björn fühlte sich in seiner eigenen Haut nicht wohl. Es war ihm, als wäre er plötzlich zwei. Sein altes und sein neues Ich. Aber er wollte nicht zwiegespalten sein. Und er wollte sich auch nicht in Misstrauen und Missgunst verlieren, er wollte gut gelaunt in die Zukunft sehen. Was war nur passiert?

Er lauschte Neles Schritten, die er im oberen Stock hörte. Jetzt ist sie im Schlafzimmer, jetzt ist sie im Badezimmer. Er hatte sie attackiert, dabei war das gar nicht seine Absicht gewesen.

Björn stand noch immer vor der Kaffeemaschine. Wann genau war er in der Garage gewesen? Hätte er bezeugen können, dass es am Morgen war? Oder war es doch schon gegen Mitternacht gewesen? Er hatte Alkohol getrunken. Und zwar reichlich. Er musste sich bei Nele entschuldigen. Da war irgendwas mit ihm durchgegangen, das er selbst nicht steuern konnte. Björn drückte auf den Knopf und sah zu, wie ein dünner Strahl Kaffee in seine Tasse lief.

In diesem Moment klingelte sein Handy. Joe. Sein Freund aus der Unterwelt, wie Nele es sah.

Björn nahm das Gespräch an.

»Na, alter Freund, hast du die Prospekte durchgesehen?« Joe klang heiter und war auf seine Meinung gespannt.

»Ich habe einfach wenig Ahnung«, sagte Björn, »für mich sehen sehr viele Harleys ganz toll aus. Aber gemessen an der, die wir uns angesehen haben, fallen sie alle ab.«

Joe lachte. Er lachte wie Gunter Gabriel. Rau, herzlich und aus tiefstem Herzen.

»Das ist klar. Liebe auf den ersten Blick. Davon kommst du nicht mehr los.«

Björn dachte an Nele. Damals war das so gewesen. Zack, und es war geschehen. »Scheint so«, sagte er lau, denn eigentlich wollte er das nicht wahrhaben. Musste ja schließlich kein Gesetz sein.

»Also, mein Freund«, Joes Stimme klang belustigt, »morgen machst du deine Probefahrt. Wir geben dir Ehrengeleit. 18 Uhr an der Factory.«

Björn schaute aus dem Fenster. Draußen kündigte sich ein trüber Apriltag an. Das sah nicht gerade verlockend aus. »Morgen soll ein richtig schöner Frühlingstag kommen«, sagte Joe, als ob er Gedanken lesen könnte. »Motorradwetter.«

»Ich habe deine Maschine versemmelt, wie glaubt ihr, dass ich eine Probefahrt machen kann?«

»Du hast doch einen Schein, hast du gesagt.«

»Das ist doch ewig her. Da war ich achtzehn. Seitdem …«, er musste an seine frühen Zeiten, an Alex' Geburt und an die junge Nele denken, die das niemals erlaubt hätte, »hatte ich keine Zeit mehr«, beendete er den Satz.

»Das verlernt man nicht. Jeder, der mal Moped gefahren ist, hat das im Blut.«

Björn sah seine nächtliche Ausfahrt vor sich und spürte wieder das berauschende Gefühl, das ihn trotz der eisigen

Kälte beseelt hatte. »Es ist ein lebenslänglicher Virus«, fuhr Joe fort. »Den wirst du nicht mehr los, auch wenn er im Moment nicht aktiv zu sein scheint.«

»Hm.« Björn spürte in letzter Zeit wenig Aktives in sich. »Also«, sagte er, »du hast mich. Morgen, 18 Uhr.« Das heißt, dass ich mir für morgen einen Wagen organisieren muss, dachte er, aber das war das kleinste Problem, schließlich wollte ihm BMW einen Wagen verkaufen.

»Und solltest du morgen den Deal machen, dann feiern wir bei uns im Vereinshaus.«

»Im Vereinshaus?«

»Ja, wir haben da so einen Schuppen. Wie sich das gehört.«

Kurz klangen Björn Neles Worte im Ohr.

»Verein? Wie nennt ihr euch denn?«

In Joes Stimme lag Stolz, als er sagte: »The Big Five!«

»Ah.« The Big Five, dachte Björn, das sind doch die fünf Großen in Afrika: Elefant, Nashorn, der afrikanische Büffel, Löwe und Leopard. Die wichtigsten Trophäen der Großwildjäger! »Werdet ihr gejagt?«

»Manchmal«, lachte Joe. »Die Kunst ist, den Jägern zu entkommen.«

»D'accord!«, sagte Björn. »Einverstanden. Diese Strategie ist mir nicht fremd.«

Björn legte das Handy neben seiner unberührten Kaffeetasse ab und ging hinaus. Nele war im Badezimmer, sie tuschte sich gerade die Wimpern.

»Entschuldige«, sagte er, gegen den Türrahmen gelehnt. »Vielleicht sieht meine Situation von außen ja erstrebenswert aus. Aber ich scheine doch selbst Probleme damit zu haben.«

Nele hielt in der Bewegung inne und sah ihn über den Spiegel an. Juttas Worte kamen ihr in den Sinn. Risikogeschäfte, dachte sie, da hätte ich auch Probleme.

»Gibt es vielleicht über deine Selbstfindung hinaus noch ein Problem?« fragte sie und beobachtete seine Reaktion.

Björns Miene versteinerte erkennbar. Selbstfindung. Das hörte sich für ihn schon wieder so esoterisch an. Er war auf keinem spirituellen Trip, er wollte nur einfach ihr Verständnis.

»Ach, lass«, sagte er. »Bitte nimm meine Entschuldigung an. Ich wollte dich weder bedrängen noch beschimpfen, ich habe mich einfach vergessen.«

»Das war keine schöne Erfahrung.«

»Das stimmt. Für mich übrigens auch nicht – ich kannte dieses zweite Ich an mir noch nicht. Und es ist mir nicht besonders sympathisch.«

»Vielleicht hast du ja auch noch ein drittes?«

Björn hielt ihrem Blick im Spiegel stand. Dann senkte er den Kopf. Was wusste sie, dachte er. Was konnte sie wissen?

»Vielleicht magst du eine Dusche nehmen und dich rasieren?« Es war ein Friedensangebot, das wussten sie beide. Er hob den Kopf und sah abermals in den Spiegel, diesmal musterte er sich aber selbst.

»Keine schlechte Idee«, sagte er und grinste. Sie lächelte zurück.

»Und anschließend frühstücken wir gemeinsam«, schlug er vor. »Hast du Zeit?

Nele nickte.

»Ich habe unsere Amsel schon lang nicht mehr gesehen«, fuhr er fort.

Nele nickte wieder. »Auch Nachbars Katze war einige Tage nicht hier«, sagte sie.

»Hoffentlich ist ihr nichts passiert«, erklärte Björn und zog sein schmutziges T-Shirt über den Kopf.

Nele beschloss, den unerfreulichen Vormittag abzuhaken. Sie hatte über den Golf nachgedacht, aber die vermeintlich veränderte Stellung war sicherlich ihrem zweiten Glas Rotwein zu verdanken. Trotzdem waren Björns Verdächtigungen seltsam gewesen, ein bisschen wie ein siebter Sinn, dachte sie. Sie hatte schon vor Tagen Enrique eingeladen und schwankte jetzt zwischen Vorfreude und schlechtem Gewissen, ein Abendessen war ja noch kein Sex. Sie fuhr in Richtung City und fand, dass es tatsächlich der perfekte Tag für einen Ausflug war, der erste schöne Frühlingstag in diesem Jahr. Die Sonne brannte zum ersten Mal so richtig vom Himmel, und Nele fand es fast kitschig, aber sie musste trotzdem an die viel beschworenen Frühlingsgefühle denken. Die Natur atmete auf, und an den Bäumen sah sie plötzlich einzelne hellgrün sprießende Blätter, die sich wie von Zauberhand aus den Knospen herauswagten. Jetzt fehlen nur noch tirilierende Vögel, dachte sie, und die Kulisse wäre perfekt.

Enrique und Nele hatten sich auf einem Supermarktparkplatz verabredet, das erschien ihr unauffällig genug, schließlich wollte sie Enrique nicht kompromittieren, sondern nur einen netten Abend mit ihm verbringen. Etwas außerhalb von Frankfurt gab es ein Schlosshotel. Perfekte Lage, sehr gute Küche. Enrique kam mit einer Einkaufstüte auf sie zu. Nele beobachtete seinen Gang. Lässig, und doch besaß er eine natürliche Körperspannung. Er war ein Athlet, das war bei jedem seiner Schritte zu sehen. Und er war nur sechs Jahre älter als ihr Sohn. Nele verbot sich sofort diesen Gedanken, sondern sah stattdessen in den Spiegel ihrer Sonnenblende. Sie sah gut aus. Erwartungsvoll, aufgeregt. Ja, das war sie wirklich, dachte sie, aufgeregt bis in die letzte Faser ihres Körpers. Mann, o Mann, dachte sie. Du blöde Gans, reiß dich zusammen. Du willst doch nichts von ihm außer einem fröhlichen Abend mit einem Gläschen Rotwein, gutem Essen und dem Gefühl, nicht ganz unattraktiv zu sein.

Er öffnete die Wagentür und ließ sich neben sie auf den Beifahrersitz sinken, in der Hand eine champagnerfarbene Rose, die er in der Einkaufstüte verborgen hatte.

»Was für eine charmante Idee«, sagte Nele lächelnd und überlegte kurz, ob dafür ein Wangenkuss angebracht wäre, beließ es aber bei einem strahlenden Lächeln.

»Was für eine charmante Einladung«, sagte er, und sein Spanisch klingendes Deutsch traf bei Nele sofort einen Nerv. Sie spürte eine heiße Woge durch den ganzen Körper gehen. »Lass dich überraschen«, sagte sie und startete den Motor.

»Aber gern«, antwortete er, und seine Stimme klang verheißungsvoll.

Nele fuhr los und musste sich richtig konzentrieren. Nicht zu fassen, dachte sie, sonst fuhr sie fast schlafwandlerisch durch Frankfurts Innenstadt, jetzt dagegen musste sie bei jeder Abzweigung scharf überlegen, damit sie sie nicht verpasste. Enrique neben ihr plauderte entspannt. Er erzählte von einem Buch, das er eben auf Deutsch las und das so ulkige Passagen enthielt. »Manches ist schon deshalb so komisch, weil unsere Kulturen so völlig verschieden sind«, sagte er und lächelte sie an. Nele spürte es und warf ihm einen Blick zu. Die markanten Züge, die weißen Zähne und der geschwungene Mund lösten ganz seltsame Gefühle in ihr aus. Einerseits hätte sie weinen können, ein Hauch Melancholie, dass es etwas so Schönes, Junges gab und sie es nicht haben konnte. Und auf der anderen Seite die Freude darüber, dass es so etwas Schönes überhaupt gab. Sie dachte wieder an ihren Sohn. Er sah auch gut aus. Aber er hatte nicht diese überbordende, ansteckende Lebensfreude. In Alex schlummerte etwas Dunkles, er war nicht der Mensch, den alleine die scheinende Sonne schon glücklich machen konnte. Warum eigentlich, dachte sie, war das ein Erziehungsfehler, oder hatte er da etwas von Björn oder ihr geerbt?

Enrique wollte wissen, ob sie gern tanze. Tanzen sei der bessere Sex, erklärte er, denn gerade die lateinamerikanischen Tänze verliehen den Tänzern durch ihre Rhythmen ein unvergleichliches Gefühl. Ein Sich-Annähern, ein Wegwerfen, die Versöhnung, der Gleichklang, der Höhepunkt. Nele hörte

Enrique zu. War das schon mal ein Hinweis von ihm, falls sie mehr wollte als Rotwein bei Kerzenlicht? Würde er dann eher um einen Tanz bitten? Dachte er bei ihr überhaupt an Sex? Eigentlich konnte sie sich das nicht vorstellen. Zweifelsohne lagen ihm die Mädchen zu Füßen, was sollte er mit einer 45-Jährigen?

Es war der Tag der roten Ampeln. Schon wieder eine. Von Kreuzung zu Kreuzung standen sie vor Rot. Und dann rollte der Verkehr wieder an, um zweihundert Meter weiter erneut zu stehen. »Ich werde diese Verkehrsplanung nie verstehen«, sagte Nele kopfschüttelnd.

»Ich werde nie verstehen, warum deutsche Autofahrer bei Rot stehen bleiben«, erklärte Enrique, worüber sie beide herzlich lachten. »Wegen der Blitzer?«, schlug Nele vor.

»Aber die Motorradfahrer? Die haben von vorn kein Nummernschild …« Sie lachten noch immer und fuhren langsam auf die Gruppe Harleyfahrer zu, die vor ihnen auf Grün warteten.

»Sexy«, sagte Enrique und zeigte auf die Fahrerin vor ihnen. Dunkelbrauner, dicker Zopf auf bemalter Jeansweste, die schlanken Beine in schwarzen Lederhosen, ein knackiger Hintern.

»Fährst du auch Motorrad?«, wollte Enrique wissen.

Nele hörte nicht richtig zu, sie sah zunächst hin, ohne etwas zu registrieren, dann zuckte es ihr wie ein Blitz durch den Kopf: Dana! Und auch die anderen Spezialisten. Da musste sich nur einer umdrehen, und sie war geliefert. Sie stand genau hinter ihnen. Und da! Auf dieser schwarzen Maschine, schräg vor Dana, das war Björn! Zweifellos. Er trug die alte, warme Lederjacke, die sie schon mehrfach hatte weggeben wollen, weil sie so dermaßen verratzt war, und einen Halbschalenhelm, den sie nicht kannte.

»Enrique«, sagte sie atemlos. »Da vorn ist mein Mann. Wenn er uns beide sieht, wird das ein ernstes Problem!«

»Dein Mann?« Interessiert sah Enrique nach vorn. »Welcher?«

»Da, zweite Reihe … wenn er sich umdreht, er kennt das Auto, schnell, du musst abtauchen.«

»Abtauchen?« Verständnislos sah er sie an.

»Dich ducken, er darf dich nicht sehen!«

Was für ein Unding, dachte sie, während ihr Puls raste. Was, wenn Björn längsseits kam, um ihr Hallo zu sagen oder stolz die Harley zu präsentieren, auf der er gerade saß?

Enrique war sitzen geblieben, ganz klar, dachte Nele, ein stolzer Puerto Ricaner duckte sich nicht. Vor niemandem. Dafür machte sie sich klein. Winzig. Golfs gab es viele, warum sollte Björn damit rechnen, dass ausgerechnet sie hinter ihm stand?

Die Ampel schaltete auf Grün, ein ohrenbetäubender Krach hob an, als sich die Meute vor ihr in Bewegung setzte, und Nele bog rechts ab. Ihre Hände zitterten. Alles an und in ihr war in Aufruhr.

»Was ist denn?«, wollte Enrique wissen. »Er fährt Motorrad, ist doch super für so einen alten Mann.«

Am liebsten wäre Nele umgekehrt, hätte Enrique abgesetzt und sich in ihrem Haus verkrochen. Das war ja klar, dass Enrique so dachte. Was hatte sie erwartet? Aber das war ja nur die eine Seite der Medaille, die andere war Björn. Das raubte ihr wirklich die gute Laune. Wieso saß er plötzlich auf einer Harley? Und auch noch in dieser Gruppe? Das war der sprichwörtliche Schlag ins Gesicht. Ihr Mann hatte Geheimnisse vor ihr. Hatte das mit Dana zu tun? Oder mit seinem neuen Lebensabschnitt, einer Suche nach Jugend, nach Abenteuer, dem großen Prickeln?

»What's the matter?«

Enriques Blick ruhte auf ihr. Ja, was ist los, wie konnte sie sich ihre fröhliche Stimmung so verhageln lassen?

»Hast du eine so schlechte Deutschlehrerin?«, fragte sie zurück.

Er grinste. »Wieso?«

»Weil du plötzlich Englisch sprichst.«

»In manchen Situationen liegt es mir näher.« Er grinste noch immer.

»So?«

»Ja, und es gibt sogar Momente, da spreche ich nur Spanisch!«

Jetzt musste Nele lachen, der Bann war gebrochen. »Verrätst du mir einen solchen Moment?«

Das Schwarz seiner Pupillen wurde tiefer. »Vielleicht …«

Das Hotel war ein vornehmer Rahmen für einen schönen Abend. Schon die breite, geschwungene Auffahrt, dann der Wagenmeister, der ihnen den Golf abnahm und nach ihrem Gepäck fragte.

Enrique sah in seiner schwarzen Hose und dem schwarzen Hemd perfekt aus, bei ihrer eigenen Garderobe war Nele unschlüssig gewesen. Zu feierlich wollte sie es nicht halten, aber auch nicht zu sportlich. Schließlich wollte sie nicht so tun, als wäre sie noch 25. Die Kunst war also, sich etwas zu stylen, aber nicht zu viel. Sie hatte sich für ein graues, eng anliegendes Kleid und High Heels entschieden und die Haare zu einer Banane hochgesteckt. Das Kleid betonte ihre Kurven, ohne aufdringlich zu sein. Nachdem ihr Enrique den Mantel abgenommen hatte, musterte er sie und lächelte. Dieses Lächeln hatte Nele zuvor noch an keinem Mann gesehen. Es waren nur seine vollen Lippen, die ein bisschen aufgingen, und seine Augen, die eine andere Tiefe bekamen. Es war ein unglaublich erotisches Lächeln. Nele hätte es gern fotografiert, um es für sich festzuhalten. Er war einfach ein unbeschreiblich gut aussehender Mann.

Pfeif auf den alten Mann und seine Motorradgang, dachte sie. Wenn er ihn als alt einstufte, hieß es ja noch lange nicht, dass Enrique sie auch so sah.

Der Ober führte sie zu einem runden Tisch am Fenster, der

weiß eingedeckt war, mit roten Stoffservietten und mit einem silbernen Leuchter in der Mitte.

»Sehr romantisch. Der Tisch für Verliebte?«, fragte Enrique.

»Ja, darauf habe ich bestanden«, antwortete Nele leichthin. »Zwanzig andere wollten ihn auch haben, aber ich habe mich durchgesetzt!«

»Du bist eine starke Frau!«

Sie saßen einander gegenüber, und der Ober zündete die Kerze an und fragte nach einem Aperitif.

Enrique sah Nele fragend an.

»Was trinkt man in Puerto Rico?«, wollte sie wissen.

»Piña Colada.«

»Dann bitte zwei Piña Colada.«

Enrique lehnte sich etwas zurück. »Warst du je in Puerto Rico?«

»Nein, leider nicht.«

»Oder auf einer der Nachbarinseln?«

»Wir haben mal eine Kreuzfahrt gemacht, zur Jahrtausendwende. Und haben einige der karibischen Inseln angesteuert.«

»Auch kurze Augenblicke bleiben in Erinnerung.«

Nele dachte nach. Vielleicht bestand ihr ganzes Leben aus Momentaufnahmen? Mal hier ein Shot, mal dort einer, Dinge, die in Erinnerung blieben, Puzzleteile eines gelebten Lebens.

»Ja«, sagte sie. »Du hast recht. Die ganz herausragenden Dinge. Etwas sehr Schönes, aber auch etwas sehr Trauriges, ein Ereignis, eine Erkenntnis. Denkst du manchmal an deine Kindheit und Jugend in Puerto Rico zurück? An deine Familie? Wie sie lebt, was sie tut?«

»Sehr oft sogar. Ich bin ausgezogen, in die Welt hinaus, um etwas für meine Familie zu tun.«

Nele dachte an Alex. Was das doch für zwei Welten waren. Alex wartete immer darauf, dass man etwas für ihn tat. Es musste also doch an der Erziehung liegen. Woher sollte sonst so eine Lebenseinstellung kommen?

»Und was hast du dir vorgestellt?«

»Ich studiere hier. Wirtschaftsingenieur, und anschließend gehe ich zurück. Dafür lerne ich Deutsch und jobbe nebenher.«

Sie wusste überhaupt nichts von ihm, stellte Nele fest. »Und wenn du dich in ein deutsches Mädchen verliebst?«

Sie dachte an Dana. Das wäre doch perfekt, dann wäre sie Dana los. Aber sie verwarf den Gedanken gleich wieder, denn dann wäre sie auch Enrique los.

»Sie würde mitgehen, denke ich. Liebe kennt doch keine Grenzen, sagt man.«

»Keine Landesgrenzen …« Nele musste über dieses Wortspiel lachen.

»Und du?« Er beugte sich etwas vor. Da der Tisch klein war, sahen sie sich nun direkt in die Augen.

»Ich?«, fragte Nele gedehnt und war froh, dass in diesem Moment der Aperitif kam.

»Ja, du«, wiederholte er und hob das Glas zum Anstoßen. »Was ist mit dir? Mit deinem Leben, mit deinem Mann? Liebst du ihn?«

Das war eine unglaublich schwere Frage. Die traute sie sich ja selbst kaum zu stellen. Was war mit ihrem Leben? Durfte sie überhaupt unglücklich sein? Sie hatte es doch, verdammt noch mal, gut erwischt. Genug Geld, eine sichere Grundlage, einen gut aussehenden, erfolgreichen Mann, der sie nach zwanzig Jahren noch liebte – halt, unterbrach sie sich selbst. Liebte er sie noch? Sie hatten zuweilen guten Sex, das hatten sie sich bewahrt. Aber wie oft eigentlich? Und die Gegenfrage, wie oft eigentlich nicht?

Sie sah auf, Enrique hatte sie beobachtet.

»Hast du keine Antwort?«, fragte er leise

»Ich habe keine befriedigende Antwort«, sagte sie langsam. »Ich finde keine Antwort für mich.«

»Welche Antwort hast du denn?«

»Dass es mir gut geht.«

»Materiell?«

»Ja.«

»Und was denkst du über deinen Mann?«

»Dass ich einen guten Mann habe.«

»Der für die Familie sorgt.«

Sie nickte. »Ja.«

»Und sich mit einer Motorradgang herumtreibt, von der du nichts weißt.«

Wie konnte er sie so durchschauen? Sie senkte den Blick und nahm einen tiefen Schluck aus ihrem Glas. Piña Colada, das tat gut. Das entspannte und löste den Kloß, der sich eben in ihrem Magen zu bilden begann.

»Ist dein Mann dir treu?«

Schon wieder so eine Frage …

Der Ober kam, brachte die Speise- und Weinkarten und zählte die zusätzlichen Gerichte auf. Nele hörte zu, konnte aber nichts speichern.

»Das hört sich gut an«, sagte Enrique, »Nele, was meinst du, einen Loup de mer für zwei Personen? Ist das eine Idee?«

Sie nickte geistesabwesend.

»Und vorweg«, fragte der Kellner, »kann ich Ihnen etwas vorschlagen, oder möchten Sie in die Karte schauen?«

»Sie dürfen uns gern etwas vorschlagen.« Enrique machte eine einladende Geste.

Sieh an, dachte Nele. Ganz Mann von Welt. Ingenieur war also sein Ziel. Und dann eine Frau und ein paar Kinder in Puerto Rico. Im Prinzip würde sein Leben nicht anders werden, als ihres schon war.

Björn war im Glück. Die Fat Boy lag ihm. Sie war nicht zu groß, nicht zu schwer, sie ließ sich gut fahren, hatte einen satten Ton und ein Design, das ihm auf den ersten Blick gefallen hatte, unauffällig, aber stilvoll. Es war ein Motorrad zum Verlieben.

Sie waren aus Frankfurt hinausgefahren, über einige alte Landstraßen, die durch den Taunus führten und die er noch nicht kannte. Im Kreis der anderen fühlte er sich sicher und mit Dana im Kreuz beschwingt. Was hatte Nele behauptet, sie sei die Freundin seines Sohnes? Wusste Dana das überhaupt? Sie war bei ihnen zu Hause gewesen, ja, aber musste sie deshalb einen Zusammenhang herstellen?

Das war eher unwahrscheinlich. Im Erdgeschoss hingen keine Familienfotos, und ob sie auf das Türschild gesehen hatte, war fraglich, schließlich waren sie direkt in den Garten gegangen. Und wenn es so wäre, den Nachnamen gab es häufig. Vor allem in Hessen. Allein in seiner Bank hatte es drei Schäfer gegeben.

Björn beschloss, dieses Thema zu vergessen. Manchmal musste man dem Leben einfach nur seinen Lauf lassen, denn es kam sowieso, wie es kommen sollte.

Er sah in den Rückspiegel. Und Dana war ihm nicht zufällig bei diesem Mechanikerkurs über den Weg gelaufen, dachte er, da war er sich sicher.

Das Vereinsheim war eine Art ausgebaute Gartenlaube, allerdings an einem wenig idyllischen Platz. Hinter einem großen Schrottplatz teilte ein grob gezimmerter Bretterzaun ein großes Areal ab. Die beiden Tore waren mit einem Vorhängeschloss gesichert, das Hanjo nun aufschloss. Mit großer Geste lud er zum Hineinfahren ein. »Willkommen in unserem Schloss«, sagte er zu Björn, als der langsam an ihm vorüberrollte.

»Hier haben wir schon die tollsten Feste gefeiert!« Gerd stellte seine Harley neben der Fat Boy ab. »Na, was sagt du?«

Björn war hin- und hergerissen. Eine Mischung aus Gartenlaube und Betonbunker, fand er. »Interessant«, sagte er vage. »Was war das ursprünglich?«

»Das Büro. Der Schrottplatz gehört meinem Schwager.« Gerd grinste. »Hat er vor ein paar Jahren kaufen können. Und das Büro vorne am Eingang neu hingestellt. Also stand dieses hier leer.«

»Tolle Geschichte«, sagte Björn und stieg ab. Schon komisch, dachte er. Vor Kurzem hatte er diese Leute noch gar nicht gekannt, und jetzt stand er hier vor einem Clubhaus, das er sonst nicht im Traum betreten hätte. »Hereinspaziert.« Dana stand an der offenen Eingangstür. »Vielleicht noch ein bisschen kalt, aber wir können schnell ganz ordentlich einheizen.«

Das könntest du mir auch, dachte Björn und schenkte ihr ein Lächeln, während er an ihr vorbeitrat. Der Raum hatte drei kahle Fenster und wurde von einem langen Tisch beherrscht, der mitten im Raum stand. Die Wände waren über und über mit Fahnen und Postern und Postkarten bedeckt. Darunter lagen die blanken Wände.

»Eintracht-Fans?«, fragte Björn, denn eine improvisierte Bar war mit rot-schwarzen Wimpeln dekoriert.

»Klar!«, sagte Hanjo. »Du nicht?«

Björn zuckte mit den Schultern. Er hatte sich nie wirklich für Fußball interessiert.

»Ich habe mal eine Zeit lang für den DFB gearbeitet«, erläuterte Hanjo.

»Wirklich?« Björn sah ihn erstaunt an. »Als was?«

Hanjo fing seinen Blick auf. »Nicht gerade als Manager«, sagte er. »Aber als Masseur. Das war eine schöne Zeit.«

»Und warum dann nicht mehr?«

»Die Hände.« Er hielt seine Hände hoch. »Berufskrankheit.«

»Ein Bier?« Joe stand am Tresen und hatte etliche Bierflaschen nebeneinander aufgereiht. »Auf unser neues Mitglied!«

»Mitglied?« Björn sah ihn fragend an. Und überhaupt Alkohol, wenn sie noch zurückfahren wollten? So gut fuhr er nicht, und es verstieß auch gegen seine Prinzipien.

»Alkoholfrei«, sagte Joe, der seinen Blick bemerkt hatte. »Wegen Alkohol am Steuer lassen wir uns nicht kriegen, was, Jungs? Da muss schon mehr kommen!«

Alle lachten und traten an die Bar.

»Fühlst du dich da nicht etwas ausgeschlossen?«, fragte Björn Dana, die sich neben ihn stellte.

»Wie?« Sie öffnete den Kronkorken ihrer Bierflasche an der Holzkante des Tresens.

»Nun, wenn hier ständig von Jungs die Rede ist.«

»Ich bin der Mechaniker bei uns«, sagte sie. »Und ansonsten sieht ja jeder, dass ich eine Frau bin.«

»Wie wahr, wie wahr«, sagte Björn und hielt ihr seine Flasche hin. »Öffnest du die bitte auch? Da bist du mir wahrlich voraus.«

»Und nicht nur da, schätze ich«, sagte sie, und ihr Kirschmund war ihm so nah, dass er nicht anders konnte, als hinzuschauen.

»Sagt dir die Gottesanbeterin was?«, fragte sie.

»So eine Art große Heuschrecke …«

»Die frisst ihr Männchen nach der Begattung auf.«

Björn sah ihr in die Augen. Das heißt, du willst dich begatten lassen? Die Frage lag ihm drängend auf der Zunge, aber er traute sich nicht, sie auszusprechen.

»Give me five«, sagte Joe in diesem Moment.

»Five?«, echote Björn verständnislos.

»Unser Wahlspruch …«, klärte Lesley ihn auf und hielt seine Hand hoch. »Komm, schlag ein«, forderte er Björn auf, und als er es tat, riefen sie im Chor. »The Big Five, welcome, Björn!«

Björn schlug ein, aber insgeheim amüsierte er sich darüber. War er jetzt Vollmitglied einer Rentnergang, denn sie waren alle in seinem Alter. Bis auf Dana. Und da stellte sich die Frage, was sie eigentlich bei so alten Knackern wollte.

Er beobachtete sie aus den Augenwinkeln, aber sie schien

sich zu amüsieren, sie scherzte mit Lesley, zog ihn an seinem Pferdeschwanz und winkte plötzlich Björn zu. Sie wollte ihm die Hütte zeigen.

»Da bist du schnell wieder da«, flachste Tom.

Dana drehte sich zu ihm um. »Wie gesagt, wir können auch heizen«, sagte sie stolz. »Aber nur, wenn es sich lohnt, das heißt, wenn wir länger hier sind als eine halbe Stunde.«

Björn hatte die hässlichen Heizkörper an der Wand schon gesehen. Überhaupt war das ganze Vereinsheim eine wenig heimelige Angelegenheit, Nele hatte schon recht, ein Umzug in ihr Haus würde sich für die Gang lohnen. Er lächelte über seinen eigenen Gedanken.

»Es steht dir.«

»Was?«

Dana hatte ihn aus seinen Gedanken geschreckt.

»Dein Lächeln. Es steht dir!«

Sie stand in einem schmucklosen Gang und öffnete die nächste Tür. »Das ist unser Schmuckkästchen.«

Sie machte einen Schritt zur Seite, und er blieb erstaunt stehen. Ein großes Himmelbett fesselte seinen Blick. An den Seiten war das Eisengestänge mit unendlich vielen roten und orangefarbenen Chiffontüchern behangen, die auch die Wände schmückten und die Fenster abdunkelten. Ein sanftes Licht fiel in den Raum.

»Nicht schwarz-rot?«, fragte Björn, der im Moment nicht wusste, was er davon halten soll.

Dana lachte. So wie sie ihn ansah, wusste er noch weniger, was nun eigentlich los war.

»Das haben die Mädchen hier eingerichtet ...«

»Die Mädchen?« Sofort hatte er lange Lacklederstiefel mit schwarzen Spitzenbodys vor Augen.

»Ja, Joe und Gerd sind Familienväter und haben Mädchen. Das heißt, die sind auch schon fast volljährig, aber das ist ihr Nest.«

Björn atmete auf. Sosehr er auf Dana scharf war, aber dies hier wäre ihm doch zu seltsam erschienen.

»Bist du erschrocken?« Sie kam näher. So nah, dass er sie riechen konnte. Ihr Duft war erdig. Veilchen und Motorenöl, er hätte es nicht sagen können, Kernseife und Leder, irgendetwas, das es in keiner Parfümerie zu kaufen gab. Es reizte seine Sinne. Und er sah sie wieder vor sich, in ihrer blauen Latzhose, den Schraubenschlüssel in der Hand. Er schluckte trocken. Warum machte ihn dieses Bild so an? »Was ist?«, fragte sie, und er sah geradewegs in ihre großen Augen.

»Ich denke gerade über mich selbst nach. Über meine Gefühle, über meine Abgründe …«, er stockte, »ach, ich weiß auch nicht.« Er sah von ihr weg. »Du bist einfach zu hübsch für mich!«

»Zu hübsch für dich?« Ihr kurzes Lachen war glockenhell. Dann spürte er plötzlich ihren Arm um seinen Hals und ihren Mund auf seinen Lippen. Ob er wollte oder nicht, diese Versuchung war zu groß. Er zog sie an sich, und als sie ihren Mund öffnete, drang seine Zunge in ihn ein, er spürte sie, schmeckte sie und saugte sich an ihr fest.

Sie küssten sich leidenschaftlich, genau so, wie er sich ein gelungenes Vorspiel vorstellte. Bis sie ihn von sich wegschob.

»Wir müssen zurück«, sagte sie, und er fand nicht, dass sie noch irgendetwas müssten, außer sich zu lieben, und zwar jetzt, auf der Stelle auf dem pinkfarbenen Bett. »Wenn du mehr willst –«, fügte sie an und ließ den Satz in der Luft hängen.

»Was für eine Frage«, raunte er.

»Wenn du mehr willst«, begann sie erneut, »können wir uns heute Abend hier sehen.«

»Wann?« Sein Atem ging stoßweise, er stand völlig unter Strom.

»Wir verabschieden die Jungs, Joe und du, ihr müsst ja eure Bikes zurückgeben, und dann treffen wir uns hier wieder.«

»Hier?« Die Vorstellung fand er nicht sehr prickelnd. »Können wir nicht in ein Hotel?«

»Hier fühle ich mich frei.«

Er musterte sie kurz, ihr junges Gesicht, der Ausdruck um ihren Mund. Wenn er jetzt Nein sagen würde, wäre vielleicht alles vorbei, bevor es begonnen hatte. »Gut«, sagte er schließlich.

Sie hauchte ihm einen schnellen Kuss auf die Lippen. »Gut, dann komm.«

»Na, alles gesehen?« Joe blickte auf, als sie wieder zurückkamen, aber seine Frage klang so rhetorisch, dass Dana nicht darauf reagierte.

»Auch den Maschinenraum?«, wollte Lesley wissen, aber auch er schien keine Antwort zu erwarten.

Enrique war ein perfekter Begleiter. Geistvoll, fröhlich, und er erzählte so schillernd von seiner Heimat, dass sie bald das Gefühl bekam, schon dort gewesen zu sein.

Als die Rechnung kam und Nele sie entgegennahm, sagte er: »Mein Gefühl verbietet mir, eine Frau für mich bezahlen zu lassen.«

»Du meinst wohl eher dein Stolz«, korrigierte sie ihn und kam sich sofort wie eine Oberlehrerin vor.

»Vielleicht ist das für mich das Gleiche«, entgegnete er. »Leider kann ich im Moment nicht anders, als die Einladung anzunehmen, aber ich habe an den Bildern im Eingang gesehen, dass es hier eine Bar gibt. Mit Musik. Darf ich dich dazu einladen?«

Nele dachte an seine Worte. Der Tanz, der Rhythmus, das Gefühl. Ein lateinamerikanischer Tanz sei besser als Sex, hatte er gesagt. Das konnte sie sich nicht entgehen lassen, auch wenn sie nur das Standardprogramm wie Fox und Rock'n' Roll tanzen konnte.

Sie gingen hinaus, und er legte den Arm leicht um ihre

Taille, und Nele spürte die Blicke der anderen Gäste auf sich.

Ja, seht nur her, dachte sie in einem Anflug von Sarkasmus, das ist mal die andere Variante, meine Herren. Sie hätte gern gewusst, wie viele Damen in diesem Saal bereitwilligst mit ihr getauscht hätten. Beschwingt und mit straffen Schultern schritt sie neben Enrique hinaus.

Die Bar war noch leer, und normalerweise wäre Nele bei einem solchen Anblick sofort abgedreht. Aber es war ja auch noch früh für einen Barbesuch, Nele wollte vor Mitternacht zu Hause sein. Diese Absicht hatte sie allerdings *vor* der zufälligen Begegnung mit Björn. Jetzt lagen die Dinge etwas anders, wer wusste schon, wann er aus den Fängen dieser Altrocker entlassen würde? Und vor allem: Danas! Der Gedanke an Dana versetzte ihr kurz einen Stich, aber Enrique stand vor einer kuscheligen Sitzecke und fragte, ob sie lieber hierher oder an die Bar wolle.

Nein, die Sitzecke fand sie gemütlicher, vor allem hatte man von da einen Blick auf die Musiker, die gerade ihre Instrumente stimmten.

Der Ober kam mit der Karte.

»Was magst du trinken?« Enrique schlug die Karte nicht auf, sondern sah Nele an.

»Wenn du mir einen Cocktail empfehlen kannst?«

»Vertraust du mir?«

Nele zögerte. »Ja«, sie musste lachen. »Aber es ist eine weitreichende Frage. Vertrauen erstreckt sich auf alles, aufs ganze Leben.«

»Siehst du«, entgegnete Enrique, »bei mir geht es immer ums ganze Leben.«

»Ganz oder gar nicht?«, fragte sie.

»Alles, was ich im Moment tue, tue ich ganz. Sonst tu ich es gar nicht.«

»Darüber muss ich nachdenken«, sagte Nele. »Du bist wahrscheinlich konsequenter als ich. Ich habe in meinem Leben manches laufen lassen und einfach gehofft, dass der Moment wieder vorbeigeht.«

»So wie jetzt?« Seine dunklen Augen ruhten auf ihr. Mein Gott, war er schön. Und jung.

»Es gibt Momente, die möchte man festhalten«, sagte sie.

»Gut!« Enrique drehte sich nach den Musikern um. »Mal hören, was sie so draufhaben. Vielleicht feiern wir ja heute eine lateinamerikanische Nacht …«

Nele nickte nur. Sie war offen für alles. Sie lebte nur einmal, das vergaß sie viel zu oft.

Björn hatte sich auf dem Rückweg die Route eingeprägt, denn ein Straßenschild konnte er nirgends entdecken. Den ersten Straßennamen aber merkte er sich und gab ihn später in sein Navi ein. Die ganze Zeit über fühlte er sich zwischen erregter Erwartung und Gewissensbissen hin- und hergerissen. Warum gerade jetzt? Warum er? Hatte Nele nicht erzählt, dass sie Alex und Dana gesehen hatte, offensichtlich sehr verliebt? War es der klassische Fall, dass graue Schläfen erotisch waren? Quatsch, sagte er sich selbst und wäre fast bei Rot über eine Ampel gefahren. Er musste sich konzentrieren, sonst bescherte ihm dieses Abenteuer auch noch ein schönes Foto aus einem Starenkasten.

Inzwischen war die Dunkelheit hereingebrochen, und als er auf das Schrottplatzgelände fuhr, tanzten die Lichtkegel seines Wagens vor ihm im Dunkeln. Alles andere war in tiefer Nacht versunken. Es gab mehrere Bahnen durch die hohen Schrotthaufen hindurch, und er versuchte sich an den richtigen Weg zu erinnern. Seltsam, dachte er, dass die beiden Eingangstore offen standen. Wurde nicht gerade auf den Schrottplätzen so viel geklaut und Metalle ins Ausland verschoben? Da erkannte er Danas kleinen Japaner, er schimmerte hell vor dem Bretterzaun des Vereinsheims. Augenblicklich schoss sein Puls hoch. Er hätte etwas zu trinken besorgen sollen. Eine Flasche Rotwein an der Tanke. Oder besser eine Flasche Champagner. Er verwarf den Gedanken wieder. Die hatten dort drinnen eine Bar, und gekühlter Champagner an einer Tanke war sowieso reines Wunschdenken.

Björn stellte seinen Wagen neben Danas Auto ab und zögerte. Sollte er einfach ins Vereinsheim hineingehen? Warum nicht, sagte er sich. Mensch, Björn, du bist 48 Jahre alt, stell dich nicht so an!

Er stieg aus und schob den Autoschlüssel in seine Jeans. Es war ein abgrundtief hässlicher Bau, dachte er, während er auf das Betongebäude zuging, selbst jetzt in der Dunkelheit. Und es brannte nirgends Licht. War Dana überhaupt da? Die Eingangstür war nur angelehnt. Er stieß sie langsam auf. Auch hier: Dunkelheit. Nein, nicht ganz. Auf dem Fußboden zog sich eine Spur brennender Teelichter durch den Raum und zu der offenen Tür auf den Flur und von dort ... Björn zog die Eingangstür hinter sich zu. Am liebsten hätte er sie verriegelt, um ganz sicherzugehen, dass sie ungestört blieben. Langsam ging er den Lichtern nach. Schöne Idee, dachte er. Sehr erregend. Der Jäger musste seine Beute finden. Blöder Spruch, dachte er sofort. Aber so fühlte er.

Als er die Tür zu dem Mädchenzimmer aufstieß, blieb er stehen, und sein Mund war auf einen Schlag staubtrocken. Dort stand sie. Im Kreis brennender Teelichter, splitternackt. Einfach so. Die Arme lässig neben sich, den Kopf erhoben, gab sie sich seinen Blicken preis.

»Gott, bist du schön!«

Sie lächelte nur.

Er betrachtete dieses Bild, er wollte sich Zeit lassen, Zeit zum Genießen.

Der Lichterkreis war groß genug für zwei. Dana stand exakt in der Mitte, das lange, dunkle Haar floss über ihre Brüste, und die flackernden kleinen Flammen ließen sie fast unwirklich erscheinen. Wie eine Statue in einer Kirche.

»Komm«, sagte sie und trat in dem Kreis einen kleinen Schritt zurück.

Komm? Er war für einen kurzen Moment unsicher, dann zog er sich langsam aus und warf seine Kleider aufs Bett. Nackt ging er auf sie zu und trat in den magischen Kreis.

Ob sie das mit seinem Sohn auch gemacht hatte? »Küss mich«, sagte sie und breitete ihre Arme aus. Er nahm sie in den Arm, aber die erwünschte Erektion blieb aus. Der Kuss war lang und tief und wurde intensiver und leidenschaftlicher, aber sein Unterkörper folgte ihm nicht. Verdammt, dachte er, ausgerechnet so eine Blöße vor der Freundin seines Sohnes.

Sie ließ von ihm ab. »Entspann dich«, sagte sie leise.

»Ich bin schon entspannt«, antwortete er.

Wenn es nicht so peinlich wäre, wäre es eine Lachnummer, dachte er. Vielleicht sollte er sie aus diesem magischen Kreis herausheben und aufs Bett tragen? Vielleicht erinnerte sich sein Penis dort, was in einem solchen Fall zu tun war?

»Nimm mich einfach noch mal ganz fest in den Arm«, sagte sie, »lass deine Hände über meinen Körper gleiten, du wirst sehen, das gibt dir die Kraft, die du suchst.«

Vielleicht hat sie ja recht, dachte er. Und Björn, sagte er sich, hör auf zu denken! Seine Finger glitten über ihren Po, der knackig in seinen Händen lag, nicht zu groß, nicht zu klein, gerade richtig. Sie schlang plötzlich die Beine um ihn. Damit hatte er nicht gerechnet. Sie war zwar leicht, aber dieser plötzliche Sprung hätte ihn fast aus dem Gleichgewicht gebracht. Wollte sie es so? Hier im Stehen? Er war keine zwanzig mehr, aber bitte, die nötige Oberschenkelmuskulatur hatte er noch. Nur das Teil darüber machte schlapp. Es war einfach nicht zu glauben!

»Macht nichts!« Sie glitt federleicht von ihm herunter. »Lass uns ein Bier trinken. Das ist nicht schlimm, das passiert jedem mal.«

Sie hüpfte aus dem Lichterkreis und warf ihm seine Unterhose zu. Wollte sie denn nun gar nichts gegen seine momentane Schwäche unternehmen? Zumindest versuchen könnte sie es doch, dachte er.

Aber sie hatte schon wieder ihre Unterwäsche an und schlüpfte gerade in ihre Lederhose.

»Schade«, sagte er, stieg auch aus dem Lichterkreis heraus und kam sich unendlich blöd vor.

»Ja«, sagte sie, »beim nächsten Mal.«

Das nächste Mal? Was wollte sie von ihm, wenn es schon beim ersten Mal nicht klappte?

Er zog sich langsam an, und während Dana die Teelichter ausblies und einsammelte, musste er plötzlich an Nele denken. Bei Nele war ihm das während ihrer ganzen Ehe nicht passiert.

»Ein Bier?« Dana stand bereits am Tresen, sie hatte die Leuchtröhren an der Decke eingeschaltet, und der Raum wirkte im grellen Neonlicht auf Björn so abstoßend, dass er nicht einmal mehr ein Bier wollte.

»Kann ich dich nicht zu einem Drink an einen gemütlicheren Platz einladen?«, fragte er und dachte, dass er das die ganze Zeit über schon gewollt hatte. Wahrscheinlich hatte ihm sein Unterbewusstsein einen Streich spielte.

»Nein, leider«, sagte sie und lächelte dieses Lächeln, auf das Björn so abgefahren war, »ich muss gehen, ich habe Verpflichtungen.«

Hieß die Verpflichtung Alex, oder was konnte es sein? Apropos Alex, der durfte das hier nie erfahren. Er sah die beiden vor sich, wie sie sich über den alten, dummen Mann vor Lachen ausschütteten. Nein, sagte er sich dann, Alex war nicht der Typ, der über einen solchen Verrat lachen würde. Und schließlich ging es ja um seine eigene Freundin.

Nele verstand, was Enrique meinte. Mit ihm zu tanzen war tatsächlich tanzen. Wahrscheinlich das, was der liebe Gott mit diesem Begriff mal ursprünglich gemeint hatte. Keine Tanz-schule konnte einem vermitteln, was Enrique in ihr aus-löste. Sie gab sich einfach seinen Bewegungen hin, ließ sich fallen, und er führte sie so traumwandlerisch über das Par-kett, dass sie nur noch ihn spürte. Ihn und den Rhythmus der Musik.

»Es ist schön, dich im Arm zu halten«, raunte er plötzlich. Sein Mund lag nahe an ihrem Ohr, und sie meinte seinen hei-ßen Atem zu spüren. Oder war das pure Einbildung? Viel-leicht. Im Moment hätte sie sich alles einbilden können, dass sie ein Liebespaar waren irgendwo auf einer karibischen Insel, wo das nächtliche Meer auf sie wartete. Barfüßig über den Sand zu laufen und gemeinsam dem Vollmond entgegenzu-schwimmen. Das wäre nun eigentlich die logische Folge einer solchen Nacht.

»Es ist schön, von dir geführt zu werden«, gab sie zurück. Sie hatten die ganze Tanzfläche für sich, und was immer Enrique den Musikern gesagt haben mochte, sie breiteten ihr ganzes Repertoire an lateinamerikanischen Melodien für sie aus.

Nele und Enrique tanzten fast eine Stunde ohne Unterbre-chung, dann füllte sich die Bar langsam, und es war klar, dass der Zauber bald enden würde. Als der erste Foxtrott kam, bestellte Enrique eine Dankesrunde für die Band und führte Nele an ihren Platz zurück. Ihr war heiß, und sie hatte das Gefühl, am ganzen Körper zu glühen.

Enrique betrachtete sie. »Du siehst sehr hübsch aus«, sagte er. »Etwas aufgelöst, zufrieden, sehr jung.« Er suchte nach dem richtigen Wort. »Befriedigt?«

War sie befriedigt? Hatte er das wirklich sagen wollen oder sich nur in der Wortwahl vertan?

Es war kurz still, und beide griffen nach ihren Drinks, die eben frisch serviert wurden.

»Oder doch nicht?«, fragte er. Forschend betrachtete er sie, und Nele sah direkt in seine dunklen Augen. Was wollte er hören? Was konnte sie darauf antworten? Dass sie Lust auf ihn hatte? Auf seinen sehnigen, männlichen Körper, auf diese Jugend, die sie schon lange nicht mehr in sich gespürt hatte?

»Denkst du, dass du meine Lehrerin bist und ich dein Schüler und dass man deshalb so etwas nicht tut?«

»Nein, das denke ich nicht.«

»Denkst du, dass es peinlich für dich wäre, hier um diese Uhrzeit ein Zimmer zu buchen?«

»Peinlich?« Sie schüttelte entschieden den Kopf. Nein, das dachte sie auch nicht. Wie spät war es überhaupt?

»Denkst du, dass ich zu alt für dich bin?«

Nele musste lachen. »Ja, vielleicht, das könnte ein Problem sein.« Auch Enrique stimmte in ihr Lachen ein.

»Darf ich dich küssen?«, fragte er, aber bevor sie eine Antwort geben konnte, spürte sie schon seine Lippen und seine tastende Zunge.

Es war schön, es war ein traumschöner Kuss, der nach mehr schmeckte. Aber als sie seine Hand auf ihrem Busen spürte, war ihr das plötzlich zu viel.

Er spürte, wie sie sich versteifte. »Willst du nicht?«

Das ist jetzt eine Schicksalsfrage, dachte Nele, irgendwie war das typisch für ihr ganzes Leben. Wie oft hatte sie schon Möglichkeiten gehabt und sich doch in letzter Sekunde zurückgezogen, weil ihr Bedenken kamen. Und meistens drehten sich ihre Bedenken um andere, selten um sich selbst. Und was, wenn sie jetzt einfach nur mal an sich selbst dachte? Alles aus ihrem Kopf strich, das nicht mit ihr selbst zu tun hatte? Was wollte sie? Unabhängig von allem anderen?

Sie sah Enrique in die Augen. »Du hattest recht«, sagte sie, »tanzen kann schöner sein als Sex, ich wüsste nicht, was noch Besseres kommen könnte …«

»Du schlägst mich mit meinen eigenen Waffen.«

Sie mussten beide lachen.

Björn war gerade nach Hause gekommen, voll verwirrender Gedanken und Gefühle, und stand noch unentschlossen in seiner dicken Jacke da, als er den Schlüssel im Schloss hörte. Verwirrt drehte er sich zur Eingangstür um. Er war davon ausgegangen, dass der Golf in der Garage stand und Nele längst schlief.

Nele hatte gerade den Golf hinter den BMW gestellt, der ihr die Garageneinfahrt versperrte, und kurz nachgedacht. Besuch würden sie wohl kaum haben, das hätte Björn ihr erzählt, also war es ein Vorführwagen. Björn liebäugelte demnach mit einem eigenen Auto. Das war ihr recht, sie mochte dieses familiäre Carsharing nicht.

Es brannte noch Licht, nett, das hatte er sicher für sie brennen lassen, so wie die Eltern früher eine Lampe ins Fenster stellten, damit die Sprösslinge gesund heimfanden. Mit einem Lächeln auf den Lippen schloss sie auf.

Und dann standen sie sich gegenüber. Beide in Mantel und Jacke und beide sprachlos.

Nele fasste sich als Erste. »Kommst du, oder gehst du?«, wollte sie wissen, während sie ihm den obligatorischen Begrüßungskuss auf den Mund drückte. Er roch anders. Leicht war da noch der Duft seines Rasierwassers, aber darüber stieg ihr etwas anderes in die Nase. »Wie du«, antwortete er, »ich komme.«

Sie musterten sich kurz, aber keiner war gewillt, mehr zu sagen.

»Magst du noch was trinken? Ein Bier?«

»Bier?«, fragte sie.

»Ja, ich habe jetzt Lust auf ein Zisch, ein kühles Bier gegen den Durst.«

»Nein«, lehnte Nele ab, »lieb von dir, aber ich gehe schon mal hoch.« Sie vermied es, vor ihm den Mantel auszuziehen, denn beim Anblick ihres Kleides wäre ihm klar gewesen, dass dies kein gewöhnlicher Abend mit ihren Freundinnen gewesen war. Auch so spürte sie seinen Blick im Rücken, als sie die Treppe hinaufstieg. Und vor allem auf ihren Schuhen.

High Heels, dachte Björn, während er in die Küche zum Kühlschrank ging, seine Jacke über einen Stuhl warf und im Stehen ein Dosenbier trank. Das sah nach großer Abendgarderobe aus. Für wen? Mit wem?

Kurz darauf lagen sie im Bett und taten so, als wären sie schon eingeschlafen. Björn hatte nicht die Absicht, sein Abenteuer mit Dana zu beichten, trotzdem hätte er zu gern gewusst, wo Nele gewesen war. Aber da wären Gegenfragen gekommen, und er wollte nicht schwindeln. Am besten war es also, wenn er gar nicht erst davon anfing. Nele überlegte, ob sie nun ein schlechtes Gewissen haben müsste. Sie lauschte Björns regelmäßigen Atemzügen, die ihr verrieten, dass er genauso wach lag wie sie selbst. Sie entschied, ihre Nacht mit Enrique unter »wunderschön« und »es war einmal« zu verbuchen. Und Björn war wohl mit seiner Motorradgang länger unterwegs gewesen. Oder hatte sich der Ausflug zum Schluss auf eine Person beschränkt? Ging es um Dana? Nele musste an Alex denken. Das wäre schon brutal. Sie hätte das gern zur Sprache gebracht, aber sie wusste, dass dann unweigerlich die Gegenfrage kommen würde, also verkniff sie es sich, denn schwindeln wollte sie nicht. Besser so tun, als wäre überhaupt nichts gewesen. Weder bei ihr noch bei ihm. Alles ganz normal.

Mit diesem Gedanken schlief sie ein.

Über so viele Belanglosigkeiten hatten sie schon lange nicht mehr geredet wie bei diesem Frühstück. Nele wollte wissen, ob Björn der Vorführwagen zusagte, und Björn versorgte sie mit Daten rund um den neuen Fünfer-BMW, PS-Zahl und ob vielleicht doch ein Diesel sinnvoller wäre und natürlich andere Felgen oder ob der Geländewagen die bessere Idee war, schließlich hätte dieser Winter doch gezeigt, dass das auch keine schlechte Wahl war. Und dann die Farbe, Schwarz war die Farbe der Dienstwagen, jetzt wäre doch etwas Fröhlicheres angebracht, eine hellere Farbe, welche Farbe ihr denn gefalle? Nele blätterte gewissenhaft den Katalog durch, den er ihr neben die Kaffeetasse gelegt hatte. Weiß vielleicht und innen schwarzes Leder? Nein, Weiß war schon wieder vorbei, und außerdem stünde BMW Weiß nicht. Was sie denn von Anthrazit halte? Aber das war ja nun nicht gerade eine fröhliche Farbe. Sie dachten angestrengt darüber nach, und so schafften sie es, das Frühstück irgendwie zu überstehen.

Schließlich trugen sie das Geschirr gemeinsam in die Küche, und Björn reichte ihr die Tassen und Teller, während Nele die Geschirrspülmaschine einräumte.

»Und, was hast du heute vor?«, fragte Björn.

»Heute Nachmittag habe ich zwei Stunden in der VHS«, gab Nele bereitwillig Auskunft, »und vorher sollte ich ein paar Dinge erledigen. Reinigung, Schneiderin und so.«

»Ah ja, gut«, sagte er. »Prima.«

»Und du?«, wollte sie lächelnd wissen.

»Ich fahr mal zum Autohaus und lass mir ein Angebot machen.«

»Warum eigentlich gerade BMW?«, wollte sie plötzlich wissen und richtete sich auf.

Weil ich dort bei einem Mechanikerkurs Dana kennengelernt habe, dachte er. Aber der Gedanke an Dana bescherte ihm sofort ein unangenehmes Magenzwicken.

»Weil ich diesen Pannenkurs, von dem ich dir erzählt habe, bei BMW gemacht habe. Also habe ich zumindest das Gefühl, dass ich bei dieser Automarke ein bisschen Bescheid weiß … Auf den Mustang konnte ich es ja leider nicht übertragen.« Er holte Luft.

»Ja, stimmt!« Nele musste lachen. Das war wie eine Befreiung, sie legte beide Arme um seinen Nacken.

»Ich wollte wie der große Held dastehen. Aber gegen das, was uns der Mustang da geliefert hat, war ich machtlos.«

Björn lächelte auch.

»Dieser Pannenkurs war halt mein Geheimnis.«

»Das sei dir gegönnt.«

»Wenn wir schon bei Geheimnissen sind«, sagte er da langsam, »hast du auch eines vor mir?«

»Ich?« Nele sah ihn an. »Nein, ich weiß immer noch nicht, wo die Batterie ist.«

Länger hätte sie ihn nicht anschauen können und er auch nicht sie. »Gut.«

Sie wandten ihre Blicke voneinander ab, und Nele ging zur Tür. »Dann richte ich jetzt mal meine Sachen, hast du einen besonderen Wunsch, wenn ich nachher einkaufen gehe?«

»Eine Dose Katzenfutter vielleicht, damit dieser Kater unsere Amsel in Ruhe lässt?«

»Ich glaube, das ist sowieso schon zu spät.« Nele zuckte mit den Achseln. »Ein Kater lässt das Mausen nicht.« Und damit ging sie hinaus.

Björn trödelte herum. Mit nichts kam er so richtig weiter, selbst das Rasieren erschien ihm heute wie ein unendlicher Akt. Schließlich war er angezogen und bereit, das Haus zu verlassen. Sollte er vielleicht noch mal zu der Harley-Factory fahren? Sich alleine überlegen, ob er wirklich so eine Maschine haben wollte oder ob er sich nur von den anderen hatte beeinflussen lassen? Er war sich nicht sicher. Sicher war nur, dass er sich, wenn er in Zukunft mit den anderen herumfahren würde, anpassen musste. Die trugen Totenkopf-T-Shirts und schwere Silberketten um die Handgelenke und Hälse, und da kam er sich mit seinem Boss-Sweatshirt einfach seltsam vor. Wie ein Musterschüler unter echten Kerlen. Also musste zur Harley auch das passende Accessoire her. Und wahrscheinlich auch die Einstellung, dass das Leben easy war. Easy Rider eben.

Diese Erkenntnisse verbesserten seine Laune schlagartig, er würde sich diesen Laden nochmals ganz in Ruhe ansehen.

Er griff nach dem Autoschlüssel und ging hinaus. Im Brief-kasten steckte ein hellbrauner DIN-A4-Umschlag. Unge-wöhnlich für diese Zeit, dachte er, der Postbote war ja noch gar nicht da gewesen. Björn zog ihn heraus. Handschriftlich an ihn adressiert, ohne Adresse, aber mit einem dicken »Per-sönlich« versehen, dahinter drei große Ausrufezeichen. Björn konnte sich keinen Reim darauf machen und riss den Um-schlag mit dem Zeigefinger auf.

Der Inhalt fühlte sich glatt an. Björn zog vier Blätter Foto-papier heraus, auf allen vieren war ein Motiv: er und Dana, nackt, im Kreis brennender Teelichter. Ihm stockte der Atem. Instinktiv sah er sich um. Niemand weit und breit. Was hatte das zu bedeuten? Björn fuhr noch mal mit der Hand in den Umschlag. Er fühlte etwas, einen gefalteten Brief. Björn ließ ihn, wo er war, klemmte sich den Umschlag unter den Arm und ging zum Wagen. Dort fühlte er sich im Moment am si-chersten, denn ihm schwante, warum sich alles in diesem Lichterkreis abspielen musste, warum sich Dana plötzlich an ihn geworfen hatte. Selbst ihre akrobatische Übung bekam einen Sinn, wenn er mit seiner Befürchtung recht hatte. Aber glauben konnte er es nicht.

Er musste sich überwinden, den Brief zu lesen. Eine Weile saß er einfach nur da, und obwohl der Wagen völlig ausge-kühlt war, spürte er die Kälte nicht. Er spürte überhaupt nichts, außer einer dumpfen Leere im Kopf. Schließlich faltete er den Brief auseinander:

Lieber Björn, stand da in akkurater Mädchenschrift gemalt.

das eine ist das eine, das andere das andere. Dass du dies liest, lässt dich richtig vermuten: Ich will etwas von dir. Leider nicht das, was du dir erhofft hast. Es ist nichts gegen dich. Überhaupt nicht. Es ist noch nicht einmal etwas für mich – es ist für eine Person, die du nicht kennst. Aber das Schicksal ist ungerecht, und manchmal muss man nachhelfen. Das habe ich mir gründlich überlegt. Du bist Direktor einer großen Bank gewesen, du kennst

Mittel und Wege, um an 250 000 Euro zu kommen. Sonst müsste ich die Fotos an die große Glocke hängen. Tut mir leid … Es war trotzdem schön.

Schön?, dachte Björn, was war schön? Es war eine schöne Scheiße. Was meinte sie mit »große Glocke«? Nele? Bildzeitung? Aber nach dem ersten Erschrecken stieg die Wut in ihm auf. Wie kam sie dazu? Und wer hatte fotografiert? Er dachte an die vielen bunten Chiffontücher am Fenster. Es war nicht schwer gewesen, er war so im Rausch, er hätte den Fotografen wahrscheinlich selbst ohne Vorhang nicht bemerkt. Wer steckte da mit drin? Hatten sie es alle darauf angelegt, ihn aus diesem Grund kennenzulernen? Die ganze Gang?

Erinnerungen stiegen auf. Orlando. Wie er sein Hawaiihemd gekauft hatte und gleich darauf Joe über den Weg gelaufen war. Und wie sie ihre Visitenkarten ausgetauscht hatten. Es war noch seine alte, mit seiner Bank und seiner Berufsbezeichnung darauf. Deshalb während der Fahrt zur Harley-Factory ja auch die Frage der Jungs, ob er Schatzmeister werden wolle. Und überhaupt: Während seines Pannenkurses hatte sich Dana nicht für ihn interessiert – erst danach. Nach diesem USA-Flug.

Er lehnte sich in seinem Autositz zurück und schloss die Augen. Musste sie für die ganze Bande herhalten, wollten sie auf diese Weise ihre Vereinskasse aufbessern?

Sie war die Freundin seines Sohnes, das war infam!

Seine Gedanken wirbelten umher. 250 000 Euro. Warum gerade 250 000? Er legte die Bilder vor sich auf das Lenkrad.

Waren ihm die Fotos das wert?

Der Ritt. Wie lächerlich, dachte er, es war überhaupt nichts passiert. Bei ihm hatte sich nichts abgespielt. Aber hier sah es so aus. Als wäre es der Wahnsinnsakt gewesen.

Was würde Nele denken? Wahrscheinlich, dass er das freihändig mit ihr noch nie geschafft hatte.

Was würde Nele überhaupt denken? Wie würde sie reagieren? Würde sie ihn verlassen?

Er griff zum Handy.

Joes Mailbox. »Joe«, sagte er und musste aufpassen, dass seine Stimme nicht zitterte, »Joe, steckst du in dieser Sache mit drin?«

Dann startete er den Motor. Nele war in der Stadt und später bei der VHS, er hatte Zeit. Zeit, um sich zu beruhigen und eine Lösung zu finden. Er war Manager. Es gab für alles eine Lösung, es hatte immer eine Lösung gegeben.

Im Autohaus fachsimpelte er mit der Meisterin, die seinen Kurs geleitet hatte. Er fragte sie nach ihren anstehenden Oldtimer-Rallyes und erzählte von Florida und ihrem Abenteuer mit dem roten Mustang. Zwischendurch fragte er unvermittelt nach Danas Adresse.

Sie warf ihm einen kritischen Blick zu.

»Sie wissen schon, dass wir keine Privatadressen herausrücken dürfen.«

Damit hatte Björn gerechnet.

»Sie hat mir am letzten Kurstag ihre Telefonnummer aufgeschrieben, aber ich habe den Zettel verloren. Wir dachten darüber nach, einen Folgekurs zu machen.«

»Tja«, die Meisterin zuckte bedauernd mit den Schultern, »der beginnt demnächst, und bei mir hat sie sich noch nicht gemeldet.«

Hm, dachte Björn. Und jetzt?

»Vielleicht wartet sie ja auf meinen Anruf«, sagte er.

»Wir können es so machen, ich benachrichtige Frau Gruhler über die Situation, und Sie hinterlassen mir Ihre Handynummer. Dann kann Dana selbst entscheiden, ob sie Sie anruft.«

Björn nickte ergeben. Kurz dachte er über einen Hunderteuroschein nach, aber dieser Schuss hätte ebenso gut nach hinten losgehen können. Und wo war überhaupt der kumpelhafte

Umgang geblieben, der den Kurs so fröhlich gemacht hatte? Nur, weil er jetzt als potenzieller Kunde dastand?

»Haben Sie eine Visitenkarte für mich?«, fragte sie.

Er zog die letzte für sie aus seinem Geldbeutel. Der Verkäufer, der ihm den Wagen zur Probefahrt mitgegeben hatte, kam auf ihn zu und entschuldigte sich für die Verspätung. Er warf ihm einen eindringlichen Blick zu. »Gefällt Ihnen das Modell?«

Die Meisterin verabschiedete sich mit einem festen Händedruck. »Ja, dann sehen wir uns ja vielleicht wieder, würde mich freuen!«

Björn nickte ihr freundlich zu und ging mit dem Verkäufer zu dessen Schreibtisch.

Eine halbe Stunde später fuhr er vom Hof. In der Tasche hatte er einen Vertrag über einen neuen Wagen und Danas Adresse. Der Einfachheit halber hatte er den Vorführwagen gekauft, der hatte 3000 Kilometer, so hatte Björn verhandeln können, was seiner Mentalität entgegenkam, und bei einem so schnellen Geschäft war auch Danas Adresse inklusive.

Sie wohnte tatsächlich in einer heruntergekommenen Hochhaussiedlung. Schimmel und defekte Heizungen, dachte Björn. Trostloser Anblick, furchtbare Lebensbedingungen. Aber auch er hatte an solchen Verhältnissen seinen Anteil, überlegte er, wenn auch indirekt. So mancher Immobiliendeal hatte bestimmt genau solchen Objekten gegolten.

Block K, Hausnummer unbestimmt.

Das würde er finden. Er stellte seinen Wagen hinter einer gewaltigen Mülltonnenansammlung ab und ging über einen schmalen Fußpfad zu Block K. Der Teer des Weges war aufgebrochen, in den Rissen wuchs junges, zartes Gras. Björn betrachtete es im Vorübergehen, und plötzlich erschien ihm dieser Weg wie ein Sinnbild. Alte Strukturen und etwas Junges, das sich Platz verschafft. Block K teilte sich in mehrere Hauseingänge, alle sahen gleich ramponiert aus, schmutzig, mit Graffitis besprüht. Selbst ein Hakenkreuz fehlte nicht.

Idioten, dachte Björn. Er bückte sich und suchte nach Danas Nachnamen. Einige Namensschilder waren überhaupt nicht beschriftet, andere unleserlich, und was, wenn sie gar nicht unter Gruhler stand?

Björn ging die Klingeln systematisch durch. Von rechts oben bis links unten, dann nächster Eingang. In K4 hatte er sie. Lotte Gruhler stand da. Lotte? Die Mutter?

Er klingelte. Lang und anhaltend. Oder hätte er die vier Stockwerke einfach hinaufgehen sollen? Egal, das konnte er immer noch.

Es rührte sich nichts, und Björn drückte erneut auf den Klingelknopf. Vielleicht funktionierte dieses Ding ja gar nicht, gewundert hätte es ihn nicht.

Schließlich ein Krächzen. Er sah sich schnell um. Und eine abgehackte Stimme. Offensichtlich schweres Atmen. Es kam aus einem alten Lautsprecher unterhalb der Klingeln. Mit einer Gegensprechanlage hatte er nicht gerechnet.

»Hallo«, hörte er und ging mit seinem Ohr näher heran. »Ich kann Sie nicht hereinlassen.«

»Guten Tag«, begann er. »Ich bin Björn Schäfer, ein Bekannter von Dana. Weshalb können Sie mich nicht hereinlassen?«

»Ich bin krank. Ich liege im Bett.«

»Es ist aber wichtig!«

»Ich bin alleine, es geht wirklich nicht.«

»Es geht um Geld«, sagte Björn knapp. »Viel Geld.«

Es war still. »Sie wollen Geld von uns?«

Es war klar, gleich würde das Gespräch beendet sein.

»Umgekehrt. Dana will etwas von mir.«

Es war ein Schuss ins Blaue.

»Meine Enkelin …?«

Aha, Enkelin also. »Ja, Dana!«

Es war wieder still. Hatte sie aufgelegt?

»Und es ist wichtig?«

»Sehr wichtig!«

»Kommen Sie hoch. Vierter Stock. Aber Sie müssen einen Moment warten, ich bin eine alte Frau.«

»Ich habe keine Eile.«

Mein Gott, wie konnte man so wohnen, dachte er beim Hinauflaufen. Die beschmierten Wände, die ausgetretenen Stufen, die Gerüche, ja selbst die unterschiedlichen Geräusche und Stimmen hinter den dünnen Eingangstüren waren ihm ein Graus.

Als er vor der Türe mit der liebevoll geschnitzten Namenstafel »Lotte Gruhler« stehen blieb, klopfte sein Herz. Er hatte wenig Kondition, ja, aber noch stärker jagte die Erwartung seinen Puls hoch. Es dauerte etwas, bis er Schritte hörte. Langsam, schlurfend. Und endlich drehte sich ein Schlüssel, und die Türe ging einen Spaltbreit auf. Der Blick der Frau, die ihn nun aus dem Halbdunkel ihres Flurs heraus musterte, war ehrlich erstaunt. »Sie sind ein Freund von Dana?«

Automatisch sah Björn an sich herunter. Was war so besonders an ihm? Er trug weder Anzug noch Krawatte.

»Wir kaufen nichts, und einen Vertrag schließe ich auch nicht ab.«

»Das möchte ich auch nicht«, sagte Björn. »Ich heiße Björn Schäfer und wollte eigentlich Dana besuchen, wir haben etwas zu besprechen.«

Sie zögerte. »Gefährlich sehen Sie nicht aus«, sagte sie.

Björn musste schmunzeln. »Nein, das bin ich sicherlich nicht.«

Sie öffnete die Tür. Erst jetzt sah er, dass sie sich an einem Infusionsständer festhielt, an dem ein Sauerstoffgerät hing. Feine, durchsichtige Schläuche führten von dort in ihre Nase. »Mein ständiger Begleiter«, sagte sie auf seinen Blick hin. »Einen anderen habe ich nicht mehr.«

Sie wandte sich ab und ging voraus in die Wohnung. Björn schloss leise die Tür hinter sich und folgte ihr. Sie trug einen hellblauen Morgenrock, irgendetwas Synthetisches, dachte er. Die Haare waren steingrau und kurz geschnitten, ihre Füße steckten in Pantoffeln, die jetzt über den braunen Teppichboden schlurften. Wie alt mochte sie sein, fragte er sich, Anfang achtzig? Wohnte Dana tatsächlich bei ihrer Großmutter?

»Sie können im Wohnzimmer auf Dana warten«, bot Lotte Gruhler ihm an. »Ich muss mich allerdings wieder hinlegen ...« Entschuldigend sah sie sich nach ihm um. Wasserblaue Augen, dachte Björn, sie war sicherlich einmal eine schöne Frau gewesen, auch die noch immer vollen Lippen und die hohen Wangenknochen deuteten darauf hin. Aber ihr Blick war verschleiert und ihre Haut fahl und schlaff. Als hätte sie schon lange kein Sonnenlicht mehr gesehen. Sie deutete auf die Tür hinter sich. »Ich kann Sie schlecht in mein Schlafzimmer einladen.«

Björn musste lachen. Ihr trockener Humor gefiel ihm.

»Wenn Sie dort einen Stuhl für mich stehen haben, warum nicht?«

»Ja, sogar einen Sessel. Meine Enkelin liest mir oft vor.«

Björn nickte ihr zu. Sie schob ihren dreibeinigen Infusionsständer über die Holzschwelle und ging auf das Bett zu, das eine Seite des Raumes ganz einnahm und dessen Rückenteil hochgestellt war. Auf der anderen Seite des Zimmers stand ein alter, liebevoll verzierter Bauernschrank aus massivem Holz und direkt neben einer Kommode ein kleiner, geschwungener Sessel. Sein Bezug aus grünem Samt war durchgesessen, aber trotzdem hatte er Charme.

Es roch nach einer Mischung aus Medizin und Lavendel.

»Möchten Sie etwas trinken?«, fragte Lotte Gruhler. »Dann müssen Sie sich selbst bedienen, die Küche ist am Ende des Flurs.« Sie ließ sich auf ihr Bett sinken.

»Nein, ich brauche nichts. Aber ich kann Ihnen gern etwas holen.«

»Zur Feier eines Besuches würde ich jetzt gern ein Glas Wein mit Ihnen trinken«, sagte sie lächelnd, »aber Alkohol tut mir nicht gut. Und alles andere …«, sie wies auf einen Beistelltisch, auf dem eine ganze Batterie von Flaschen stand, »steht hier. Meine Enkelin versorgt mich immer, bevor sie geht.« Sie lächelte. »Ohne Dana gäbe es mich schon gar nicht mehr.«

Björn setzte sich in den Sessel. Das zeichnete ein ganz neues Bild von Dana, dachte er. Dana, die treu sorgende Enkelin?

»Darf ich fragen«, begann er, »was Sie haben?«

»Vor allem Atemnot«, sagte sie. »Fachausdruck Lungenemphysem. Deshalb das hier.« Sie zeigte auf die beiden Schläuche in ihrer Nase und lehnte sich mit dem Rücken an das hochgestellte Bettteil.

»Kann ich Ihnen helfen? Mit den Kissen?«

»Nein danke, das geht alles ganz gut.«

Björn betrachtete die Fotos, die an der Wand hingen.

Lotte bemerkte seinen Blick. »Ja«, sie zeigte auf ein Foto. »Das ist Dana bei ihrer Erstkommunion.«

Dana mit einer Kommunionskerze in der Hand, Björn konnte sich das kaum vorstellen.

»Und kann man das nicht operieren?«

»Kann man schon«, sagte sie und zuckte mit den Schultern. »Aber die Methode, die helfen würde, ist sehr teuer. Und wird von der Kasse nicht bezahlt. Alles andere haben wir schon ausprobiert.«

In Björns Gehirn fing es an zu arbeiten. »Welche Methode?«

»Sogenannte Coils. Das sind Platinspiralen, die in die Lunge eingesetzt werden, damit sie besser funktioniert. So ganz genau kann ich das nicht erklären.«

»Wieso glauben Sie, dass diese Methode bei Ihnen nicht bezahlt wird?«

Sie schüttelte den Kopf. »Diese Spiralen sind noch nicht im kassenärztlichen Behandlungskatalog aufgenommen. Das geht nur privat.«

»Und von welcher Summe sprechen wir?«

»Je nach Schwere der Erkrankung«, sie holte Luft, »und in meinem Alter … jedenfalls ein Mittelklassewagen.«

»30 000 Euro?« Björn war überrascht.

»Vielleicht auch nur 25 000, wenn es danach keine Komplikationen gibt.«

»Das gibt es doch nicht!« Björn sah zum Fenster. Es war stickig hier drin.

»Sie können gern ein Fenster öffnen«, sagte Lotte. »Etwas frische Luft würde mir auch guttun.«

Er ging ans Fenster, öffnete es und sah hinaus. Kalte Luft strömte herein, und jetzt bezog sich es auch noch, und der Himmel wurde dunkler. Das passt zur Umgebung, dachte er. Unabhängig von der Geschichte mit Dana musste er sich da mal umhören, schließlich waren etliche seiner Kunden Ärzte und Chefärzte gewesen.

»Wie heißt diese Krankheit noch mal?«

In dem Moment hörte er die Türe gehen und leichte Schritte im Flur.

»Omi?« Danas Stimme. »Ich bin wieder da.«

Björn drehte sich um. »Und ich habe eingek… –« Das Wort blieb ihr im Hals stecken, als sie die Männergestalt vor dem Fenster sah. Dann erkannte sie Björn. »Wie kannst du …«, fing sie schneidend an, aber er unterbrach sie. »Wie kannst du!«

»Hab ich etwas falsch gemacht?« Lotte machte ein besorgtes Gesicht.

»Es ist alles in Ordnung!«, erklärte Björn.

»Nichts ist in Ordnung! Wie kommst du überhaupt hierher? Woher hast du meine Adresse?«

»Es hat mich einen BMW gekostet!«

»Mach keine dummen Witze!«

Sie standen einander gegenüber, Dana mit einer prallen Einkaufstüte in der Hand.

»Wollen wir das hier vor deiner Großmutter besprechen?«, fragte Björn leise, aber nachdrücklich.

»Meine Großmutter ist der einzige Mensch, für den es sich zu leben lohnt!«, sagte sie bestimmt.

Nele fühlte sich seltsam, Enrique als ihren Schüler vor sich sitzen zu sehen. Sie hatte Unterricht und begrüßte ihre fünfzehn Schüler, aber sie vermied den Blickkontakt mit ihm. Fast meinte sie, ihn riechen zu können, und außerdem war sein Kuss noch sehr präsent. Und auch seine Wirkung, denn nur deshalb war sie heute Morgen aus dem Haus geflüchtet. Sie hatte Sorge, spontan etwas zu beichten, wo es nichts zu beichten gab. Mehrmals während der Stunden spürte sie, wie Enrique sie betrachtete, und wenn ihr Blick ihn schnell streifte, versuchte er, ihn festzuhalten.

Reiß dich zusammen, ermahnte sie sich, schließlich bist du keine fünfzehn mehr, aber es nützte nichts, sie fieberte dem Ende ihrer beiden Unterrichtsstunden entgegen. Vor allem plagte sie die Frage, ob er sie wohl zu einem Kaffee einladen würde?

»Woran denkst du?«, fragte er leise, als sie ihre Unterlagen zusammenpackte und er an ihr vorbei hinausging.

Sie sah ihm nach. Ja, woran dachte sie. Gute Frage. Eine junge Türkin hielt sie mit ein paar Fragen auf. Normalerweise freute sich Nele, wenn sich jemand Fragen notiert hatte und so Interesse zeigte. Aber jetzt hätte sie die Türkin am liebsten abgewimmelt und wäre Enrique hinterhergegangen. Was, wenn er gleich weg war?

Aber wollte sie sich denn wirklich auf ein Abenteuer einlassen oder nicht? Vielleicht bewahrte die junge Türkin sie gerade vor einer Affäre, denn bei einer zweiten Gelegenheit … Sie konnte sich selbst nicht mehr trauen. Enrique würde jedenfalls nicht draußen auf dem Flur stehen, da war sie sich sicher.

Als sie endlich rauskam, stand er an ihrem Wagen. Neles

Herz schlug sofort schneller. Er war einfach ein Bild von einem Mann, so schön, dass es fast wehtat, und so jung, dass sich ihr wieder die Frage aufdrängte, was er eigentlich von ihr wollte. Wie sie wohl selbst aussah heute, sie hatte seit heute Morgen nicht mehr in den Spiegel gesehen.

»Darf ich dich auf einen Kaffee einladen?«, fragte er, als sie näher kam. »Du warst vorhin etwas«, er suchte das Wort, »zerstreut. Wir sollten reden.«

»Reden? Worüber?«

»Über uns.«

Gab es bereits ein *uns*? Sie lächelte. »Ich möchte mir da keine Illusionen machen«, begann sie, aber er legte ihr den Zeigefinger auf die Lippen.

»Psst. Du kennst das doch«, seine schwarzen Augen schauten sie an: »Man kann träumen oder leben.«

»Ja, das kenne ich«, gab sie langsam zurück. »Lebe deine Träume … und nicht umgekehrt.«

»Für mich wäre es ein Traum, mit einer Frau wie dir zu schlafen!«

Er sagte es so offen, dass ihr im Moment nichts einfiel außer dem Gedanken, dass das hoffentlich sonst niemand gehört hatte. Aber der Parkplatz war bis auf wenige Autos leer.

»Ist dir das peinlich?«

»Wieso meinst du?«, fragte sie.

»Weil du so wirkst. Wie ein in die Enge getriebenes Reh.«

»So fühle ich mich nicht«, stellte sie klar. »Ich frag mich nur … Na ja, ich könnte doch deine Mutter sein!« Jetzt war es heraus, dachte sie, mit diesem Gedanken war jeder Gedanke an Sex bei ihm gekillt. Und außerdem, dachte sie, war ihr das zu vage: »Mit einer Frau wie dir …«

»Komm, lass uns irgendwohin ins Warme gehen.« Er schlug den Mantelkragen hoch.

Sie nickte. Der Wind war kalt, und sie fror in ihrem zu dünnen Mantel.

»Ins Café hier um die Ecke? Oder die Bodega?«

Nein, da saßen ihr zu viele andere Lehrkräfte. »Kennst du etwas anderes?«

Er schlug ein Bistro in der City vor, das neu aufgemacht hatte und recht gemütlich war, zudem gab es dort keine Parkplatzprobleme.

Das Lokal war völlig überfüllt. Überall standen Gäste mit Gläsern in der Hand, die gemütlichen Nischen waren besetzt, aber sie hatten Glück, am Fenster wurden gerade zwei Plätze frei. Nele liebte es, in einem Restaurant am Fenster zu sitzen und Menschen zu beobachten. Hatten sie es eilig oder bummelten sie, lohnte sich ein zweiter Blick oder eher nicht? Meistens nicht, hatte sie in den letzten Jahren festgestellt und sich zu ihrem eigenen Mann beglückwünscht – und nun saß ihr ein Ausnahmefall gegenüber.

»Was findest du eigentlich an mir?«, wollte sie wissen.

»Du hast eine erotische Ausstrahlung. Junge Frauen bauen darauf, dass sie sexy wirken. Sie setzen auf ihren Körper. Bei dir ist es beides. Du bist sexy und sinnlich. Die Mischung, die nur eine erfahrene Frau hat.«

Nele konnte nicht anders. Sie sah sich nackt vor Enriques Augen, und der Gedanke behagte ihr nicht.

Er lächelte. »Du hast einen schönen Körper, ich möchte ihn entdecken.«

»Mein Körper hält nicht mehr, was er verspricht. Er ist 45 Jahre alt.«

»Du siehst dich mit den kritischen Augen einer Frau, die nur die Fehler sieht. Sieh dich doch mit den Augen eines Mannes, mich interessieren kleine Schönheitsfehler nicht. Das heißt, die machen einen Menschen erst interessant. An einer Schaufensterpuppe gibt es nichts zu entdecken …«

»Ist das ein Bewerbungsgespräch?«, fragte sie halb ernst.

»Es ist eine Werbung, das ist ganz etwas anderes«, meinte er. Die Kellnerin kam an den Tisch, und sie bestellten zwei

Latte Macchiato. Dann griff Enrique nach ihrer Hand. »Hier gibt es auch einen sehr guten spanischen Rotwein, sehr samtig, sehr voll, selbstbewusst und voller Grandezza. Passend zum Tango.«

Passend zum Tango. Sie spürte die Bewegung wieder, wie er sie geführt hatte, wie sie dahingeglitten waren. Sie musste unbedingt noch einmal mit ihm tanzen.

»Überredet.«

Enrique änderte die Bestellung.

»Bist du oft hier?«, wollte sie wissen und betrachtete dabei seine schöne Männerhand mit den langen Fingern und den gepflegten Nägeln. Leicht gebräunt, schwarze Härchen, sehr erotisch.

»Ich wohne in der Nähe.«

Er sah ihren Blick und musste lachen. »Nein, nein, das war kein unmoralisches Angebot – in meine WG könnte ich dich nicht mitnehmen, das ist ein Sparmodell. Zu viele Leute auf zu wenig Raum.«

Sie lächelte und streichelte seine Hand.

»Wenn, dann müssten wir schon zu dir ...«

Nele zog ihre Hand zurück. »Sei nicht albern«, sagte sie. »Erinnere dich bloß mal an deine letzte Begegnung mit Björn.«

»Männer riechen die Konkurrenz.«

Sie starrte ihn an. »Du meinst, er hat vorausgesehen, was sich zu dem Zeitpunkt nicht einmal angedeutet hat?«

»Es hat sich angedeutet.«

»Wir standen einfach in der Küche.«

»Es gibt Schwingungen, die markieren sofort den ernsten Rivalen.«

Rivalen. Wie sich das anhörte.

»Warum hast du aufgehört, meine Hand zu streicheln?«, fragte er.

Ja, warum? Sie betrachtete seine Hand, die jetzt warm und fest auf ihrer lag.

»Du hast sehr schöne Hände. Fein und doch männlich zupackend.«

»Warum schauen alle Frauen auf die Hände eines Mannes?«

Nele überlegte. »Ich denke, weil sie viel verraten. Sind sie rau und rissig, arbeitet der Mann draußen? Sind sie weich und blass, könnte es ein Buchhalter sein? Ist einer der Kraftbolzen, der ungepflegte Cowboytyp, ist er einen Hauch zu feminin, will er sich anlehnen? Ist sein Nagelbett eingerissen und spröde? Ist er Nägelkauer, schneidet er seine Fingernägel grob mit einer Nagelzange, eckig mit einer Nagelschere, oder feilt er? Gönnt er sich Maniküre, oder findet er das unmännlich?«

»Donnerwetter!« Enrique hielt sich seine zweite Hand vors Gesicht. »Und? Was liest du bei mir?« Er inspizierte seine Nägel.

»Du hast einfach das Glück, mit sehr schönen Händen geboren zu sein, Mischung aus Philosoph und Bauingenieur. Und deine Nägel schneidest und reinigst du mit einer Nagelschere. Einmal in der Woche am Sonntag nach dem Duschen.«

»Du nimmst mich auf den Arm.«

Nele musste lachen. »Ein bisschen.«

»Wie sehen wohl meine Füße aus?«, wollte er von ihr wissen.

»Ähnlich. Hoher Spann, leicht behaart, die Zehen gleichmäßig gewachsen, die Nägel groß und gut geschnitten.«

»Du mutmaßt. Es könnte auch ganz anders sein.«

»Könnte …«

»Und dazwischen? Zwischen Hand und Fuß?«

»Wohlgeformter, trainierter Po mit Spannung. Oder Anspannung. Je nachdem.«

Enrique lachte. »Nach dem Unterricht bist du noch besser als im Unterricht. Ich lerne wirklich was. Nicht nur die Sprache!«

»Du sprichst sehr gut, du hast alle überholt. Du brauchst überhaupt keinen Sprachunterricht mehr.«

»Ich hoffe auf Privatunterricht ...«

Der Wein kam. Nele betrachtete ihr bauchiges Glas und hielt es gegen das Licht.

»Ist das Glas nicht in Ordnung?«, wollte die junge Kellnerin wissen. »Soll ich es austauschen?«

»Nein danke, alles gut, ich betrachte nur die Farbe des Weins.«

Er war dunkelrot, und das Licht setzte einen hellen Fleck hinein, der, je länger sie ihn betrachtete, von Sekunde zu Sekunde größer zu werden schien. Sie hielt Enrique das Glas entgegen. »Siehst du? Das ist wie das Leben. Die Farbe des Weins ist rot. Einfach rot. Doch das kann täuschen. Hältst du das Glas gegen Licht oder gegen eine schwarze Wand, verändert sich auch die Farbe des Weins.«

Enrique betrachtete sein eigenes Glas. »Und was willst du mir damit sagen?«

»Dass wir anstoßen sollten ...«

Er lachte, und seine Augen blitzten.

»Wenn du einen Mann erregst, stellst du dann auch philosophische Betrachtungen an?«

Nele dachte an ihr Erlebnis nach ihrer Ayurveda-Behandlung mit Björn unter der Dusche. Da war sie berauscht gewesen, vor allem von sich selbst. Ihr Körper hatte sich unvergleichlich angefühlt, das Öl auf ihrer Haut, von der das Wasser abperlte, ihre Hand, die unter dem Wasserstrahl über den eigenen Körper strich und doppeltes Behagen auslöste, weil es sich so unverschämt gut anfühlte, und dann beim Sex, als sie an Björns Körper förmlich abglitt, und schließlich das erhebende Gefühl der absoluten Vereinigung.

Sie schüttelte den Kopf und musste lachen. »Ich glaub nicht ...«

»Du denkst gerade an etwas, stimmt's?«

»Du hast mir eine Frage gestellt, und ich habe nachgedacht.«

»Ich sollte dich nicht so viel fragen. Ich sollte dir einfach sagen, dass mich unser gestriger Abend beschäftigt. Es war so schön, und dann bin ich dir zu nahegetreten, das tut mir leid.«

»Zu nahegetreten …«, wiederholte sie. »Wo hast du diese Wörter her?«

»Ich lese viel, dabei lernt man eine neue Sprache gut.«

»Erstaunlich«, sagte sie.

»Es tut mir leid«, begann Enrique erneut. »Das wollte ich nur sagen.«

»Was genau tut dir leid?«

»Ich hätte nicht so weit gehen sollen. Aber es hat mich die ganze Zeit über danach gedrängt, deine Brüste anzufassen, sie zu streicheln, sie zu küssen. Ich hab mich vergessen. Das wollte ich sagen.«

»Und was wolltest du noch?« Sie beugte sich etwas vor, und er schob ihr Glas vorsichtshalber auf die Seite.

Er blieb stumm, aber sein Gesicht veränderte sich. Seine Mundwinkel hoben sich leicht, seine Wangenpartie entspannte sich, seine Lider senkten sich, bis die Augen im Halbschatten seiner dichten, schwarzen Wimpern lagen. »Was möchtest du hören?«

»Das, was du tun wolltest.«

»Soll ich es dir nicht zeigen?«

»Sag's mir.«

»Dein Körper hat sich auf meinen eingestellt. Beim Tanz spürt man das, Tanz ist Geben und Nehmen. Und Hineingleiten in die Wünsche des anderen. Erspüren, ertasten. Hingabe.« Er ließ das letzte Wort ausklingen. Wie die gezupfte Saite eines Instruments, dachte Nele, der Ton hängt noch in der Luft.

Er sprach leise weiter. »Beim Tanzen habe ich deinen Körper gespürt, und ich habe mir deine Bewegungen vorgestellt ohne Kleider. Das Wogen deines Busens über mir, die Feuchtigkeit deines Bauchnabels, der kleine Tropfen Schweiß darin, deine Schenkel, die sich im Tanz so bereitwillig öffnen, und den Schatz, den sie danach wieder hüten.«

Seine Stimme war leise, aber sie hatte sich an die Melodie seiner Sätze gewöhnt und verstand jedes Wort. Und es gefiel ihr, was er sagte und wie er es sagte. Als ob er ein Gedicht rezitieren würde.

Nele spürte, wie auch ihr Gesicht sich entspannte. Sie lächelte. Und sie spürte, dass dieses Lächeln von innen kam. Es breitete sich in ihren ganzen Körper aus.

»Deine Lippen werden weich, dein Mund voller, deine Augen bekommen einen seidenen Glanz, du bist bereit. Bereit für die Liebe.«

Wie er es so sagte, glaubte sie ihm das sofort. Genau so fühlte sie sich. Ihr Blut pulsierte, und es verlangte sie danach, diesen schönen Körper nackt zu sehen, über seine Konturen zu streichen und sich an ihm zu berauschen.

In diesem Moment signalisierte ihr Handy eine eingehende SMS. Sie schob es von sich weg, aber trotzdem erhaschte sie einen kurzen Blick darauf. Alex.

»Mein Sohn«, sagte sie entschuldigend und las die Nachricht. »Hi Mutter«, schrieb er, »habe dich hereinkommen sehen. Ist vielleicht eine gute Gelegenheit, mal mit dir alleine zu reden, dein Sohn.«

Sie sah sich schnell um.

»Was ist?« Enrique folgte ihrem Blick.

»Mein Sohn ist da. Er hat mich gesehen. Und will mit mir reden, schreibt er.«

»Dann soll er doch herkommen.«

»Enrique, er ist in deinem Alter. Er wird sich über uns beide wundern.«

»Was gibt es da zu wundern?«

»Nun …« Nele macht eine umfassende Handbewegung.

»Wir sitzen hier und trinken ein Glas Wein. Was ist dabei?«

Nele wusste es nicht zu sagen. Sie dachte nur, dass ein Blinder es erkennen musste. Und ihr Sohn würde es ganz sicher spüren, da war sie sich sicher.

»Er möchte mit mir reden.«

»Dann soll ich also gehen?«

»So war es nicht gemeint.«

»Wie dann?«

Ja, wie dann?

»Es tut mir leid«, sagte sie.

»Heute tut uns vieles leid.«

Sie nickte.

»Er soll kommen. Wir trinken das Glas in Ruhe aus. Dann gehe ich.«

Was für eine bescheuerte Situation, dachte Nele. Und wieso zog es sie und ihren Sohn ständig in dieselben Kneipen? Sie tippte eine Antwort: »Ich sitze mit einem Schüler hier. Wir haben etwas zu besprechen. Zwanzig Minuten?«

»Wie viel Zeit gibst du uns?«, wollte Enrique wissen, nachdem sie das Handy weggelegt hatte.

Nele blickte auf. Das war doppeldeutig. War ihm das bewusst?

Er lächelte, und sie fragte sich, was sie darauf antworten sollte.

Dana hätte ihn am liebsten rausgeworfen, das war Björn klar. Unglaublich. Sie wollte ihn erpressen und stellte ihn vor ihrer Großmutter in die Sünderecke.

»Du kannst hier nicht so einfach hereinmarschieren«, schimpfte sie, nachdem sie mit der Einkaufstüte in die Küche gegangen und er ihr gefolgt war.

Sie öffnete den Kühlschrank und stopfte die Einkäufe wütend in die Fächer. Als sie die Tür zuknallte, stützte sich Björn mit der Hand an der Türfront auf, sodass Dana der Weg hinaus versperrt war. »Du hast mir einen Erpresserbrief geschrieben. Ich könnte damit zur Polizei!«

Dana warf ihr Haar nach hinten. »Sehr witzig«, fauchte sie. »Ein Mann in deiner Position, und dann hurt er rum?«

»Ich würde dich nicht als Hure bezeichnen.«

»Die Fotos sprechen eine andere Sprache.«

Björn nahm den Arm weg. »Sag mir, was du willst.«

»Das steht alles in dem Brief. Du musst nur lesen!«

»Du willst Geld. Für was?«

»Um mir ein schönes Leben zu machen vielleicht?«

Björn schüttelte den Kopf. »Das ist es nicht. Und das weißt du besser als ich.«

»Ach ja!« Sie funkelte ihn zornig an. »Der Herr Generaldirektor ist ja so schlau und weiß alles!«

»Ich weiß es eben nicht! Deshalb bin ich hier.«

»Dana?« Die Stimme kam aus dem Schlafzimmer. »Ist alles in Ordnung?«

Björn sah Dana an. »Es geht um sie, stimmt's?«

»Das geht dich nichts an!«

»Wenn ich dafür Geld bezahlen soll, geht es mich schon was an.«

»Ich bin der Täter, du das Opfer. Nicht umgekehrt«, sagte sie und drängte sich an ihm vorbei.

Björn sah ihr nach. Trotz dieser Aktion fand er sie noch immer attraktiv. Vielleicht sogar noch mehr. Und dass er nicht bezahlen würde, musste ihr klar sein.

Langsam folgte er ihr ins Schlafzimmer. Dana hatte sich zu ihrer Großmutter hinuntergebeugt und erklärte ihr etwas. Lotte Gruhler sah zunächst erstaunt zu ihrer Enkelin auf, dann wanderte ihr Blick zu ihm.

»Ich habe ihr erklärt, dass du Anwalt bist und dich ihres Falles annimmst.«

Björn sagte nichts.

»Ein Anwalt sind Sie? Das hätte ich mir gleich denken können, so fein, wie Sie aussehen!« Lotte lächelte ihm zu.

»Ja …« Björn überlegte, wie er reagieren sollte.

»Vertreten Sie alle Opfer oder nur mich?«

»Opfer?« Gerade eben war er selbst noch das Opfer gewesen, zumindest hatte ihm Dana das erklärt.

»Ja. Der hat doch viele auf dem Gewissen. So viele beraubt. Genau wie mich!« Ihr Gesicht bekam einen traurigen, einen wehmütigen Ausdruck. »Ach ja?« Björn lehnte sich an den Türrahmen, Dana saß neben ihrer Großmutter auf der Bettkante und hielt ihre Hand.

»Ja, dabei hatte er so vertrauenswürdige Augen und war so nett und hilfsbereit.« Sie lächelte etwas schief. »So wie Sie.«

»Wie ich?«

»Ja, ein groß gewachsener, netter Herr. Gepflegt und sehr freundlich. Vielleicht etwas jünger als Sie.«

Björn warf Dana einen Blick zu. Was wurde hier gespielt? Um was ging es überhaupt?

»Und was war dann?«

»Ja, heute reist er mit unserem Geld durch die Welt, sitzt bei den feinen Menschen in der vordersten Reihe und macht Spenden mit dem Geld, das er Menschen wie mir abgeluchst hat.«

»Omi, das war nicht er selbst. Das waren seine Handlanger.«

»Ja, das weiß ich auch. Aber er hat sie geschickt!«

»Ja. Da hast du recht. Er hat sie geschickt!«

Es war still. Eine Uhr tickte laut.

»Und nun wollen Sie mir helfen?« Lotte ließ Danas Hand los und streckte sie nach Björn aus. »Das ist schön!«

Björn suchte Danas Blick, aber ihr Gesichtsausdruck war versteinert. Er machte drei Schritte zu Lotte Gruhlers Bett und nahm ihre Hand.

»Wenn ich mein Geld zurückbekomme, kann ich mir die Operation leisten, von der ich Ihnen vorhin erzählt habe«, sagte sie mit fester Stimme, »und ordentlich heizen. Und dann habe ich auch keine Angst mehr um Dana. Und ihre Zukunft.«

»Omi! Nein. Ich lebe mein Leben so oder so.«

»Das stimmt nicht«, sagte sie zu Björn. »Sie hat sich nur um mich gekümmert und deshalb keine Zeit für eine richtige Ausbildung. Das könnte sie dann nachholen.«

»Omi, mein Leben ist in Ordnung. Darum geht es nicht. Ich komm schon durch.« Dana wurde lauter. »Es geht um dich.«

»Es geht um Ungerechtigkeit?«, fragte Björn vorsichtig.

»Es geht um Fotos!«, wandte Dana ein.

»Fotos?«, fragte Lotte und schüttelte entschieden den Kopf. »Nein, mein Kind. Es geht um Verträge. Um mein Erspartes, das Geld für mein Alter!«

»Ich weiß, Omi. Ganz bestimmt kennt unser Rechtsanwalt hier diesen Menschen persönlich. Dort oben kennen sich doch alle und laden sich gegenseitig in ihre prunkvollen Villen ein ...«

»Ich wohne in keiner prunkvollen Villa«, schnitt Björn ihr das Wort ab. »Du kennst unser Haus. Es ist ein ganz normales Haus.«

»Sie kennen den Herrn Waschmüller persönlich?«

Björn dachte kurz nach. Darum ging es also. Sie war eines der vielen Opfer dieses sauberen Anlagebetrügers.

»Nein, den kenne ich nicht persönlich.«

Lotte nickte zufrieden. »Aber wenn Sie ihn jetzt anklagen, dann hat der liebe Gott ja vielleicht doch noch ein Einsehen, und alles wird gut.«

»Ganz bestimmt wird alles gut«, sagte Dana und stand auf. »Und ich begleite den Herrn jetzt zur Tür.«

Lotte Gruhler ließ Björns Hand los. »Es ist schön, dass es noch solche Menschen wie Sie gibt!« Ein Strahlen ging über ihr Gesicht. »Gut, dass ich Ihnen alles erzählt habe!«

»Ich werde sehen, was sich machen lässt.« Nichts wie raus, dachte Björn dabei. Was für eine Schmierenkomödie!

Dana stand an der offenen Eingangstür.

»Wir sprechen uns noch«, sagte er im Hinausgehen.

»Ja, dann, wenn ich *danke* sage«, sagte sie und schloss die Tür hinter ihm.

Als Alex an ihren Tisch kam, stand Enrique auf. Sie waren gleich groß und ähnliche Typen.

»Dann überlasse ich Ihnen mal den begehrten Platz an diesem Tisch«, sagte Enrique, nickte Alex zu und verabschiedete sich bei Nele mit einem Handkuss.

»Was ist denn das für einer?«, wollte Alex wissen, während er sich auf Enriques Stuhl setzte.

»Einer mit guten Manieren, wie man sieht.«

»Ein bisschen altmodisch für sein Alter, findest du nicht?«

Nele schüttelte den Kopf. »Nein, finde ich nicht. Dieser Kontrast macht es gerade reizvoll.«

»Reizvoll?« Er runzelte kurz die Stirn. »Gut, dass du bei Papa in sicheren Händen bist.«

Nele lachte, war sich aber selbst nicht sicher, wie sich das anhörte. »Mein Gott, Alex, er ist mein Schüler. Und in deinem Alter …«

»Ich bin gerade erst zweiundzwanzig!«

»Ja, dann von mir aus ein paar Jahre älter. Ende zwanzig. Ist doch egal!« Nele musterte ihren Sohn. Ein leichter Bartschatten zeigte, dass er unrasiert war, das Hemd, das er trug, wirkte auch nicht gerade frisch.

»Was ist mit dir los?«, wollte sie wissen. »Du wirkst so –«, ungepflegt wollte sie nicht sagen, »abgerissen. Hattest du eine schlaflose Nacht?«

»Hm.« Alex lächelte. »Mama, ich studiere. Als Student hat man manchmal schlaflose Nächte. Mal aus diesem und mal aus jenem Grund.«

»Du meinst, wenn du für die Klausuren lernst?«, fragte sie.

»Auf Papas Tricks falle ich nicht herein«, gab er zur Antwort und bestellte den gleichen Rotwein wie Nele. »Möchtest du auch noch ein Glas?«, wollte er wissen.

»Ich hab noch. Und außerdem bin ich mit dem Auto da.«

»Ich nicht, das ist der Vorteil, wenn man in der City wohnt.«

Nele nickte. »Es hat alles im Leben seine Vor- und Nachteile.«

Sie sahen sich an. Das war ihr Sohn, dachte sie. Diesen jungen Mann hatte sie einst zur Welt gebracht. Es war eigentlich unfassbar.

»Und wie geht es dir?«, fragte sie und dachte an Dana. War das noch aktuell?

»Ich habe mich ja so ein bisschen herumgequält«, begann er. »Wahrscheinlich, weil mir zu Hause beigebracht wurde, dass wir was Besseres seien.«

»Na, also«, widersprach Nele sofort. »Das habe ich sicherlich nie gesagt.«

»Aber der Vater ein Bankdirektor mit Chauffeur und Tralala und die Mutter bestens versorgt im großen Haus, der Sprössling hat alle Möglichkeiten.«

»Das ist deine Sicht, Alexander. Für mich gab es da keinen Unterschied zu anderen.«

»Ja, weil ich nie andere angetestet habe.«

»Wie meinst du das?«

Er griff nach dem Weinglas, das die Kellnerin vor ihm abstellte. »Lass uns erst mal anstoßen, so oft sitzen wir ja nicht gemeinsam in einem Bistro.«

Nele hob ihr Glas. »Schade eigentlich.«

»Gut ausgesucht«, bewertete Alex nach dem ersten Schluck. »Spanisch. Ist dein …«, er zögerte in Neles Ohren einen Moment zu lang, »… Schüler Spanier?«

»Er kommt aus Puerto Rico.«

»Hat also Feuer im Blut.«

»Ja, das hat er bestimmt … aber das ist sicherlich nicht dein Thema.«

»Schade eigentlich«, sagte Alex und grinste. »Das würde Papa mal ganz guttun. Feuer unterm Hintern.«

»Wie meinst du das?«

»Nur so. Was man halt so hört.«

»Was hört man denn?« Nele spürte, wie es ihr heiß wurde. Sie dachte an Juttas Aussage von geschäftlichen Tricks.

»Dass er seine Stellung ganz gut ausgenützt hat.«

»Ausgenützt?«

»Na ja, Mutti, jetzt stell dich nicht dümmer, als du bist.«

»Du meinst seine Sekretärin?«

»Du weißt davon?«

»Wissen nicht. Ich habe es mir aber gedacht.«

»Und du hast das geduldet?«

»Ich …«, sie strich sich die Haare hinter die Ohren, »um ehrlich zu sein, habe ich es erst bei seiner Abschlussfeier bemerkt. Die Blicke, die Gesten waren einfach zu vertraut.«

Alex nickte. Warum erzähle ich ihm das überhaupt, ärgerte sich Nele, Alex war ihr Sohn. Sie musste ihn nicht über das Liebesleben seines Vaters aufklären.

»Und siehst du, mein Liebesleben ist auch kompliziert.«

Nele schwieg, sie wollte besser mal geduldig zuhören.

»Erzähl«, forderte sie Alex auf.

»Nun ja …« Es fiel ihm offensichtlich nicht leicht, einen Anfang zu finden, er schob sein Glas einige Male gedankenschwer hin und her, bis er endlich aufblickte und begann: »Ich habe es ja vorhin angedeutet, mein Dünkel stand mir immer im Weg. Ich habe mich verliebt, aber gleichzeitig gewusst, dass es die völlig falsche Frau ist. Keine, die ich zu Hause hätte vorzeigen können, du weißt schon, mit tollem Elternhaus und entsprechender Bildung. Keine, die eine steile Karriere anstrebt und deshalb perfekt zum Sohnemann passt, du weißt schon, die Bilderbuchfrau eben. Die Verbindung zweier, die beide ganz nach oben streben und sich nebenher ein Alibikind leisten.«

»Alibikind?«

»Na ja, für die deutsche Statistik und für die Sicherung unserer späteren Rente. Ganz ausklinken darf man sich da schließlich nicht.«

»Ah …«, machte Nele. »Ach so, ja.«

Er lächelte schräg. »Es ist eben nun mal so, dass heute die gebildeten Frauen ihre Ausbildung auch umsetzen wollen.«

Hieß das jetzt, dass er sie für ungebildet hielt? Ihr eigener Sohn? Nele beschloss, das unkommentiert zu lassen.

»Wie kann ich also mit einem Mädchen kommen, das von all dem nichts hat?«, fuhr er fort.

Nele zuckte mit den Achseln. Von mir aus schon, dachte sie. Aber gleichzeitig hatte sie Dana bei dem Harleyfest in ihrem Garten vor Augen und wollte ihn nicht bestärken.

»Und noch schlimmer ist, dass sie sich um ihre eigene Zukunft überhaupt keine Gedanken macht, dass sie völlig planlos in den Tag hinein lebt.«

Nele zuckte erneut mit den Achseln. Was sollte sie auch anderes tun?

»Kinder will sie übrigens auch nicht. Ihre Ausbildung hat sie abgebrochen, warum, das sagt sie niemandem, ich darf noch nicht mal mit zu ihr nach Hause, aber warum, das sagt sie auch nicht. Aber das habe ich euch ja alles schon mal erzählt.«

»Ja.« Nele überlegte. »Ist sie in der Drogenszene?« Endlich fiel ihr etwas ein, das sie wirklich interessierte.

»Nein.« Alex schüttelte den Kopf. »Eher so eine Rockergeschichte. Aber Altrocker. Ach, ich weiß nicht. Ich weiß nicht mal, warum sie bei diesen alten Knackern dabei ist.«

»Vielleicht ist ihr Vater mit dabei?«

»Ihre Eltern sind bei einem Motorradunfall ums Leben gekommen, zumindest das weiß ich.«

»Ah. Vielleicht hat sie ein Trauma, das sie alleine nicht bewältigen kann?«

Nun war es Alex, der mit den Schultern zuckte.

»Sie spricht nicht darüber.«

»Und die Typen aus dieser Rockerbande?«

»Ich bin nie mit. Das ist nicht mein Milieu.«

Aber das Milieu deines Vaters, hätte sie jetzt gern gesagt. Sollte sie Alex aufklären? Dass ausgerechnet sein eigener Vater in dieser Gang mitfuhr und zudem auch noch sein Mädchen gut fand? Oder sollte sie dem Schicksal einfach seinen Lauf lassen? Vielleicht gingen diese beiden Wege ja auch aneinander vorbei, und es würde nie eine Schnittmenge geben? Wäre das nicht der friedlichste Weg?

»Und du liebst sie wirklich?«

»Aus tiefem Herzen. Das ist ja auch der Grund, weshalb ich einfach nicht von ihr loskomme. Ich bin ihr völlig erlegen …«

»Vielleicht auch verfallen …?«

»Verfallen? Nein, sie ist kein Sexobjekt mit grellblonden Haaren und überhöhten Lackledersteifeln. Sie ist völlig natürlich. Aber sie …«, er holte tief Luft und nahm einen Schluck Wein, »sie lässt mich im Ungewissen. Sie lässt mich stehen, sie ist oft einfach plötzlich weg. Ich sehne mich nach ihr, und sie sagt, Gefühlen sei nicht zu trauen. Gefühle seien wie eine Sandburg, erst ein Sturm zeige, was davon übrig bleibt.«

»Das ist doch gar nicht so dumm!«, sagte Nele spontan. Vielleicht hatte sie ja mehr drauf, diese Nele, als nur ihre Männer verrückt zu machen?

»Ja, aber willst du das von einer Frau hören, der du gerade sagst, dass du sie liebst?«

»Zumindest ist das doch ehrlich.«

»Ja, aber keine Antwort.«

Sie schwiegen beide.

»Was sagt denn Papa, wenn du ihm sagst, dass du ihn liebst?«

»Ach, du lieber Himmel!« Nele verzog das Gesicht. »Das habe ich schon ewig nicht mehr gesagt, gut, dass du mich erinnerst.«

Alex musste lachen, aber es hörte sich bitter an.

»Aber als ich klein war, war es anders?«

»Ja. Wir waren sehr verliebt damals.«

»Aber ich war trotzdem ein Unfall …«

Nele sagte nichts darauf. Sie sah sich damals beim Frauenarzt und spürte noch den Schock in allen Gliedern, als er ihr zum positiven Ergebnis gratulierte.

»Du bist ein nachträgliches Wunschkind, sagen wir es einmal so.«

»Na ja, okay. Und wenn einer von euch beiden dem anderen gesagt hat, dass er ihn liebt, dann kam das Gleiche doch zurück, oder?«

Nele nickte.

»Ja, und siehst du, bei uns eben nicht. Das rumort in meinem Bauch, nagt an meiner Selbstsicherheit und ist furchtbar. Ich rechne jeden Tag damit, dass sie plötzlich weg ist. Spurlos. Aufgelöst. Was weiß ich …«

»Das muss ja ein schreckliches Gefühl sein.«

»Das ist es. Und deshalb muss ich den nächsten Schritt machen.«

»Den nächsten Schritt?«

»Ich werde sie euch vorstellen. Dann sieht sie, dass ich es ernst meine.«

Oje, dachte Nele. Albtraum!

»Hast du nicht gesagt, sie würde ihren Fuß in kein so spießbürgerliches Heim wie unseres setzen?«

»Das habe ich ihr unterstellt. Aber ich habe sie gar nicht gefragt. Das werde ich heute Abend tun, wenn ich sie sehe.«

»Heute Abend?«

»Spätestens morgen, falls sie heute Abend nicht kommt.«

»Alex …«

»Doch, Mutter, ich muss ihr zeigen, dass ich es ernst meine. Dass ich unsere Liebe über meinen Dünkel stelle.«

Nele schüttelte den Kopf.

»Was ist?«, wollte Alex wissen.

»Du sprichst nicht wie ein 22-Jähriger … und du hast doch noch so viel Zeit!«

»Nein, hab ich nicht. Seit einem halben Jahr quäle ich mich nun damit herum. Das muss ein Ende haben. Ich muss wissen, woran ich bin … verstehst du das nicht?«

»Doch!« Nele griff nach ihrem Glas. »Das verstehe ich.«

»Gut. Dann werde ich mich bei euch melden, sobald sie zugesagt hat. Und macht kein großes Tamtam. Ein Topf Spaghetti, bitte nichts Besonderes. Und keinen Champagner! Schon gar nicht zur Begrüßung, das wäre nur peinlich! Rotwein genügt.«

Als Björn den Wohnblock verließ und zu seinem Auto lief, spürte er Danas Blicke in seinem Rücken. Er war sich sicher, dass sie am Fenster stand. Und er war sich sicher, dass sie genau wusste, wo er nun hinwollte: zu Joe. Steckte der dahinter? Oder war das tatsächlich Danas Idee gewesen?

Kaum saß er im Auto, zückte er sein Handy und wählte Joes Nummer. Zu Björns Erstaunen war Joe direkt dran. Im Hintergrund hörte er das tiefe Brummen eines Lastwagenmotors.

»Joe«, begann Björn, »jetzt erhoffe ich mir eine ehrliche Antwort auf meine Frage.«

»Wie ist die Frage?«

»Hast du deine Mailbox abgehört?«

»Nein.«

»Dana erpresst mich. Weißt du davon?«

»Ja.«

Das Ja war so schlicht, einfach und präzise, dass Björn im Moment nicht weiterwusste.

»Also Ja!«, wiederholte er langsam.

»Ja!«

Björn räusperte sich. »Also war das von Anfang an eine … Falle? Im Flugzeug, in Daytona, später der Sonntagsbesuch? Alles nur, um mich zu kriegen?«

»Nein. Du bist ein netter Kerl. Du kannst in unserer Clique bleiben. Das hier geht um etwas ganz anderes.«

Björn starrte über sein Lenkrad hinweg auf die grauen Mülltonnen. »Also, sehe ich das richtig, ich bezahle 250 000 Euro und darf dafür in euerer Clique bleiben?«

»Nicht dafür. Das ist für was ganz anderes. Nein. Trotzdem!«

»*Obwohl* ich 250 000 Euro bezahle, darf ich in eurer Clique bleiben? So willst du das sagen?«

»Ja. Denn du bist ein feiner Kerl. Du passt zu uns.«

»Zu euch feinen Kerlen?«

»Ja!«

»Mit Verlaub. Habt ihr noch alle Tassen im Schrank? Oder haben die Harleymotoren das schon herausgerüttelt?«

»Harleymotoren rütteln nicht. Nur wenn sie ganz schlecht eingestellt sind.«

»Also, Joe, ich fasse zusammen: Du sagst mir gerade, dass ihr mich gemeinschaftlich erpresst, und wenn ich das Geld bezahlt habe, bleiben wir weiterhin gute Freunde?«

»Genau!«

»Und wenn nicht?«

»Dann nicht mehr.« Joes Ton änderte sich keine Nuance. Er blieb freundlich und gelassen, als ginge es um Gummibärchen.

»Bist du alleine?«, fragte Björn und folgte damit einer Eingebung.

»Nein, wir haben eine lange Expresstour und fahren deshalb zu zweit.«

»Aha. Egal. Was passiert, wenn ich nicht bezahle?«

»Wie gesagt, dann nicht mehr.«

»Das ist aberwitzig!«

»Es sind sehr schöne Fotos!«

»Hast du hinter dem Vorhang gestanden?«

»Es spielt keine Rolle, wer es war«, sagte Joe nur.

»Was macht ihr mit dem Geld?«

»Etwas Sinnvolles. Es ist nur eine gerechte Umverteilung!«

»Wann bist du zurück?«

»Morgen!«

»Dann will ich dich sehen, dich sprechen.«

»Es ändert nichts.«

»Genau das will ich sehen.«

Björn legte sein Handy zurück und startete den Motor. Sein Blick glitt die trostlose Waschbetonfassade hinauf. Vereinzelt brannte schon Licht hinter den Fenstern. Einige waren mit lustigen Kindermotiven bunt geschmückt.

Nele war schon zu Hause und sah durch das Küchenfenster, wie der dunkle Wagen langsam heranrollte, so als ob der Fahrer sich seiner Sache noch nicht ganz sicher sei. Doch schließlich stand der BMW vor dem Garagentor, und Björn stieg aus. Nele betrachtete ihn wie einen Fremden. Das war ihr Mann, dachte sie. Seit 23 Jahren. Ein völlig Fremder. Sie kannte ihn überhaupt nicht mehr. Sie wusste nicht, wie er dachte, sie wusste nicht, was er in all ihren gemeinsamen Jahren getrieben hatte. Sie kannte nur das eine Gesicht von Björn, seine anderen Gesichter waren ihr verborgen geblieben, das hatte sie in den letzten Wochen begriffen.

Er kam zu ihr in die Küche.

»Du bist ja zu Hause«, sagte er.

»Wo sollte ich sein?«

»Unterwegs. Irgendwo.«

Sie hauchten sich einen Begrüßungskuss auf die Lippen, und die Kluft zwischen ihnen war spürbar. Irgendetwas war im Gange, und keiner wollte das Thema anfassen.

»Die Tage werden länger«, sagte Björn.

»Ja, Gott sei Dank, der Frühling siegt so langsam.«

Er zeigte zum Küchenfenster. »Ich habe mich für den BMW entschieden. Damit wir wieder beide motorisiert sind. Ist das in deinem Sinne?«

»Wenn du es schon entschieden hast ...«

»Ja, ich dachte, es sei eine gute Gelegenheit.«

»Ja, ganz bestimmt.«

Eine gute Gelegenheit. Björn ahnte, was Nele sagen wollte. Aber er war nicht der Typ für Krisengespräche. Er würde nicht anfangen, seine Vergangenheit aufzurollen, um Absolution von ihr zu bekommen. Er hatte das in all seinen Berufsjahren nicht getan, auch nicht damals, als es noch aktuell war, warum sollte er es jetzt tun und sich unnötig Ärger aufhalsen? Denise war Vergangenheit, Dana sein spezielles Problem. Außerdem war nichts passiert.

»Hast du schon zu Abend gegessen?«, fragte er.

»Nein!« Nele zeigte zum Kühlschrank. »Er ist ziemlich leer.«

Björn sah Dana mit ihren prallen Einkaufstüten vor sich und den vollen Kühlschrank.

»Wollen wir essen gehen?«, fragte er.

»Den neuen Wagen einweihen?«

Es schien ihnen beiden eine gute Gelegenheit, aus der bedrückenden Zweisamkeit hinaus ins Leben zu kommen. Sie fuhren ohne Umschweife zu ihrem Lieblingsitaliener.

In der Nacht fanden sie seit Langem wieder einmal zueinander. Sie hatten mit Giovanni viel gelacht und sehr viel mehr Rotwein getrunken, als gut war. Schließlich waren sie mit dem Taxi nach Hause gefahren. Beide ulkten herum, als sie die Haustür aufschlossen, und schafften es, das beschwingte Gefühl mit ins Bett zu nehmen. Nele ließ ihre Kleider fallen, und auch Björn warf alles von sich. Sie fielen direkt miteinander ins Bett. Es war schön, den anderen zu spüren, seinen Körper, seine Wärme, die Lust, die sie fiebrig machte. Björn tauchte nach unten, zwischen ihre Beine, und nachdem Nele das erste Mal gekommen war, beugte sie sich über ihn, um sich anschließend auf ihn zu setzen – aber dann passierte es: Zwischen ihren

Lippen schwand seine Erektion. Zuerst konnte sie es nicht glauben, denn zwanzig Jahre lang war es umgekehrt der Fall gewesen, sie hatte ihn aus jeder Position zum Stehen gebracht. Aber das war eindeutig: Er machte schlapp.

Sie waren beide erstaunt. Nele blickte zu ihm hoch: »Hoppla, was ist los?« Das darf doch einfach nicht wahr sein, dachte Björn. Zweimal innerhalb kürzester Zeit? Was war los? War er krank?

»Bist du nicht bei der Sache?«, wollte Nele wissen.

»Und ob ich bei der Sache bin!« Björn sah an sich hinunter: Da lag er neben Neles Mund, klein, gekrümmt, genau so, wie er ihn jetzt nicht sehen wollte.

»Verdammter Mist!«, sagte er und schob es auf Dana und ihren Erpressungsversuch. Hatte ihn diese ganze Aktion jetzt auch noch seine Potenz gekostet? Dafür müsste er Schmerzensgeld bekommen, nicht umgekehrt!

»Ist dir das schon mal passiert?« Nele schob sich hoch an seine Seite.

»Wie, schon mal? Du warst doch jedes Mal dabei!«

Nele antwortete nicht, sondern küsste ihn auf den Mund. »Wollen wir es noch mal versuchen?«

Björn horchte zweifelnd in sich hinein. »Ich weiß nicht, was ist. Ich will! Alle Anzeichen sind auf Sturm. Was ist nur los?«

»Vielleicht beschäftigt dich ja was, dann ist es deine Psyche.«

»Und wenn nicht?«

»Dann musst du zum Arzt.«

Björn antwortete nicht. Er fasste hinunter, aber er spürte schon, dass auch er selbst nichts ausrichten konnte. Sein Penis lag weich und warm in seiner Hand, wie ein fremdes Teil.

»Macht nichts«, sagte Nele. »Der erholt sich wieder. Das darf dir in zwanzig Ehejahren auch mal passieren.«

»Ist aber ein verdammt unangenehmes Gefühl!«

Für mich auch, hätte Nele gern gesagt, aber sie unterließ es. »Ja, das verstehe ich«, sagte sie stattdessen.

»Bist du wenigstens gekommen?«, wollte Björn wissen.

»Ja, bin ich. Siehst du, du hast ja immer noch einen Ersatzpenis«, versuchte sie zu scherzen, aber Björn konnte nicht darüber lachen. So lagen sie wach nebeneinander und suchten vergeblich Schlaf.

»Ich will mit dir schlafen.« Nele hatte die SMS gerade abgeschickt, da hätte sie sie gern rückgängig gemacht. Aber seit gestern Nacht wusste sie, dass es ernst war. Björn hatte eine andere. Und diesmal keine Denise als Nebenfrau auf Reisen, sondern eine ernsthafte Konkurrentin. So ernsthaft, dass er bei ihr keinen mehr hochbekam. Das nagte an ihrem Selbstwertgefühl und kostete sie Überwindung, sich im Spiegel genauer zu betrachten. Was war los? War sie unattraktiv geworden? Sie fand sich nicht verändert, aber alle sieben Jahre veränderte man sich ja angeblich. War sie nun in diesem berüchtigten siebten Jahr?

Enriques Antwort kam sofort. »Wo?«

Ja, über »wo« hatte sie noch nicht nachgedacht. In einem Hotel, dachte sie. Weit ab vom Schuss. Vielleicht gleich wieder in ihr Schlosshotel? Da war es doch recht heimelig und trotzdem anonym genug.

»Eine ganze Nacht?«, war die nächste Frage. Eine ganze Nacht? Dann brauchte sie ein Alibi. Eine ihrer Freundinnen, dachte sie. Aber das würde die Runde machen. Besser wäre vielleicht ein Geschäftsausflug? VHS auf Reisen? Betriebsfeier? Quatsch. Jasmin würde sie decken, das war sicher.

»Wann?«

Ja, wann.

Am liebsten gleich. Ihr war so weh ums Herz, dass sie eine Belohnung brauchte. Und die Belohnung steckte in Enriques muskulösem, jungem Körper. Warum nicht tagsüber? Das würde ihr Problem lösen. Mittagessen und ab in die Kiste.

Ihr Herz fing an zu hämmern.

»Mittagessen?«, schrieb sie.

»Mit Dessert!«, kam zurück.

»Ich hol dich ab. 12 Uhr, Parkplatz.«

»Avec plaisier«, schrieb er zurück.

Mit Freude, übersetzte Nele für sich, aha, Französisch konnte er also auch. Das ließ hoffen.

Björn trieb sich den ganzen Vormittag in der Stadt herum. Er war aufgewühlt und kannte sich selbst nicht mehr. Mal stand er vor einer Apotheke, um sich Viagra zu beschaffen, dann wieder vor einem Puff, um sich in professionelle Hände zu begeben. War er krank, oder hatte er nur einen psychischen Knacks? Und was war schlimmer? Er wollte, dass das defekte Teil ausgewechselt wurde, sofort. Aber es gab keine Ersatzteile für ihn, schon der Gedanke war ihm zuwider. Musste er jetzt mit dieser ständigen Befürchtung, keinen mehr hochzukriegen, leben? Einmal versagen, immer versagen? Er musste doch in den Puff. Wenn es dort nicht klappte, war es wenigstens eine Fremde, und er hatte für ihre Dienste bezahlt. Kurz dachte er an Denise. Aber was wäre das für ein Schlussakkord, wenn er schlaff neben ihr liegen würde? Er könnte sie um Strapse und High Heels bitten, das war immer ihr Ding gewesen, sie hätte sicher nichts dagegen. Aber er traute sich nicht, sie anzurufen. Und vor allem traute er seinem Penis nicht mehr.

Schließlich stand er vor der Adresse, zu der er seine Geschäftskollegen nach besonders guten Abschlüssen geschickt hatte. Bei manchen Nationalitäten gehörte so eine Einladung zum guten Ton. Der prickelnde Abschluss sozusagen. Er war nie dabei gewesen, sondern hatte nur die Kontakte hergestellt und die Rechnung übernommen. Vielleicht bekam er ja jetzt einen Bonus. Oder die Quittung, falls mich jemand fotografiert, dachte er und fuhr aus der Straße wieder hinaus. Eine Weile ließ er sich treiben und hoffte auf eine zündende Idee. Es hieß doch, dass man beim Autofahren gute Ideen bekam.

Oder beim Joggen. Aber offensichtlich war sein Unterbewusstsein stärker als seine Entscheidungskraft, denn sein Weg führte ihn zur Factory, wo die Fat Boy noch stand und auf seine Entscheidung wartete. Er blieb im Wagen sitzen und sah in das Schaufenster. Dort spiegelte er sich selbst in diesem seriösen schwarzen Auto. Sollte er hineingehen? Aber hatte er sich entschieden? Wollte er überhaupt noch eine Harley? Und konnte er sich die überhaupt leisten, falls er doch zahlte? Nein, er würde nicht bezahlen. Er würde jetzt nach Hause fahren, Nele alles beichten und mit ihr gemeinsam eine Lösung suchen. Das erschien ihm der ehrlichste, der beste Weg. Und wahrscheinlich kam danach auch seine Maschine wieder in Gang. Vielleicht war er eben doch sensibler, als er selbst von sich annahm.

Nele war zu allem bereit. Jetzt oder nie, dachte sie, während sie sich im Badezimmer zurechtmachte, duschte, rasierte, sich eincremte und zum krönenden Abschluss ihren Bauchnabel mit ihrem Lieblingsparfüm besprühte. Es ging nichts über einen geheimnisvollen Duft, dem man nachspüren konnte, fand sie und stand vor der Frage des Dessous für ein Nachmittagsabenteuer. Nicht zu aufdringlich, aber eben doch sexy. Nele entschied sich für ein schwarzes Spitzenhöschen mit schwarzem Spitzen-BH, der ihre Rundungen gut zur Geltung brachte. Sie hatte die Wäsche vor wenigen Jahren als Überraschung für Björn gekauft, aber schon damals hegte sie den Verdacht, dass ihm das noch nicht genug war. Deshalb hatte sie noch schwarze halterlose Strümpfe mit einer schönen Spitzenbordüre nachgekauft, bislang aber nicht gebraucht und für besondere Gelegenheiten in ihrer Schublade aufbewahrt. Jetzt war die besondere Gelegenheit da!

Nele betrachtete sich im Spiegel und lächelte sich zu. Das sah für 45 Jahre doch verdammt gut aus, dachte sie. Und wenn Björn sie wegen einer anderen verlassen sollte, dann hatte sie wenigstens die Erinnerung an einen außergewöhnlichen Nachmittag. Sie legte sich ein schwarzes, schlichtes Kleid aus Viskose zurecht, das sich gut an ihren Körper schmiegte und das sie mühelos abstreifen konnte. Frau Schäfer auf Abwegen, dachte sie beschwingt, während sie es überstreifte, ready for takeoff.

Björn stellte fest, dass sein Mut schwand, je näher er seinem Haus kam. Wie würde Nele reagieren? Was, wenn sie alles hinschmiss und auszog? Konnte ja sein. In letzter Zeit schlichen sie sowieso um einander herum wie zwei Katzen um den heißen Brei – konnte es sein, dass sie ihm etwas Entscheidendes sagen wollte, den richtigen Zeitpunkt aber noch nicht gefunden hatte?

Gerade war er in sein Wohnviertel eingebogen, da trat er auf die Bremse. Sie kam ihm entgegen. Ihr Gesicht wirkte jung und hell, ganz anders, als er es in letzter Zeit gesehen hatte. Sie fuhr an ihm vorbei, ohne ihn in dem BMW zu erkennen, und er sah ihr im Rückspiegel hinterher. Das konnte ja schlicht nicht sein. Wo wollte sie um diese Uhrzeit hin? VHS war heute nicht. Zu einer ihrer Freundinnen? Eine Alarmglocke klingelte in seinem Hirn, und er drehte um, so schnell er konnte. Frech schlängelte er sich im Verkehr der zweispurigen Straße nach vorn, bis er etwa hundert Meter vor sich ihren Golf sah. Jetzt musste er nur dranbleiben, dann würde sich das Rätsel schon lösen.

Nele fühlte sich rundherum wohl. Sie horchte in sich hinein. Hatte sie Gewissensbisse? Sie hörte nichts. Es wäre auch nicht gut, ein solches Liebesabenteuer mit Gewissensbissen zu beginnen, wo bliebe da der Genuss? Sie lächelte über ihre eigenen Gedanken und klappte die Sonnenblende herunter, um ihre Mimik und vor allem den Lippenstift im Spiegel zu überprüfen. Da sah sie ihn. Im Rückspiegel war er ihr nicht aufgefallen. Aber jetzt erkannte sie sein Gesicht durch die Windschutzscheibe seines großen Wagens. Er verfolgte sie. Das war ja ungeheuerlich.

Gut, dachte sie, das hatte sie auch schon mal gemacht. Und ihn verloren. Später hatte er behauptet, er sei zu seinem Pannenkurs gefahren. Zu diesem Pannenkurs, bei dem er Dana kennengelernt hatte. Schöner Pannenkurs, dachte sie. Überhaupt hing ihr die ganze Dana-Geschichte zum Hals heraus. Mal Björn, mal Alex, sollten sie sich das Mädchen doch teilen, dann würde sie einfach ein neues Leben beginnen. Nur für sich allein, ohne dieses ganze Familiengenerve. Gut. Sie klappte die Sonnenblende wieder hoch. Sollte sie Björn stellen?

Keine gute Idee, dachte sie. So wie sie aussah, war sie nicht zum Einkaufen unterwegs. Und er hätte sagen können, dass er sie zufällig entdeckt habe und einfach nur überraschen wollte. Sie musste ihn also abhängen. Aber Enrique? Der stand jetzt wartend auf dem Parkplatz. Nele griff zu ihrem Handy, aber in diesem Moment erkannte sie ihre Chance. Rechts neben ihr fuhr auf der Abbiegespur ein Lkw mit Anhänger. Eben schaltete die Ampel von Grün auf Gelb um, sie gab Gas und quetschte sich vor den Lkw, der mit lang anhaltendem Hupen antwortete. Ja, stimmt, dachte sie, das hätte auch ins Auge gehen können. Sie entschuldigte sich mit Handzeichen und sah den BMW weiter auf der Straße geradeaus fahren. So, dachte sie, und ihr Herz schlug schneller. Wahrscheinlich bog er die Nächste rechts ab, um auf ihre Straße zu kommen. Jetzt musste sie tricksen. Und sobald sie Enrique aufgelesen hatte, würde sie ihr Handy ausschalten. Wer wusste schon, ob Björn sie nicht vielleicht orten konnte? Auf seinen Überraschungsbesuch im Schlosshotel konnte sie jedenfalls gut verzichten.

Verdammt! Björn ärgerte sich. Er hatte sich von seiner eigenen Frau abhängen lassen. Sie, die zu der übervorsichtigen Spezies von Autofahrern gehörte, war ihm entwischt. Hatte sie ihn bemerkt? Er konnte sich das nicht vorstellen. Und was hätte sie auch für einen Grund gehabt, vor ihm zu flüchten? Das war absurd. Er bog die nächste Straße rechts ab. Irgendwo da musste sie schließlich herumfahren. Er würde sie schon wiederfinden, da war er sich sicher.

Aber die Herumkurverei machte ihn wütend. Eine halbe Stunde lang versuchte er, ihr Auto wiederzufinden. Die Supermärkte der Umgebung klapperte er ab, die Boutiquen, selbst vor den wenigen Restaurants, die er in dieser Gegend kannte, hielt er Ausschau. Schließlich nahm er das Handy. Sie war im Moment nicht erreichbar, lautete die knappe Botschaft. Das machte ihn nun erst recht zornig. Hatte sie etwas mit ihrem Sohn zu besprechen, was er nicht wissen sollte? Der wohnte in dieser Gegend. Blödsinn, dachte er gleich darauf. Sollte er Alex anrufen und nach ihr fragen? Noch blödsinniger, der würde das als ganz seltsam empfinden.

Wieso war er eigentlich so aufgebracht? Nur weil seine Frau irgendwohin fuhr? Das war doch ihr gutes Recht. Lag der Grund für seinen Zorn bei ihm selbst?

Ja, verdammt, dachte er und kannte nun sein eigentliches Ziel. Quer durch die Stadt fuhr er zum Schrottplatz.

Es war Mittagszeit, und das Büro an der Einfahrt schien leer. Das war ihm sehr recht, er fuhr langsam daran vorbei und verschwand in der langen Gasse, die direkt zum Vereinsheim führte. »The Big Five«, dachte er. Ich geb euch Big Five!

Er hatte mit nichts gerechnet, denn dass Joe erst später am Tag zurück wäre, das wusste er ja. Umso erstaunter war er, dass drei Harleys vor dem Bretterzaun standen. Und soweit er sie zuordnen konnte, gehörten sie Hanjo, Lesley und Gerd.

Er ließ den Wagen ausrollen, stieg aus und drückte die Wagentür möglichst leise hinter sich zu. Mal sehen, dachte er. So unbewaffnet in die Höhle des Löwen zu gehen war möglicherweise unklug. Aber hätte er sich deswegen einen Schlagring oder sonst eine Waffe zulegen sollen? Das erschien ihm lächerlich.

Die lose Kette baumelte am offenen Tor, und Björn drückte es langsam auf. Gut, dass sie keinen Hund haben, dachte er, so eine zähnefletschende Rockertöle würde ihm jetzt gerade noch fehlen. Die Tür des Vereinsheims war zu. Klar, heute wagte sich zwar die späte Aprilsonne heraus, aber die Temperaturen waren wenig frühlingshaft. Der Boden war matschig und voller Fußabdrücke. Perfekt, dachte Björn, so würden seine eigenen schon nicht auffallen. Er schlich zum nächsten Fenster. Vorsichtig spähte er hinein. Da waren sie. Jeder eine Flasche Bier in der Hand, standen sie in Leder, Ketten und schwarzen Halstüchern mit weißen Totenköpfen an der Theke. Zwei drehten ihm ihre mit den Jeanswesten geschmückten Rücken zu, einer stand ihm zugewandt. Es war Lesley, und er hätte Björn leicht sehen können, aber er sprach gerade wild gestikulierend auf die beiden anderen ein, die ihm ruhig zuhörten. Wie schade, Björn hätte zu gern gewusst, worum es ging. Um ihn? Wenn Joe eingeweiht war, wussten es diese Knaben hier sicher auch. Ob er die Eingangstüre einen Spaltbreit öffnen könnte? Es wäre doch verdammt interessant zu wissen, was sie da so leidenschaftlich verhandelten. Er duckte sich vom Fenster weg und schlich zur Türe zurück. Langsam drückte er die Klinke hinunter und hoffte, dass die Angeln nicht quietschten oder knarrten. Zentimeter für Zentimeter schob er vorsichtig die Tür auf. Lesley war gut zu hören, aber er sprach zu undeutlich und zu schnell. »Das wird er nicht tun. Beruhige dich!« Das war eindeutig Hanjo. »Der will keinen Skandal, da bin ich mir sicher!«

Wieder antwortete Lesley, für Björn aber völlig unverständlich. Gerd schüttelte den Kopf: »Das muss Joe entscheiden. Das ist nicht unsere Aufgabe.«

Björn vergrößerte den Türspalt. Aus dieser Position konnte er jetzt alle drei von der Seite sehen.

»Klar einer für alle, alle für einen!« Hanjo nahm einen tiefen Schluck aus seiner Flasche. Er hat wirklich ziemliche Pranken, dachte Björn. »Aus dem Grund stehen wir ja auch dazu.«

»Ich hätte einen Job zu verlieren!« Lesley zupfte nervös an seinem roten Zopf.

»Mach dir nicht in die Hosen!« Hanjos Stimme klang barsch. »Wir haben das gemeinsam beschlossen, wir ziehen das gemeinsam durch! Schluss, aus!«

»Es zieht«, sagte Gerd und drehte sich zur Eingangstür um.

Björns erster Reflex war, seinen Kopf zurückzuziehen. Aber es war schon zu spät, alle drei sahen in seine Richtung. Björn stieß die Tür auf.

»Guten Tag, die Herrschaften«, sagte er.

Lesley duckte sich. Befürchtete er, Björn könnte eine Knarre dabeihaben?

Hanjo stellte sich breitbeinig hin und verschränkte die Arme. »Das ist ja eine Überraschung«, sagte er.

»Ja, das fand ich allerdings auch«, entgegnete Björn. »Ich nehme mal an, da es ja offensichtlich um mich geht, bin ich zu dieser außerordentlichen Konferenz auch eingeladen?«

»Na, der hat ja Nerven.« Gerd stellte sein Bier mit einem lauten Knall ab.

»Und jetzt?«, wollte Björn wissen. »Wenn ihr auf mich losgehen wollt, bitte. Drei Altrocker gegen einen Banker, das wird sicher lustig!«

Lesley nestelte an seinem Rockertuch. »Da will niemand auf niemanden losgehen.«

Björn kam näher. »Dann könnt ihr mir bei einem Bier sicher ganz friedlich erklären, was das Ganze zu bedeuten hat?«

Während sich Lesley nach dem Kühlschrank umdrehte, wiegte Gerd den Kopf.

»Es ist nicht ganz unproblematisch, dass du jetzt hier auftauchst.«

»Ah! Für wen?«

»Das ist eine Sache zwischen Dana und dir.«

»So!« Björn wies mit dem Daumen in die Richtung des

Schlafzimmers. »Und die Fotos haben sich von selbst geknipst, oder was?«

»Das ist völlig unerheblich!«, sagte Lesley schnell. »Von der Sachlage her.«

»Und wie ist die Sachlage?«

»Warten wir doch, bis Joe kommt«, erklärte Gerd. »Das ist der richtige Sparringspartner für dich.«

»Wieso? Habt ihr keinen Mumm in den Knochen? Mit Ketten an den Handgelenken, Totenköpfen und schwarzem Leder, da braucht ihr einen Häuptling?«

»Das ist Deko«, erklärte Gerd. »Das gehört dazu. Sonst macht Harleyfahren keinen Spaß.«

»Also seid ihr gar keine so starken Jungs?«

Hanjo fixierte ihn und schüttelte langsam den Kopf. »Red doch nicht so ein Blech, du hast uns doch kennengelernt!«

»Eben nicht!«, widersprach Björn. »Hätte ich euch kennengelernt, hätte ich mich nicht auf euch eingelassen!«

»Du brauchst jetzt nicht den Oberschlauen zu spielen.«

Björn schwieg und überlegte. Das hier war keine Aufsichtsratssitzung. Die hier musste er anders packen.

»Also, wieso? Einer für alle, alle für einen, ihr müsst doch wissen, was ihr tut. Oder was einer von euch tut!«

»Wissen wir auch!«, sagte Lesley trotzig.

»Warum diese Erpressungsaktion? Was wollt ihr mit dem Geld?«

»Besprich das mit Joe!«

»Ich denke nicht daran. Ich will jetzt eine Antwort von euch! 250 000 Euro – für was? Für ein paar läppische Sexfotos, wo es noch nicht mal Sex war? Da lacht sich doch jeder tot!«

Lesley warf Hanjo einen unsicheren Blick zu. So groß und stark dieser Mann ist, dachte Björn, und so mutig er mit seinem roten Pferdeschwanz sein will, er ist das schwächste Glied in dieser Kette.

»Oder, Lesley«, sprach er ihn direkt an, »was denkst du?«

»Lesley denkt nicht.« Diese Stimme kam von hinten. »Lesley handelt!«

Björn drehte sich um, Joe stand in der Tür.

»Ich habe mir schon gedacht, dass du nicht Däumchen drehst und zu Hause sitzt!« Er kam auf Björn zu und reichte ihm die Hand. Björn zögerte. »Glaubst du, ich sollte da jetzt einschlagen? Als guter Freund? He, ihr erpresst mich!«

»Das eine ist das eine und das andere das andere.«

»Ah, gut. Dann weiß ich wenigstens, wo Dana diesen bescheuerten Satz herhat.«

Joe lachte. Sein breites Gesicht legte sich in unzählige Falten, und seine kleinen Mausezähne blitzten unter seinem Bart hervor. Björn konnte nicht anders, er fand ihn trotz allem sympathisch.

»Es ist die bescheuertste Situation, die man sich wohl vorstellen kann«, sagte er. »Ihr wollt 250 000 Euro von mir für ein paar läppische Schmuddelbilder …«

»Sag nicht Schmuddelbilder. Das sind exzellente Fotos von hohem künstlerischen Wert!«, unterbrach ihn Joe. »Gib mir ein Bier, Lesley.«

»Bin ich dein Leo?«

»Nein, mein Lesley. Mach schon!«

Lesley reichte ihm ein Bier, verzog dabei aber unwillig das Gesicht. »Danke!« Joe wandte sich Björn zu. »Also, Kumpel, das Ganze geht nicht gegen dich. Das habe ich dir ja schon gesagt. Wir brauchen einfach deine Kohle, sonst nichts.«

»Sonst nichts ist gut. Das ist mehr, als ich habe!«

»Du bist Banker! Du hast Mittel und Wege!«

»Ja, Mittel und Wege, um euch schnellstmöglich einen Kredit zu verschaffen, oder was meinst du damit?«

Joe sah sich kurz um. »Kann ich mich auf euch verlassen?«

Alle drei nickten.

»Tom kommt nachher auch noch«, erklärte Hanjo.

»Gut.« Joe drehte sich wieder zurück. »Es gibt da bestimmte

Uhrzeiten, zu der etliche Supermärkte täglich ihre Einnahmen bei euren Filialen abliefern, bis der Geldtransporter die Kohle abholt.«

»Wie bitte?« Björn stellte sein Bier ab. »Ihr seid ja noch krimineller, als ich dachte!«

Joe runzelte die Stirn. »Diese Aktion ist easy. Wir brauchen nur die richtige Filiale und die genaue Zeit. Das bringst du mit deinen Kontakten leicht heraus. Wir brauchen exakt diese halbe Stunde zwischen Anlieferung und Abtransport.«

»Ihr wollt eine Bank überfallen?«

Björn hätte am liebsten gelacht, so abenteuerlich war dieser Gedanke. »Wollt ihr denn alle in den Bau?«

»Wir hätten das entsprechende Fahrzeug, auch die Klamotten, wir sind einfach etwas früher dran als sonst.«

Björn schüttelte ungläubig den Kopf. »Und woher willst du wissen, dass es genau 250 000 Euro sind?«

»Wegen zwei Euro fünfzig fährt ein Geldtransporter nicht los. Wird also schon was zusammenkommen.«

»Schwachsinn!« Nein, so groß war der Schwachsinn gar nicht, dachte er. Theoretisch wäre es sogar möglich.

»Denk drüber nach!« Joe prostete ihm zu. »Du weißt schon, dass etliche Schmuddelblätter gern einen hoch angesehenen Bankdirektor mit außerehelichen Aktivitäten abdrucken würden?«

»Na und?«, fragte Björn. »Hast du nicht eben selbst gesagt, das sei hohe Kunst? Kunst kann nie schaden!«

»Das riskierst du nicht.«

»Ich bin nicht mehr im Dienst, was soll mir passieren?«

»Du kannst dich nirgendwo mehr sehen lassen.«

»Da, wo so ein Thema interessant ist, möchte ich mich ohnehin nicht sehen lassen.«

»Deine Frau wird dich verlassen!«

»Meine Frau verlässt mich ohnehin …« Björn sah ihr strahlendes Gesicht vor sich. Und er spürte einen Kloß im Magen.

War es so? Hatte er etwas ausgesprochen, das sowieso auf ihn zukam?«

»Denk drüber nach!« Joe hielt ihm sein Bier zum Anstoßen hin. »Es ist einfach nur so, dass wir das Geld brauchen.«

»Und wann bist du auf diese Idee gekommen?« Björn stieß mit ihm an. Er konnte nicht anders, er konnte sich nicht mal aufregen. Irgendwie war das hier wie ein großes Possenspiel, das ihn in Wahrheit gar nichts anging.

»Du hast mir in Daytona deine Visitenkarte gegeben, die habe ich erst mal eingesteckt. Erst später habe ich sie gelesen. Dein Beruf und deine Stellung. Da kam die Idee.«

»Und Dana musste in die Opferrolle. Sie musste dafür herhalten. Schämst du dich nicht?«

»Es *ist* für Dana. Was du also tust, tust du direkt und auch indirekt für Dana!« Er machte eine umfassende Handbewegung. »Und wir hier auch!«

Dass sie ihren Mann abgehängt hatte, hob ihre Stimmung noch mal enorm. Er, der so viel auf seine Fahrkünste hielt und sie immer als zu zögerlich abstempelte, er hatte sich von ihr austricksen lassen. Sie war gut, einfach gut.

Auch Enrique fand, dass sie ausgesprochen gut aussah.

»Ich bin obendrein super gelaunt«, sagte sie und schenkte ihm ein strahlendes Lächeln.

Er beugte sich während der Fahrt zu ihr hinüber und küsste sie auf die Wange. Sein Duft war betörend. Sie spürte die Vorfreude. Ja, sie freute sich auf ihn. Sie freute sich darauf, von einem Mann begehrt zu werden, der viele andere, viel Jüngere hätte haben können. Sein Zeigefinger fand ihre Kniescheibe, umkreiste sie langsam und begann an ihrem Schenkel höherzusteigen.

»Stopp!«, sagte Nele und lachte. »Ich muss mich wenigstens halbwegs aufs Fahren konzentrieren.«

»Mit dem Bein musst du doch nur Gas geben.«

»Genau! Vollgas! Danach ist mir jetzt!«

Sie kamen schneller an als beim letzten Mal, jedenfalls kam es Nele so vor. Vielleicht, weil beim letzten Mal so viel Ungewissheit mitfuhr und trotz allem manch banger Gedanke. Das war jetzt alles weg. Sie hatte sich entschieden, ihre Chance zu nutzen und diesen Nachmittag zu genießen, komme, was wolle.

In der Hotelhalle sah sie ihn an. Er ging aufrecht neben ihr und bemerkte ihren Blick.

»Ja?«, fragte er.

»Restaurant? Oder sollen wir uns etwas aufs Zimmer bringen lassen?«

Ein wissendes Lächeln umspielte seinen Mund. »Etwas?«

»Ich dachte an eine Flasche Champagner und einige Kanapees?«

Er legte seinen Arm um ihre Schultern. »Sind wir denn schon angemeldet?«

»Klar. Ein Doppelzimmer für heute Nacht.«

»Heute Nacht?«

»Für ein paar Stunden konnte ich schlecht sagen.«

»Sag mir was anderes.«

»Was?«

»Etwas, was du jetzt von mir willst.«

»Deine Hand auf meinem Busen.«

»Meine Hand? Nur meine Hand?«

Sie gingen nebeneinander langsam auf die Rezeption zu.

»Und dein Mund. Deine Zunge.«

»Und wo ist meine Hand?«

»Dein kleiner Finger spielt in meinem Bauchnabel. Das mag ich. Das erregt mich.«

Sie brach ab. Eine junge Frau sah von ihrem Monitor auf. »Ja, bitte, was kann ich für Sie tun?«

Zehn Minuten später betraten sie ein großes Zimmer, cremefarbene Wände, cremefarbener Teppichboden, creme-

farbene Vorhänge aus reiner Seide. Nur das Bett, das beherr-
schend mittig an der Wand stand, hatte einen schokoladen-
braunen Überwurf.

Mit einem Handgriff zog Enrique die Tagesdecke herunter.
In der Bewegung drehte er sich um und ging zu Nele, die abwartend in der Tür stehen geblieben war, nahm sie hoch und
legte sie sacht auf dem Bett ab. Seine Hand strich auf ihrem
Bein nach unten, langsam zog er ihr erst den einen, dann den
anderen Schuh aus. Sein Mund küsste die Zehen und glitt
genießerisch höher, spielte mit der Kniescheibe, bis er an den
Spitzensaum des Strumpfes kam. Nele hielt die Luft an. Der
Übergang war phantastisch. Erst spürte sie seine Zunge durch
die Nylons, dann durch die Spitze und jetzt auf der bloßen
Haut, ihrem Höschen entgegen. Seine beiden Hände schoben
ihr Kleid langsam höher, und Nele schloss die Augen. Gleich
war er am Ziel. Sie spürte seinen Atem, die Wärme seines Ge-
sichts, den Finger, der unter ihren Slip fuhr und sie sacht streichelte, nicht aufdringlich, sondern spielerisch, während die
andere Hand den Slip langsam nach unten zog. Nele spürte,
wie sie nass wurde, ohne dass noch überhaupt etwas passiert
war. Er spielt mit meiner Erwartung, dachte sie plötzlich, er
schlägt die leisen Töne an, horcht auf die Schwingungen und
spielt dann weiter. Es war unbeschreiblich. Die Innenflächen
ihrer Schenkel begannen zu zittern. Doch noch war er nur da.
Sie spürte seine Zunge, seine Finger, sie spürte den ganzen
Mann, aber er hielt sich zurück. Er war bei ihr, nicht in ihr.
Nele fieberte. Sie spürte, wie sich ihr ganzer Körper gegen
ihn presste. Sie brauchte mehr. Sie wollte mehr! Sie musste
mehr haben.

»Kommst du?«, forderte sie leise. »Komm weiter!«

Seine Zunge fand ihren Kitzler. Seine Finger umkreisten
ihre Scham. Sie glaubte, ihr Blut rauschen zu hören. »Nimm
mich!«, flüsterte sie, denn jetzt begann ihr Körper zu zittern.
Ihr Rhythmus wurde schneller, seine Zunge kam tiefer, und

plötzlich war ein Finger da, und als er ganz in sie eindrang, schrie sie auf, und kurz danach explodierte sie.

Nele öffnete die Augen. Er hatte nur die Hose geöffnet. Ansonsten war er noch völlig angezogen.

»Ein kleines Vorspiel«, sagte er, stand auf und schloss seine Hose wieder. »Es klopft an der Tür.«

Nele schwang sich vom Bett und flüchtete ins Badezimmer. Ihr Puls hämmerte noch. Es war eine völlig neue Art von Liebesspiel, dachte sie. Das war ein wirkliches Liebesspiel. Nicht einfach auf sich losgehen, sondern sanfte Töne anschlagen. Wieso kam sie ständig auf Musik? Der Vergleich war passend, dachte sie gleich darauf. Die Ouvertüre. Sie zog ihr Kleid herunter, horchte an der Tür, hörte die Verabschiedung und ging auf Strümpfen zurück.

Ein Servierwagen stand im Zimmer. Auf dem hellen Tischtuch standen zwei gefüllte Champagnergläser neben dem Kühler, dazu eine kleine Silberplatte mit belegten Kanapees, einer großen Weintraube und einer Auswahl an Früchten. Alles sah höchst appetitlich aus, nur, Nele verspürte überhaupt keinen Hunger.

Enrique stand im weißen Hemd da und reichte ihr ein Glas.

»Auf unser Kennenlernen«, sagte er.

Ja, das ist in der Tat ein Kennenlernen, dachte Nele. »Auf unser Kennenlernen«, gab sie zurück und stieß mit ihm an. Kaum hatte sie den Champagner im Mund, war er auch schon da. Die Flüssigkeiten vermischten sich beim Kuss, und wieder hob er sie hoch und trug sie zum Bett. Er legte sie ab und zog die Vorhänge zu. Das Licht wurde gedämpfter, und er begann sich vor ihren Augen auszuziehen. Als er seinen Ledergürtel aus den Schlaufen zog und vor ihren Augen baumeln ließ, spürte sie, wie ihre Körpersäfte sich wieder sammelten. »Schau ihn genau an«, forderte er sie auf, und Nele fragte sich, weshalb sie so darauf reagierte. Dann legte er den Gürtel neben sie auf das Laken und begann, sie Stück für Stück auszuziehen.

Selbst die Strümpfe rollte er einzeln hinunter. Behutsam. Sinnlich. »Du bist schön«, sagte er, als sie nackt vor ihm lag. Sein Zeigefinger fuhr zwischen ihren beiden Brüsten hindurch bis zum Bauchnabel, von dort kreisend über ihre beiden Hüftknochen bis zur Scham.

Er legte sich neben sie und hob sie über seine Hüften. Sie kniete über ihm und sah unter sich sein aufgerichtetes Glied. Er reichte ihr den Gürtel, und sie rieb sich damit zwischen den Beinen, erst langsam, dann immer schneller. Mit den Händen hielt er ihre Hüften, bis sie vor Lust aufschrie, den Gürtel zur Seite warf und direkt auf ihn fiel. Sein Glied in sich spürend, war sie der Raserei nah. So kannte sie sich nicht, aber das war auch sie. Alles war sie. Auch diese zweite heftige Explosion war sie. Noch nie in ihrem Leben war sie so ausgelaufen. Hatte sie vorher nie geliebt, oder was war los?

Als das Beben in ihr verebbte und ihr Körper ruhiger wurde, rollte sie sich in seinen Arm.

»Und du?«, fragte sie.

»Und ich?«, wiederholte er. »Was meinst du?«

»Du hast doch noch gar nichts bekommen.«

»Ich habe nichts bekommen?«

»Ja, alles dreht sich doch um mich!«

»Und da meinst du, ich bekomme nichts?«

»Na ja …« Sie dachte an Björn. Der hatte es schon mal gern, wenn er sich nur auf den Rücken zu drehen brauchte und sich von ihr oral bedienen ließ.

»Ich bekomme genug!« Er richtete sich auf und beugte sich über sie. »Aber erst hole ich etwas zu trinken. Bei so viel Flüssigkeitsverlust musst du nachtanken.«

Er lachte, und Nele konnte es nicht glauben: Da lag sie mit einer 28-jährigen männlichen Schönheit im Bett und hatte die Orgasmen ihres Lebens.

Als sie abends nach Hause fuhr, hatte sie überhaupt keine Lust, jemanden zu sehen. Sollte ihr Björn über den Weg laufen, würde sie sich eine Krankheit ausdenken. Vorzugsweise ansteckend. Aber das Haus lag im Dunkeln. Das hatte sie sich schon gedacht. Ihr Herr Gemahl hatte ja andere Interessen. Sie drückte das Garagentor auf und zuckte zusammen. Der BMW stand da, exakt an die rechte Wand geparkt.

Er war da. Wie blöd. Was sagte sie nun? Wo war sie hingefahren, als er sie verfolgt hatte? Und vor allem musste sie sich umziehen, bevor er sie sah. Ihr drang der Sex aus allen Poren. Wahrscheinlich roch sie trotz Duschen danach. Sie war körperlich noch so bei Enrique, sie könnte noch nicht mal eine einfache Streicheleinheit ihres Ehemanns ertragen.

O Gott, dachte sie, bin ich jetzt meinem Schüler verfallen? Quatsch. Sie rief sich zur Ordnung, stellte ihren Wagen in der Doppelgarage fein säuberlich neben den BMW und schlich sich ins Haus. Vielleicht schlief er ja schon. Oder war mit dem Taxi weg. Alles war möglich.

Björn saß im dunklen Wohnzimmer. Er hatte die Abenddämmerung gesehen, die rot über die Hecke kam, und war sentimental geworden. Vielleicht lebte die Amsel ja wirklich nicht mehr, dachte er. Irgendwie kam sie ihm plötzlich sinnbildlich für sein Leben vor. War nicht auch er ein Mensch, der viel Schaden angerichtet hatte? Wie viele hatte er im Lauf seines Berufslebens über die Klinge springen lassen? Nur wer nach rechts und links beißen konnte, kam nach oben. Und er war clever gewesen, das wusste er. Er konnte brillant spielen, reizen und gewinnen. Es war wie beim Schach. Lies die Züge deines Gegners, und sei eine Spur schneller. Das war er immer gewesen. Ohne Rücksicht auf Verluste. Und auch dieses kleine Risikogeschäft, das sie ihm später hatten anlasten wollen, ja, es war Risiko … und es hätte für die Bank genauso gut profitabel ausgehen können. Und ob deswegen sein Ruf gelitten hatte? Manche munkelten davon, aber es laut auszusprechen hatte sich keiner getraut. Was sollte es also. Sein Lebensabend würde nicht ärmlich verlaufen, so viel war jedenfalls klar.

Er hörte Neles Wagen in die Garage fahren. Dann kam sie ins Haus, und ihm fiel ihre neue Art auf, sich möglichst geräuschlos durch das Haus zu bewegen.

»Du kannst ruhig hereinkommen«, sagte er.

Nele erschrak. Und sie erschrak über sich, dass sie erschrak.

»Magst du noch ein Glas Wein mit mir trinken?«, fragte er in die Dunkelheit hinein.

»Was machst du denn da?« Nele tastete sich zur Wohnzimmertür vor, vermied aber, Licht zu machen.

»Ich denke nach. Übers Leben. Über dich, über mich, über alles.«

Über alles, das stimmte. Auch über sich. Aber über Nele hatte er nicht nachgedacht. Es hörte sich jetzt nur gut an.

»Aha.« Gut, dachte sie. Die Dunkelheit schützte sie vor schwierigen Fragen. »Hast du schon was zum Trinken?«

»Ein leeres Whiskeyglas.«

»Und du magst jetzt Wein?«

»Wein, Gin, Whiskey, Rum, alles ist gut.«

»Okay.« Nele ging hinaus in die Küche. In der Speisekammer lagen immer einige Rotweine, die den Weg vom Keller nach oben gefunden hatten, und es gab auch Gläser. Nicht die edlen feinwandigen aus dem Wohnzimmerschrank, aber ganz normale Rotweingläser. Sie öffnete die Flasche, füllte zwei Gläser, klemmte sich die Flasche unter den Arm und tastete sich durch die Dunkelheit ins Wohnzimmer.

»Wieso machst du eigentlich kein Licht?«

»Ich will deine Stimmung nicht stören«, antwortete sie gedankenschnell.

Er schwieg. Was soll's, dachte er. Auch sie ist nicht unfehlbar. Wenn es nicht gerade dieser Spanier ist, dann soll es mir egal sein. Auch sie ist ja eigentlich nur eine Amsel. Ihr Leben ist kostbar.

Der Gedanke belustigte ihn, und er griff nach dem Glas, das Nele ihm entgegenstreckte.

»Bist du zufrieden mit deinem Leben, Nele?«, wollte er wissen.

Nele balancierte ihr Glas und setzte sich ihm gegenüber auf das Sofa. »Zufrieden?«

»Ja. Gibt es etwas, das du in deinem Leben vermisst?«

Liebe, dachte sie. Zärtlichkeit. Zuhören. Zweisamkeit.

»Z Z Z«, sagte sie.

»Was heißt Z Z Z?«

»Zärtlichkeit, Zuhören, Zweisamkeit.«

Er schwieg.

»Und du?«, fragte sie.

»A A A!«

»A A A?«

»Aufmerksamkeit, Achtung, Abenteuer.«

»Das ist nicht dein Ernst.«

Er überlegte. »Vielleicht nicht. Es hat nur gerade so gut zu Z Z Z gepasst.«

Es war kurz still.

»Wie ist es mit F wie Fremdgehen?«, fragte er.

Nele biss sich kurz auf die Lippen.

»Was soll damit sein?«

»Ist das für dich ein O wie Option?«

»Oder ein D wie Denise?«

Es war wieder still.

»Wo kommst du eigentlich gerade her?« Seine Stimme war dunkel.

»Das willst du nicht wirklich wissen.«

Sie sahen einander durch die Dunkelheit an. »Und du?«, fragte sie zurück.

»Das willst du nicht wirklich wissen.«

»Und wenn wir es beide voneinander wissen sollten?« Nele dachte, dass jetzt vielleicht eine gute Gelegenheit wäre, ihr Leben wieder in Ordnung zu bringen.

»Gut, wenn du es wissen willst, ich werde erpresst.«

Nele wäre fast das Glas aus der Hand gefallen. Sie hatte an eine Sexbeichte gedacht, irgendwas, das vorgefallen war und das sie momentan großzügig verzeihen konnte.

»Erpresst?«, wiederholte sie, und sofort kamen ihr Juttas Worte in den Sinn. »Hat es mit der Bank zu tun?«

Eine Weile war es ruhig. Beängstigend ruhig, fand Nele.

»Wie kommst du darauf?«

Konnte Nele Jutta ins Spiel bringen? Nein, dann hätte er einen ewigen Pick auf sie, das wäre bei jeder Begegnung ungut.

»Ich dachte nur. Was könnte es sonst sein?«

»Fotos. Fotos von mir beim Sex.«

Diesmal horchten sie beide gebannt in die Dunkelheit. Nele, weil sie über diese Kurzformel völlig baff war, und Björn, weil er sich nicht sicher war, wie sie reagieren würde.

»Fotos beim Sex also«, wiederholte sie schließlich.

»Sagte ich ja bereits.«

»Spiel dich nicht so auf!«

Sie hörte, wie Björn einen Schluck aus seinem Glas nahm. »Es ist kein Witz«, sagte er. »Sie wollen 250 000 Euro.«

»250 000 Euro.« Nele rechnete sich im Stillen aus, was das alles war. Mindestens fünf neue Autos für Alex, die er alle an die Wand fahren konnte. Und da machte Björn bei einem ein solches Aufheben.

»Und wieso?« Sie besann sich. »Wer erpresst dich?«

Es kam keine Antwort, da dämmerte es ihr. »Dein sauberer Harleyclub hat dich reingelegt.«

Die Stille in der Dunkelheit war ganz besonders, fand Nele. Plötzlich hörte sie Dinge, die sie nie gehört hatte. Das Surren der Heizung, das leise Kratzen eines Zweiges an der Fensterscheibe und das Ticken der Standuhr, die sie aus diesem Grund in den ersten Stock verbannt hatte.

»Vielleicht haben sie mich gar nicht reingelegt«, sagte er, und es hörte sich in Neles Ohren so an, als würde er wirklich darüber nachdenken. Ernsthaft. Komisch, dachte sie. Jahrelang hatte sie versucht, ihre Beziehung intensiver zu gestalten, und jahrelang war es an seinen Businessausflüchten gescheitert. Seine Sprache war nie ihre Sprache gewesen. Und jetzt das.

»Wie meinst du das?«

Björn dachte an Dana. Und an die Begegnung mit ihrer Großmutter. Und an das heutige Gespräch mit Joe, nachdem die erste Aufregung abgeklungen war.

»Ich weiß nicht, wo ich anfangen soll.«

Nele schlüpfte aus ihren Schuhen und zog ihre Beine hoch. »Wir haben Zeit«, sagte sie. Und nach einer sehr langen Stille, während der Nele glaubte, die leisen Bewegungen der Holzbalken im Dachfirst hören zu können, begann Björn zu erzählen.

Nele wurde von Minute zu Minute aufmerksamer. Da hatte sich ihr lieber Mann ja ganz schön reingeritten. Mit dem geplanten Banküberfall endete seine Geschichte.

»Und weiter?«, fragte Nele und streckte ihre Beine aus, die ihr fast eingeschlafen waren.

»Weiter geht nicht. Weiter ist, dass wir beide gerade hier sitzen.«

»Banküberfall.« Nele schüttelte den Kopf. »Der nächste Überfall wird hier stattfinden!«

»Wie meinst du das?«

Nele erzählte von ihrer Begegnung mit Alex. Dass er diese Frau so liebe und zum Beweis seiner Liebe Dana nun endlich seinen Eltern vorstellen wolle. In der Bonzenvilla.

»Ist nicht wahr …«, sagte Björn.

»Das ist wohl wahr!«

»Wie kommen wir aus diesem Schlamassel wieder raus?«

»Verreisen?«

Björn musste lachen. »Auf unbestimmte Zeit. Wunderbarer Gedanke!«

Sie schwiegen wieder eine Weile.

»Weißt du«, sagte er schließlich, »der Gedanke, dass dieser Waschmüller für das Elend dieser alten Frau verantwortlich ist, lässt mich nicht los.« Er überlegte. »Nun ist so ein Gefühl ja doppelt seltsam, weil ich sicher auch das eine oder andere angerichtet habe. Aber nur bei Institutionen. Da stand Kapital gegen Kapital. Aber doch nicht gegen einzelne Menschen!«

»Vielleicht hingen bei dir ja auch einzelne Menschen dran …«

Sie griffen beide zu ihren Gläsern.

»Bin ich also der Wolf im Schafspelz?«

»Zumindest ein Wolf«, sagte sie.

»Verdammt, Nele, seit dieser Geschichte von heute Mittag denke ich die ganze Zeit, dass ich etwas unternehmen muss. Ich weiß aber nicht, was.«

»Also«, versuchte Nele sich zu konzentrieren. »Es geht um die Großmutter von Dana, habe ich das richtig verstanden? Die hat durch diesen Betrüger ihre gesamten Ersparnisse verloren. Musste deshalb in diesen Plattenbau ziehen, lebt von der Sozialhilfe und ist nun auch noch krank. Aber die Operation, die ihr helfen könnte, kostet Geld und wird von der Kasse nicht übernommen.«

»Sie hätte diese Operation locker bezahlen können, wenn dieses Schwein ihr nicht ihre gesamte Altersvorsorge abgenommen hätte.«

»Also geht es bei den 250 000 Euro um eine soziale Tat. Im weitesten Sinne, meine ich.«

»So sieht es aus.«

»Und dafür musstest du mit der armen Dana schlafen.«

»Hör auf, Nele!«

»Lass das bloß nicht unseren Sohn hören!«

»Hm!« Sie hörte Björn nur grummeln und wieder nach seinem Glas greifen.

»Wenn dieser Waschmüller am Elend dieser Frau schuld ist, warum holst du das Geld dann nicht einfach von seinem Konto?«

Es war still. Draußen, vor den Fenstern, riss die dunkle Wolkendecke auf, und ein blasser Mond kam zum Vorschein. Sie sahen einander an.

»Weißt du, Nele, du hast mich da auf eine Idee gebracht. Es ist zwar illegal, aber unter Dieben ist Diebstahl wahrscheinlich legal.«

»Hört sich gut an.«

»Sagst du mir jetzt noch, wo du heute Nachmittag warst?«

»Nein.«

»Nein?«

»Morgen. Jetzt muss ich erst die Geschichte mit Dana verdauen.«

»Da war nichts.«

»Siehst du, und heute Nachmittag war auch nichts. Da könnten wir doch einfach nichts gegen nichts streichen.«

Sie saßen sich im bequemen Hausdress beim Frühstück gegenüber. Sie hatten nah aneinandergekuschelt geschlafen, und zum ersten Mal seit Langem war die Stimmung wieder entspannt. Sie scherzten und lachten und fühlten sich einander nah. Nele hatte Spiegeleier mit Speck, Tomaten und Käse gebraten, und Björn kämpfte gerade mit einem langen Käsefaden an seiner Gabel. Nele sah ihm zu und musste lachen. »Ist schon interessant, wie sich unser Leben verändert hat«, sagte sie.

»Ja!« Er nahm seinen Zeigefinger zu Hilfe. »Nichts mehr, wie es war. Du schleichst nachts in Abendkleidern herum, und ich feiere Rockerpartys.«

Sie lachte wieder. »Na, Abendkleider sehen anders aus. Das war eigentlich mein Strandkleid.«

»Im Winter.«

»Im Frühling!«

»Na ja.« Er zögerte. »Sollten wir uns ein Haustier zulegen?«, fragte er. »Einen Hund vielleicht?«

»Der mit dir Motorrad fährt?«

»Warum nicht?«

Nele schenkte sich ein Glas Orangensaft ein.

»Willst du die Harley überhaupt noch kaufen?«

»Ich weiß nicht.« Björn kaute genüsslich. »Ich muss mal schauen, wie sich alles entwickelt.«

Nele betrachtete ihn. Das hätte es früher auch nie gegeben, dachte sie. Björn war stets penibel auf sein perfektes Aussehen bedacht gewesen. Jetzt saß er in Sweatshirt und Jogginghose da, unrasiert, aber bestens gelaunt.

»Ich habe nachgedacht«, sagte er. Das war ein Satz, der bei Nele sofort ein schlechtes Gefühl auslöste. Über all die Jahre hatte es in irgendeiner Form Stress gegeben, wenn Björn »nachgedacht« hatte.

»Wenn wir an Waschmüllers Geld wollen, brauchen wir Jutta dafür.«

»Jutta?«

»Ja, sie ist die Kundenbetreuerin in unserer Bank.«

»Und was soll sie tun? 250 000 Euro von Waschmüllers Konto abheben? Das fällt ja gar nicht auf …«

»Nein. Es gibt da einen eleganteren Weg. Aber ich muss sie überzeugen, dass es für eine gute Tat ist. Das heißt, du musst sie überzeugen. Es ist deine Freundin.«

»Also«, Nele zog die Stirn kraus, »mein Mann wird erpresst, weil er sich bei sexuellen Handlungen hat fotografieren lassen, und meine Freundin soll dafür ein Bankkonto manipulieren? Findest du das nicht etwas gewagt?«

»Wer nichts wagt, der nichts gewinnt.«

Nele lehnte sich zurück. »Also, ich weiß nicht.«

»Lade sie doch heute Abend zu uns ein.«

»Hierher? Das wird ihr gleich komisch vorkommen.«

»Wieso? Lädst du deine Freundinnen nie zu uns ein?«

Nele dachte nach. »Seitdem du zu Haus bist, nicht mehr«, gab sie zu.

»Bin ich so ein Monster?«

Sie zog nur eine Augenbraue hoch und sagte nichts.

»Und wollen wir heute Mittag etwas gemeinsam unternehmen?« Er lächelte ihr zu.

»Es ist Samstag«, sagte sie. »Wonach steht dir der Sinn? Baumarkt?«

»Ich und Baumarkt!«

»Ja, eben. Wir sollten ein bisschen was für den Garten einkaufen. Für heute und die nächsten Tage ist gutes Wetter angesagt, jetzt kommt der Frühling. Aber der Garten sieht wild aus. Wir könnten schon einiges pflanzen, wir brauchen Blumenerde, außerdem hat der Rasenmäher eine Macke, wenn ich mich richtig erinnere, und die Gartenschläuche müssten mal gecheckt werden, die kann man auch schon wieder anschließen. Und die Bäume und das Buschwerk müssen geschnitten –«

»Halt, halt«, unterbrach Björn, »haben wir für so etwas nicht einen Gärtner?«

»Ich bin der Gärtner, komm, Liebling, das schaffst du schon!«

»Ich dachte eigentlich an eine andere Art von Unternehmung.«

»Was denn?«

»Eine Spazierfahrt irgendwohin, einen kleinen Spaziergang, vielleicht an einem See entlang? Wir könnten uns aber auch noch mal die Harley anschauen, mit der ich liebäugle.«

»Die hab ich doch schon gesehen!«

»Vielleicht willst du ja mal drauf sitzen?«

»Ich? Auf einem Motorrad? Nie!«

»Gut. Jetzt frag mal deine Freundin, ob sie heute Abend kommen möchte, und davon machen wir den Rest abhängig.«

Zu Neles großem Erstaunen sagte Jutta spontan zu. »Prima. Ich war schon lange nicht mehr bei euch. Wer kommt noch? Hast du für mich einen knackigen, jungen Mann eingeladen?«

Nele dachte sofort an Enrique. »Solche Exemplare laufen mir leider nicht über den Weg«, erklärte sie.

»Heißt das etwa, ich muss mir selbst einen mitbringen?«

»In Wahrheit hat Björn etwas mit dir zu besprechen.«

»Mein Exchef? Da bin ich aber gespannt.«

»Er war ja nicht dein direkter Chef.«

»Direkter Vorgesetzter nicht, aber indirekt natürlich schon.«

Tja, damit hatte sie natürlich recht.

»Und was kochst du?«

»Darüber habe ich noch nicht nachgedacht.«

»Oder grillen? Der Tag ist so schön.«

»Gute Idee.« Also doch Baumarkt, dachte Nele, denn auch die Gasflasche für den Grill war leer.

Sie hatten sich geeinigt: zuerst Baumarkt, dann Harley schauen. Björn war ständig darauf gefasst, jemanden aus der Gang zu treffen, aber zwischen all den vielen Harleyliebhabern konnte er kein bekanntes Gesicht entdecken. Joes Maschine war bereits fertig repariert, hieß es, die Rechnung sei schon auf dem Weg zu ihm

Nele konnte trotz allem nichts Besonderes an der Harley entdecken. Sie fand die Fat Boy zwar besser als die anderen Motorräder, zumindest in den Farben und der Form zurückhaltender, aber so richtig begeistern konnte sie sich trotzdem nicht. »Da geht es doch gar nicht nur um die Maschinen«, sagte sie angesichts der riesigen Auswahl an Kleidung, Helmen, Handschuhen, Tüchern und Ketten.

»Lederhandschuhe mit Dornennieten!« Sie hob ein Paar davon mit spitzen Fingern empor. »Würdest du dir darin nicht albern vorkommen?«

»Das musst du wie Indianerspielen sehen«, erklärte Björn. »Wenn du im gepflegten Boss-Poloshirt Harley fahren willst, passt das halt nicht so richtig. Ein Indianer kommt ja auch nicht in Lackschuhen.«

»Na, ich weiß nicht.«

Ihr Handy meldete eine SMS. Zunächst wollte sie gar nicht nachsehen, denn sie befürchtete, sie könnte von Enrique sein.

»Sagt Jutta ab?« Björn trat neben sie.

Noch blöder, dachte Nele. »Warum sollte sie?«

»Vielleicht hat sie am Samstagabend etwas Besseres vor?«

»Sie hat zugesagt. Das bleibt dabei.«

»Sie ist eine Frau!«

»Was soll denn das jetzt wieder heißen?«

»Je nach Hormonstand … mal so, mal so.«

»Depp!«

Er grinste und zog eine Totenkopfmütze aus dem Regal. »Also«, sagte er und setzte sie auf, »das ist ein Muss! Die kaufe ich mir gleich für heute Abend, falls es im Garten beim Grillen kalt wird.«

»Wenn es kalt wird, sitzen wir ja nicht draußen.«

»Aber einer von uns muss diesen Grill ja wohl bedienen.«

Er schlenderte damit zur Kasse, und Nele sah schnell auf ihr Handy. Alex.

Sie öffnete die SMS.

»Mutter, vielen Dank für das Gespräch. Es hat gefruchtet. Seid ihr heute Abend zu Hause?«

Du lieber Himmel. Das passte ja nun gar nicht.

Sie ging Björn hinterher. »So«, sagte sie, »jetzt wird es ganz interessant!«

»Wieso? Kaufst du dir auch so eine Mütze?«

Sie verzog das Gesicht und hielt ihm die SMS vor die Augen.

»Perfekt«, sagte er. »Die Erpresserin und die, die es richten soll, an einem Tisch. Passt doch eigentlich ganz gut!«

»Dann bin ich aber nicht dabei!«

»Du kannst ja mit Alex so lange ins Kino gehen …«

»Björn! Das ist nicht witzig!«

Sie fuhren nach Hause, den Wagen mit einer Gasflasche, einem neuen Rasenmäher, Säcken voller Blumenerde und jeder Menge Blumenzwiebeln voll beladen. Die ganze Zeit überlegten sie, wie sie mit Alex umgehen sollten. Ihn über Dana aufklären? Über die ganze Geschichte?

»Aber Dana wird ja wohl wissen, dass du der Vater von Alex bist?«

»Keine Ahnung. Schäfer gibt es in Hessen wie Sand am Meer. Ob sie uns miteinander in Verbindung bringt? Ich weiß es ehrlich gesagt nicht.«

»Aber das Haus wird sie schon wiedererkennen.«

»Sobald Alex in die Straße einbiegt.«

»Ja, aber dann kommt es doch unweigerlich zur Eskalation.«

»Wäre vielleicht gar nicht so schlecht«, sagte Björn, »damit weiß unser Sohn wenigstens, worauf er sich eingelassen hat.«

»Na, danke!«

Sie waren vor ihrem Haus angelangt, und Nele klopfte Björn auf den Schenkel. »Ich werde Alex für heute absagen. Alles andere macht keinen Sinn!«

Björn fuhr rückwärts aufs Gartentor zu. »So habe ich mir meinen Ruhestand nicht vorgestellt«, erklärte er beim Ausladen.

»Wer rastet, der rostet!«

»Ich roste aber lieber …«

Jutta war gespannt darauf, was sie erwartete, das sah Nele ihr schon bei der Begrüßung an. Bestimmt rätselte sie über den Grund. Aber sie hatte sich offensichtlich für ihr Äußeres Zeit genommen. Sie war perfekt geschminkt, den Lippenstift hatte sie auf ihr rotes Kleid abgestimmt, und ihre blonden Haare trug sie in Wellen.

»Du siehst gut aus«, begrüßte Björn sie. »So habe ich dich gar nicht in Erinnerung!«

»Charmant wie immer«, konterte Jutta.

»Schön, dass du da bist!« Nele nahm sie in den Arm.

»Du hättest dir auch ruhig ein bisschen mehr Mühe geben können«, fand Björn. Nele sah an sich hinunter. Bluse und Jeans. Die Haare hatte sie zu einem Pferdeschwanz zusammengenommen.

»Ich hab schon den Tisch gedeckt«, sagte sie.

»Und am Nachmittag im Garten gearbeitet, stimmt's?«, half ihr Jutta.

Nele zog Björn im Vorbeigehen am Ohrläppchen. »Frechdachs!«

»Komm«, sagte sie zu Jutta. »Ich habe uns einen Aperitif vorbereitet.« Sie ging ihr voraus auf die Veranda. Um einen kleinen, eisernen Bistrotisch herum hatte sie passende Stühle mit bunten Sitzkissen gruppiert. Auf dem Tisch warteten drei Gläser Kir Royal und eine kleine Platte mit Fingerfood.

»Wie im Film«, sagte Jutta und sah sich um. »Euer Garten ist herrlich!«

»Vier Stunden Mühsal mit einer Bestie als Antreiberin«, sagte Björn in klagendem Ton und hob zum Beweis beide Hände. »Nur noch Schwielen!«

»Sehr männlich!«, sagte Jutta.

»Pfeif auf männlich!«

Sie setzten sich, und für einen Moment trat Ruhe ein.

»Bitte bedien dich!« Nele reichte ihr eine Serviette und zeigte auf die kleinen Happen aus gefülltem Blätterteig. »Sie sind noch warm.«

»Mh, das liebe ich.«

Es war klar, dass Jutta auf den Grund dieses Besuchs wartete. Nele wusste aber nicht, wie sie anfangen sollte. Schließlich war es Björns Thema!

Nach dem zweiten Glas begann Björn sich vorzutasten.

»Also, Jutta, du hast es sicherlich schon vermutet … und ein Grillfest zu dritt ist ja auch eher ungewöhnlich.«

»Soll ich eure Trauzeugin werden?« Jutta lachte.

»Da bist du etwas spät dran …« Dann erzählte Björn von Danas Großmutter, der geholfen werden musste. Auf unbürokratische Weise. Sodass getanes Unrecht wiedergutgemacht würde.

»Da hast du viel zu tun«, sagte Jutta. »Sie war ja nicht das einzige Opfer. Da kannst du sein ganzes Bankkonto leer räumen, alle Häuser kassieren und die beweglichen Güter dazu. Und dann hast du noch nichts gegen den Schock getan, gegen die Existenzangst, mit der diese Leute fertig werden mussten.«

»Das sagst du als seine Beraterin.«

»Gerade als die. Aber meine eigene Ansicht darüber hat nichts mit meiner beruflichen Einstellung zu tun.«

Es war still. Sie sahen sich über den Tisch hinweg an.

»Was stellst du dir vor?«, fragte Jutta.

»Ich will ein bisschen Gerechtigkeit in die Welt bringen.«

»Du?« Es hörte sich an, als wollte sie auf der Stelle loslachen. »Entschuldige mal, aber du bist auch nicht durch Liebesdienste an die Spitze dieser Bank gekommen!«

»Stattgegeben. Und jetzt plagt mich das Gewissen.«

»Interessant!«

Jutta wippte mit ihrem Stuhl. »Hast du noch was zum Trinken?«

»Oh!« Nele sah auf ihr leeres Glas. »Entschuldige! Weißwein, Rotwein? Noch einen Kir Royal?«

»Ein kaltes Bier, wenn du das hast. Jetzt brauch ich was Herbes.«

»Ich schließ mich an!« Björn nickte Nele zu. »Bitte. Und dann werfe ich schon mal was auf den Grill.«

Wenig später standen Jutta und Björn am Grill.

»Hast du ihr was gesagt?«, wollte Jutta wissen.

»Nein, spinnst du? Das war ja auch nur das eine Mal, damals am Betriebsfest.«

»Sag jetzt nicht Ausrutscher!«

»Nein, war's ja auch nicht. Es war toll!«

»Aber es bleibt dabei!«

Er nickte. »Ja, es bleibt dabei!«

»Gut! Und es bleibt unter uns!« Sie sah ihm forschend in die Augen, er gab den Blick zurück.

Nele brachte zwei volle Biergläser quer über den Rasen zu ihnen.

»Für mich bitte Bauchspeck«, rief sie.

»Wie sich das anhört!« Björn drehte sich nach ihr um.

»Ja, aber es schmeckt gut!« Jutta wies auf die Maiskolben, die neben dem Fleisch auf einem Tischchen lagen. »Für mich Bauchspeck, ein Steak und einen Maiskolben.«

Sie nahmen Nele die Gläser ab, stießen an und tranken einen tiefen Schluck. Jutta setzte als Erste ab. »Und jetzt erklärst du mir bitte, worum es genau geht.«

»Für dich besteht überhaupt keine Gefahr dabei«, sagte er. »Du musst nur wollen. Der Rest ist Routine.«

»Aha. Dann lass mich deine Routine hören.«

Nele versuchte der Strategie zu folgen, die Björn nun ausbreitete. »Das alte, klassische Optionsgeschäft«, begann er. »Wenn wir von dir wissen, welche Gesellschaft in Schwierigkeiten kommt und deshalb der Kurs fällt, kaufen wir eine Putoption. Also, sagen wir mal 30 000 Aktien zum Bezugswert von beispielsweise je 25 Euro. Dafür müssen wir einen Optionspreis von etwa einem Euro pro Aktie bezahlen. Das darf der Markt zu diesem Zeitpunkt natürlich noch nicht wissen.«

»Hältst du mich für blöd?« Jutta zog die Augenbraue hoch.

»Ich erkläre es Nele. Sie ist keine Bankfachfrau.«

»Gut, entschuldige.« Sie lächelte Nele zu.

»Und dann?«, wollte Nele wissen.

»Dann empfiehlt Jutta ihrem Kunden, also unserem lieben Herrn Waschmüller, der gern mal zockt, auf diese Aktie ein Stillhaltergeschäft abzuschließen. Damit wird er Verkäufer dieser Verkaufsoption. Zu dem Zeitpunkt beträgt der Kurs der Aktien 27 Euro, und sie prognostiziert ihm, dass der Kurs noch steigen wird.«

Nele warf Jutta einen Blick zu. Diese lächelte still.

»So«, sagte Björn. »Und nun muss nur noch die Information herauskommen, dass die betreffende Gesellschaft in einer schweren Krise steckt, und schon fällt der Kurs auf, sagen wir mal, 18 Euro. Nun können wir die Aktie für 18 Euro kaufen, und Waschmüller ist verpflichtet, sie uns für 25 Euro abzukaufen. Gewinn: 30 000 mal neun sind 270 000 minus 30 000 Einsatz macht 240 000. Die Oma ist gerettet, und Waschmüller kotzt!«

»Und ich habe einen schlechten Ruf als Beraterin!«

»Bisher hast du ihn sicher immer super beraten!«

»Ja! Eben!«

Björn wendete das Fleisch und die drei Maiskolben. »Dann kannst du dir so einen Irrtum ja mal leisten!«

»Mit Irrtümern kennst du dich ja aus …«

Er sah sie eindringlich an. »Ich habe das Gefühl, du willst mir was sagen?«

Jutta leerte mit einem weiteren, tiefen Schluck ihr Glas.

»Okay«, sagte sie und setzte das Bierglas ab. »Und was springt für mich dabei heraus? So ganz ohne ist diese Aktion schließlich nicht.«

»Hm.« Björn runzelte die Stirn. »Das hier ist für einen guten Zweck!«

»Ja, aber ohne mich geht es nicht!«

Nele betrachtete ihre Freundin. So kannte sie sie ja gar nicht. Da waren offensichtlich zwei Börsenhaie zusammengekommen.

»Und was hättest du gern?«

»Einen Urlaub mit deiner Frau auf Mauritius.«

Er warf ihr einen zweifelnden Blick zu. »Ihr zwei zusammen?«

»Warum nicht?«

»Alleine?«

»Zu zweit!«

»Ohne Mann?«

»Wozu braucht man auf Mauritius einen Mann?«

Björn kratzte sich am Kopf. Er sah zu Nele. Die grinste über beide Ohren.

»Das ist eine super Idee!«, freute sie sich und wollte Jutta um den Hals fallen.

»Das ist eine Wiedergutmachung!«, sagte Jutta mit warnender Stimme.

»Gut, gut, gut! Schon gut«, willigte Björn ein, »genehmigt!« Er betrachtete die beiden Frauen skeptisch, die sich laut lachend in den Armen lagen.

Jutta war kaum gegangen, da rief Björn trotz der späten Uhrzeit noch Joe an.

»Ich kann euren Verein zwar nicht leiden, aber das Geld für Danas Großmutter kriegen wir zusammen.«

Joe räusperte sich. »Das hätte ich, ehrlich gesagt, nicht geglaubt!«

»Nein?«

»Ich hätte nicht gedacht, dass du überhaupt darauf eingehst.«

»Wäre ich auch nicht, wenn ich die alte Dame nicht kennengelernt hätte. Und ihre ganzen Lebensumstände.«

»Also ein Philanthrop …«

Björn stutzte.

Joe lachte. »Sag bloß, du traust mir diesen Begriff nicht zu.«

»Ich bin mir noch nicht im Klaren darüber, inwieweit ihr Menschenfreunde seid.«

»Du hast nicht wegen der Bedeutung gestutzt, sondern weil ich es benutzt hab. Gib's zu!«

Björn spitzte kurz die Lippen. Womit er recht hat, hat er recht. »Dachte ich mir schon, dass du ein griechischer Gastarbeiter bist!«

Joe lachte. »Und du willst jetzt 250 000 Euro auf den Tisch legen, einfach so?«

»Nicht einfach so. Es gibt noch einiges zu besprechen.«

Was, wenn die Kohle gar nicht für Danas Großmutter gedacht war, sondern diese alten Säcke sich das Geld selbst unter den Nagel reißen wollten, dachte er und legte auf.

Nele zweifelte daran, dass so ein Deal klappen könnte. Da mussten ja so viele Puzzleteile ineinanderpassen, und außerdem hing bei dieser Geschichte alles von Jutta ab. Jutta und Björn, das hatte sie an diesem Abend ein paarmal gedacht, das wäre doch das ideale Paar gewesen. Sie sprachen dieselbe Sprache, sie waren beide abenteuerlustig und hatten gemeinsame Themen – mehr als Björn und sie selbst. Was denkst du da bloß?, musste sie sich zwischendurch zur Ordnung rufen. Als sie sich damals in Björn verliebte, war Jutta noch nirgends zu sehen. Und dass die beiden in derselben Bank arbeiteten, war reiner Zufall. Sie hatte sowohl Jutta als auch Jasmin im Sportstudio kennengelernt, und alle drei waren sich auf Anhieb sympathisch gewesen. Und damals waren die beiden ja auch noch verheiratet gewesen und ihre Kinder klein. Nele verwarf diese Gedanken sofort wieder. Björn war bei ihr, und nur das zählte. Was hätte gewesen sein können, spielte heute keine Rolle mehr. Und wenn sie sich doch irgendwann trennen sollten, dann sicherlich nicht wegen Jutta.

»Was ist?« Björn hatte den Grill in der Garage verstaut und kam in die Küche, wo Nele das restliche Grillfleisch zum Einfrieren vorbereitete.

»Ich habe gerade über dich und Jutta nachgedacht.« Warum konnte sie es einfach nicht lassen?

»Was gibt es da zu denken?« Er legte die Stirn in Falten.

»Ihr hättet gut zusammengepasst. Der gleiche Beruf, die gleiche Sprache, die gleiche Abenteuerlust – auch sie fährt übrigens Motorrad!«

»Es gibt viele Frauen in meinem Beruf. Willst du mich jetzt mit allen verkuppeln?«

Nele musste lachen, und Björn nahm sie in den Arm.

»Jutta ist eine attraktive Frau, unbenommen, aber sie ist nicht auf meiner Wellenlänge.«

»Nicht?« Nele genoss die Umarmung. Einfach, spontan, beschützend. Einfach nur so, das tat gut.

»Nein. Zwei Konkurrenten in einer Familie, das wäre einer zu viel.«

»So siehst du sie?«, fragte Nele.

»Ja, so sehe ich sie. Jutta ist sehr clever und sehr kompetent. Sie wird dieses Schiff durch die Wogen steuern, da bin ich mir sicher. Aber so eine möchte ich nicht zu Hause haben.«

»Wieso nicht?«

»Zu viel Stress! Ich habe es lieber sanft und gemütlich«, er küsste sie auf die Stirn, »so wie mit dir!«

»War das eine Liebeserklärung?«

»War es das?«

Sie hatten gepflegten Sex in dieser Nacht, und Björn dachte, dass er eben doch sensibel war. Kaum war alles geklärt, spielte sein Freund auch wieder mit. Es war ein traumhaftes Gefühl. Nele versuchte unterdessen, die Erinnerung an Enrique aus ihrem Kopf zu streichen. Kannst du nicht einfach das Denken lassen?, fragte sie sich mittendrin. Nein, sie konnte nicht. Sie konnte einfach nicht.

Am Montagmorgen rief das Autohaus an, es gebe da noch ein paar Formalitäten wegen Ummeldung und Versicherung. Björn beschloss, direkt dorthin zu fahren. Nele hatte am Nachmittag Unterricht und fand die Gelegenheit gut, mal wieder für Ordnung zu sorgen und mit kritischem Blick durchs Haus zu gehen. Sie hatten zwar eine Zugehfrau, aber wenn die mit der Wäsche fertig war, die Böden und Bäder gereinigt hatte, war die ausgemachte Zeit schon rum. Und außerdem war sie ja die Frau des Hauses, das war ihr Job.

Nele begann oben im Schlafzimmer. Lüften, Kleider versorgen, Betten abziehen. Als sie sich bückte, um die Schmutzwäsche in den Wäschekorb zu packen, sah sie unter Björns Bett einen Briefumschlag. Dort lag sonst nur die Schreckschusspistole, die er für seine Beruhigung brauchte, aber jetzt lag da auch ein brauner Briefumschlag. Nele kniete sich hin und fingerte ihn hervor. Björns Name stand drauf, fein säuberlich, wie gemalt. Sie setzte sich auf die Matratze und öffnete ihn. Eines nach dem anderen zog sie die Fotos hervor. Es war ja schon etwas anderes, wenn man es erzählt bekam oder alles so deutlich vor sich zu sehen. Ihr Herz schlug ihr bis zum Hals. Der Feuerkreis aus brennenden Teelichtern, die beiden Körper, die ineinander verschmolzen, Dana mit den langen dunklen Haaren, die ihr bis zum nackten Po reichten, der wunderschön geformt war, knackig, fest, 25 Jahre alt. Das sah eben anders aus als bei einer 45-Jährigen, dachte sie. Und Björn, der Dana hoch auf seine Lenden gehoben hatte. Das hatte er bei ihr frei stehend nicht einmal in ihrer Sturm-und-Drang-Zeit fertiggebracht.

Sie hätte heulen können. Sein Gesicht, so wollüstig, so besitzergreifend, so urmännlich, wie sie ihn selten gesehen hatte. Und da wollte er ihr weismachen, es sei nichts gelaufen? War ihre Ehe eigentlich am Ende? Er suchte bei Dana Befriedigung, sie ließ sich von Enrique verführen, war das nicht ein Zeichen dafür, dass bei ihnen alles schieflief? Dass es nur noch ein Zusammenleben an der Oberfläche war?

Sie brauchte einen Kaffee. Irgendetwas, um ihre Nerven zu beruhigen. Nele legte Umschlag und Fotos auf den Wäschekorb und trug alles hinunter. Zumindest wollte sie mit Björn darüber reden, schließlich hätte er ihr die Fotos auch zeigen können und sie nicht vor ihr verstecken müssen.

Nach einer kurzen Pause auf der Veranda, auf der die Sonne so schön schien, ging sie, mit Eimer, Putztüchern und Staubtuch bewaffnet, wieder nach oben. Schließlich, dachte sie, ist Arbeit die beste Medizin gegen Kummer.

Björn stieg auf dem Parkplatz des BMW-Autohauses gerade wieder in sein Auto, als Jutta anrief.

»Ich glaub, ich hab da was«, sagte sie leise. »Ich habe meine Kandidaten eben mal durchgeschaut, und einer fängt gerade ein bisschen an zu wackeln. Auch noch in einer Branche, die Waschmüller gut gefallen würde.«

»Du bist ja blitzschnell«, sagte Björn.

»Ja. In allem. Das ist meine Art.«

»Gute Art. Bist du in der Bank?«

»Nein. Zu heiß. Ich bin zu Hause.«

»Ich bin gespannt.«

Mit einem Kribbeln im Bauch startete Björn den Wagen. Attraktiv war sie ja schon, diese Jutta. Schnell und präzise. Bei ihr saß jeder Schuss, dachte er. Eigentlich müsste sie schon an der Spitze der Bank stehen, aber dafür war sie nicht intrigant genug. Und dazu noch eine Frau. Er hätte nicht übel Lust gehabt, einen kurzen Abstecher zu ihr zu machen. Aber wohin sollte das führen?

Er holte kurz tief Luft. Die Zeiten seiner Auswärtsspiele waren vorbei, das letzte war ein absoluter Schuss in den Ofen gewesen, obwohl …

Er drückte auf die gespeicherten Adressen seines Navis. Da, die Plattenbausiedlung. Warum ließ ihn dieses Bild der alten Frau an ihrem Infusionsständer nicht los? Es war fast so mächtig wie die Vorstellung, kurz Jutta zu besuchen. Einfach so. Überraschung. Und sehen, was passiert. War es sein Spieltrieb, den er nun nicht mehr ausleben konnte, weil er keine berufliche Möglichkeit mehr dazu hatte? Und was war es dann bei der alten Frau? Es traf einen völlig anderen Nerv bei ihm, aber auch der war stark. Wo kam das plötzlich her? Wurde er auf seine alten Tage sentimental?

Er fuhr zum nächsten großen Einkaufszentrum und streifte durch die Regale. Schließlich hatte er gekauft, was nach Festessen aussah: eine Flasche Champagner, zwei Flaschen guten Rotwein, auch wenn sie angeblich nichts trinken durfte, dazu verschiedene Leberpasteten, französischen Käse und Trauben. Seine gute Laune kam ihm dabei selbst etwas seltsam vor. Aber er freute sich tatsächlich auf ihr Gesicht, wenn er in der Türe stehen würde.

Und so war es auch. Schon in der Sprechanlage hörte er sie ein langes »Ohhhh« ausstoßen und anschließend ein: »Für Sie mache ich gern auf, es dauert einen Moment!« Das kannte er schon. Und auch ihren hellblauen Morgenmantel, der so jämmerlich aussah, darüber aber ihr strahlendes Gesicht.

»Wie schön«, sagte sie. »Wenn ich noch jünger wäre, würde ich Sie jetzt zur Begrüßung küssen!«

Björn beugte sich zu ihr hinunter und hielt ihr seine Wange hin. »Bitte sehr!«

Sie lachte wie ein junges Mädchen und schlurfte mit ihrem Infusionsständer und der daran hängenden Sauerstoffflasche vor ihm her in ihr Schlafzimmer.

»Was haben Sie denn mitgebracht?«, fragte sie, nachdem sie sich aufs Bett gesetzt und ihren Morgenmantel über den Knien zusammengezogen hatte.

»Ach, lauter Sachen, die Ihnen vielleicht gar nicht schmecken … aber es ist ja zumindest mal ein Versuch!«

Er packte seine Einkäufe aus und hörte ihrem Kommentar zu.

»Gänseleberpastete«, sagte sie schwärmerisch, und ihre Gesichtshaut legte sich in glückliche Falten. »Wann habe ich die denn zuletzt gekostet?«

»Frisches Baguette habe ich auch …« Björn zog eine Stange Weißbrot hervor. »Wir könnten hier ein Picknick machen.«

»Direkt hier?«

»Ja. Ich hole ein Tischtuch, zwei Gläser …«

»Ein großes Tablett habe ich auch …«, unterbrach sie ihn.

»Perfekt. Teller, Besteck, und dann lassen wir es uns so richtig gut gehen!«

»Phantastisch«, sagte sie, und während er schon hinausging, hörte er sie noch sagen: »Lieber Gott, dass ich das noch erleben darf, ich danke dir!«

Während er in ihrer Küche alles zusammensuchte, fiel ihm auf, was hier alles fehlte. Und vor allem brauchte sie einen neuen Morgenmantel. Jede Frau wollte schließlich hübsch aussehen. Und einen Friseur, der einmal in der Woche ins Haus kam. Es war ja jämmerlich, wie diese Frau ihren Lebensabend verbringen musste.

Als er mit allem zurückkam, saß sie wieder im Bett, den Rücken gegen die Kissen gestützt, und sah ihn mit einem wehmütigen Gesichtsausdruck an.

»Warum machen Sie das alles für mich?«

Er stellte das volle Tablett neben ihr auf das Bett und griff nach der Flasche und dem Korkenzieher, der leicht verbogen war. »Den Champagner habe ich erst mal kalt gestellt, den können Sie heute Abend mit Ihrer Enkelin trinken.«

»Warum machen Sie das alles?«, wiederholte sie ihre Frage.

Er öffnete den Rotwein, prüfte den Korken und goss kleine Mengen in beide Gläser. Eines davon reichte er ihr.

»Wissen Sie, Lotte, ich weiß es auch nicht. Vielleicht sind Sie die Großmutter, die ich nie hatte. Vielleicht aber auch eine Wiedergutmachung für alles, was ich möglicherweise angerichtet habe, ohne es genau zu wissen.«

Sie nickte nur. Dann sagte sie: »Das haben die nach dem Krieg auch alle gesagt. Keiner hat es gewusst, aber alle haben es stillschweigend hingenommen.«

»Vielleicht ist der Unterschied von den kleinen Missetaten zu den großen gar nicht so erheblich. Vielleicht neigen wir dazu, die Augen zu verschließen, wenn es unbequem wird. Oder wenn wir in Dinge verwickelt werden könnten, die anstrengend oder unangenehm sind.«

Sie roch an dem Wein.

»Aber Sie werden doch jetzt verwickelt«, sagte sie dann. »Dana sagte mir, Sie richten alles wieder, und ich bekomme mein Geld zurück?«

Björn ließ kurz seinen Blick durchs Zimmer schweifen, bevor er sie wieder ansah. »Wir arbeiten daran. Das ist nicht so einfach.«

»Wer ist eigentlich *wir*?«

»Der Anstoß kam von Dana und ihren …« Er suchte kurz nach dem richtigen Wort. Ihrer Harleygang? Ihrer Bande? »Und von ihren Freunden«, entschied er sich. »Die wollten Ihnen helfen und haben dafür eine Menge in Bewegung gesetzt.«

»Ja, meine Enkelin ist ein wunderbarer Mensch. Ohne sie wäre ich schon nicht mehr am Leben.«

Nele staubsaugte gerade durch das Arbeitszimmer. Es lag neben dem Schlafzimmer und war der geeignete Ort, um alles, von dem man nicht richtig wusste, wohin man es stellen sollte, zu beherbergen. Ein großer Schreibtisch und eine Regalwand voller Akten waren dort untergebracht. Dazu kam noch die Dampfbügelstation, die sonst nirgends Platz hatte, ein großer Schrank voller Dekoration für die verschiedenen Jahreszeiten, ein weiterer für entsprechendes Geschirr, einige Lampen, die nicht mehr passen wollten. Es war mehr eine Abstellkammer als ein Büro. Und es war umständlich, zwischen all dem Krimskrams hindurch zu staubsaugen. Aus Zeitspargründen machte sie das lieber selbst, aber sie ärgerte sich jedes Mal über das ganze überflüssige Zeug, und jedes Mal dachte sie an eine schnelle Lösung durch einen Container. Dann kam doch wieder die Bewahrerin durch, und sie brachte es nicht übers Herz.

Sie kroch gerade mit dem Sauger in eine Ecke, als der Motor ausging. Erbost drehte sie sich um und erschrak zu Tode. Hinter ihr ein Mann, das Stromkabel in der Hand. Erst auf den zweiten Blick erkannte sie Alex.

»Alex!«, rief sie. »Du lieber Himmel, hast du mich erschreckt! Ich habe dich gar nicht kommen hören!«

»Ich wollte auch nur meine Sportschuhe holen«, sagte er leise. »Die Saison beginnt wieder.«

»Ja, prima!« Sie richtete sich auf und hielt ihr Kreuz. »Sport tut gut. Hast du sie gefunden?«

»Ja!« Erst jetzt fiel ihr seine blasse Gesichtsfarbe auf. »Aber das hier auch!«

Er hob die rechte Hand. Nele sah nur den braunen Briefumschlag und schloss die Augen.

»Sag nicht, du hast das gewusst!«, sagte er und kam auf sie zu. Seine Stimme war so ruhig und hatte einen so seltsamen Ton, dass sie vor ihrem eigenen Sohn Angst bekam.

»Alex«, sagte sie und stand auf. »Da sind Dinge passiert, die …«

»Da vögelt mein Vater meine Freundin!«, fuhr er dazwischen. »*Meine* Freundin! Hast du das gewusst?«

»Alex …«

»Klar sollte ich sie nicht herbringen, da wäre ja alles aufgeflogen. Deshalb also nicht! Ich hab mich noch gewundert, ich Idiot!«

»Alex, lass mich doch –«

»Kann er nicht mal sein eigenes Leben leben? Muss er mir ewig dazwischenfunken, zeigen, was er alles kann, und mir wegnehmen, was mir wichtig ist?« Jetzt schrie er. Und Nele war sich nicht sicher, ob er nicht gleich in Tränen ausbrechen würde.

»Alex«, sagte sie wieder. »Beruhige dich. Ich kann dir das erklären!«

»Du schützt diesen Drecksack, dabei betrügt er dich genauso wie mich! Und du weißt das! Wo ist er? Ich bring ihn um!«

»Alex!« Nele trat auf ihn zu und wollte ihn am Arm greifen, aber er entzog sich ihr mit einem Ruck.

»Bleib du da in deinem Dornröschenschlaf, und stärke ihm den Rücken. Ich habe genug davon. Alles hätte er tun können, aber sich an Dana zu vergreifen, das ist zu viel! Klar, alles, was ich liebe, zerstört er! Jetzt zerstöre ich ihn!«

Er warf die Fotos mit dem Briefumschlag auf den Boden. Nele hörte ihn nur noch die Treppe hinunterlaufen. Sie rannte ihm sofort hinterher, aber er war schon an der Haustür, die er hinter sich zuschmetterte.

Jetzt bloß nicht kopflos werden, sagte Nele sich. Wo ist mein Handy? Wo sind meine Autoschlüssel? Sie schnappte den Schlüssel von der Konsole, rannte durch die Innentür in die Garage, drückte auf den Toröffner und fuhr rückwärts die Auffahrt hinunter. Von Alex war schon nichts mehr zu sehen. Wenn sie Glück hatte, war die Ampel vorn an der Kreuzung rot. Sie gab Gas. Ihr Herz pochte. Wo wollte er Björn suchen? Und was würde passieren? Sie konnte ihn nicht benachrichtigen, ihr Handy lag noch zu Hause.

Oh Gott, dachte sie, warum nur hatte sie diese Fotos auf dem Wäscheberg vergessen?

»Wo ist denn Dana heute?«, wollte Björn wissen, nachdem sie das halbe Baguette, mit Käse und Wurst belegt, aufgegessen hatten.

»Bei ihrem Onkel.«

»Also bei Ihrem zweiten Sohn?«

Lotte schüttelte den Kopf.

»Nein. Sie nennt ihn nur so. Onkel Joe. Er hat sich nach dem Tod meines Sohnes um sie gekümmert.«

»Ach ja?« Björn warf ihr einen Blick zu. Alle Fröhlichkeit

war aus ihrem Gesicht gewichen. »Entschuldigung, ich wollte nicht ...«

»Es war ... an seinem Tod ist keiner schuld. Wenn die Uhr abgelaufen ist, ist sie abgelaufen.«

»Aber er kann noch nicht sehr alt gewesen sein ...«

»Darf ich noch mal?« Lotte hielt ihm ihr leeres Glas hin. Björn schenkte ihr nach.

»Sie sind beide ums Leben gekommen. Mein Sohn und seine Frau. Dana war dreizehn, als sie ihre Eltern verlor.«

»Das ist ja furchtbar! Wie ist es denn passiert?«

»Kurt, mein Sohn, hatte Joe und seine Freunde kennengelernt. Er fuhr als Junge ein Moped, wie alle Jungs. Aber nach dem Studium kam der Job, die Heirat, das Kind ...« Sie kniff die Lippen zusammen. »Sie machten Schulden, bauten ein Haus. Mein Mann schoss ab und zu was bei, er hatte ja seinen Schrottplatz. Das war erst sehr mühselig, aber dann wurde Schrott plötzlich was wert. Und er schuftete noch mehr, bis Kurt bei ihm einstieg. Er starb ein halbes Jahr vor seinem Sohn an einem Herzinfarkt. Gut, dass er diese Tragödie nicht miterleben musste!«

Es war eine Weile still, bis Björn nachfragte. »Und wie sind sie gestorben? Ich meine, Ihr Sohn? Kurt und seine Frau?«

»Sie haben diese Männer kennengelernt. Bei einem Flug nach Amerika. Zufall. Als sie zurückkamen, wollte Kurt wieder das *Feeling* haben, hat er mir gesagt. Das *Feeling* wie früher auf seinem Moped. Sie haben sich so ein Ding gekauft, eine Harley. Und beim ersten großen, gemeinsamen Ausflug ...«, sie holte tief Luft, »sind sie unter einen Lastwagen geschlittert. Der querte die Straße und konnte nichts dafür. Dann war Dana allein.«

»Dann war Dana allein«, wiederholte Björn tonlos.

»Ja, und seitdem kümmern sich die Jungs um das Kind. Und um mich«, fügte sie hinzu. »Ich habe den Schrottplatz gut verkauft und das Geld auf dem Sparbuch angelegt. Und plötzlich kam diese tolle Option. Ich habe an Dana gedacht, ich wollte für sie was tun …« Sie schüttelte den Kopf. »Und übrig geblieben ist nichts.«

»Das ist eine scheiß Lebensgeschichte!«, sagte Björn.

»Das Leben hat seine eigenen Regeln«, sagte sie. »Das ist ein steter Wechsel zwischen Hoffnung und Trostlosigkeit.« Sie sah zu ihm auf und lächelte. »Aber trotzdem ist mir die Hoffnung lieber.«

Nele gab Gas. Sie hatte keine Ahnung, was ihr Sohn vorhatte, aber dass er tief verletzt war und deshalb zu allem fähig, war ihr klar. Und natürlich kam noch diese Rivalität zwischen Vater und Sohn hinzu, das Gefühl, nicht anerkannt zu werden, hinter den väterlichen Erwartungen zurückzubleiben, nicht vollwertig zu sein. Wie oft hatte sie auf Björn deswegen eingeredet, aber er war nun eben mal nicht der einfühlsame Vater, der seinen Sohn nach einem aufgeschlagenen Knie tröstend in den Arm nahm. Er war der Vater, der tadelte und gleich auch noch ein »… dann mach's beim nächsten Mal besser!« anhängte. Er hätte eine Tochter gebraucht. Für Björn war ein Sohn falsch gewesen. Eine Tochter hätte er vergöttert. Ein Sohn hatte unter seiner Übermacht nur leiden können.

Sie musste Alex einholen, bevor der etwas anstellte, was er später bereuen würde. Dann sah sie ihn vor sich. Er bog nach links ab, und sie zog ebenfalls nach links. Sie hatte kaum noch einen Blick für die anderen Verkehrsteilnehmer. Jetzt mussten die eben mal aufpassen, sonst war sie stets die Vorsichtige, die die Rüpeleien der anderen ausbügelte. Alex durchquerte die City, den Main und fuhr so rücksichtslos, dass Nele kaum Schritt halten konnte. Hatte er sie noch nicht entdeckt? Offensichtlich interessierte es ihn nicht, was sich hinter ihm abspielte. Wo wollte er hin? Die Frage stellte sie sich ständig, während sie angespannt versuchte, die Verkehrlage zu überblicken. Es war Montag und viel los, aber bisher kein einziger

Stau, der ihn ausgebremst hätte. Alex schlängelte sich durch, und Nele blieb dran. Das hätte sie sich selbst nicht zugetraut. Aber in letzter Zeit entdeckte sie ständig neue Fähigkeiten an sich. Jetzt fuhr er mit Speed über eine dicht befahrene Kreuzung und bog überraschend links um eine Verkehrsinsel ab. Nele spürte eine Hitzewelle aufsteigen. Links, hämmerte ihr Hirn, und sie riss das Steuer herum. Das Nächste, was sie spürte, war ein gewaltiger Aufschlag, ein jäher Schmerz in der Schulter und das Brennen des sich öffnenden Airbags. Danach spürte sie nichts mehr.

Björn versprach Lotte, bald wiederzukommen. Er räumte alles auf, steckte ihr heimlich ein Kuvert mit 100 Euro unter ihr Kopfkissen und freute sich nun beim Hinausgehen auf einen Cappuccino mit Nele. Vielleicht sollte er beim Konditor eine Kleinigkeit dazu einkaufen? Es war Rhabarberzeit, und er liebte Rhabarberkuchen. Und für Nele ein kleines, rundes Tortenstück mit saftigen Erdbeeren unter Gelee. Mit diesem Gedanken stieg er in seinen Wagen, griff nach seinem Handy und rief sie an. Klar, dachte er, das liegt wieder irgendwo im Haus herum, und sie hört es nicht. Altes Lied. Aber auch am Telefon schaltete sich nur der Anrufbeantworter ein. So würde er eben ohne ihre Zustimmung eine kleine Kuchenauswahl kaufen.

Er traf gleichzeitig mit einer Polizeistreife vor seinem Haus ein. Björn überlegte, was das wohl zu bedeuten hätte. Polizei bei ihm?

»Sind Sie Björn Schäfer?«

Björn bejahte mit ungutem Gefühl und stieg aus seinem Wagen.

»Können Sie sich bitte ausweisen?«

»Worum geht es denn?«

»Ihren Ausweis bitte!«

Björn bückte sich ins Auto und zog die Brieftasche aus seiner Lederjacke. Der Polizist prüfte seinen Namen und gab ihm den Ausweis dankend zurück.

»Man hat schon versucht, Sie telefonisch zu erreichen, da wir aber zufällig in der Nähe waren, wollten wir das schnell übernehmen.«

»Ist was passiert?« Jetzt wurde er nervös.

»Ein Unfall. Der Wagen F XY-12 ist auf Sie zugelassen. Ein Golf. Dadurch haben wir Ihre Adresse ermittelt, die Fahrerin hatte keine Papiere bei sich.«

»Die Fahrerin? Meine Frau?«

»Sie liegt in der Unfallklinik an der Friedberger Landstraße. Mehr können wir aktuell nicht sagen.«

»Ist es schlimm? Wie geht es ihr?«

»Rufen Sie bitte den Arzt an. Mehr können wir Ihnen nicht sagen.«

»Ja, aber …«

»Können wir Sie alleine lassen? Oder sollen wir Sie hinfahren?«

»Nein, nein. Es geht schon. Danke!«

Björn sah den Beamten nach, die sich zum Gruß an die Dienstmütze fassten. Er war wie vom Donner gerührt. Wie konnte das sein? Schließlich sammelte er sich und setzte sich betont ruhig ins Auto. Jetzt keine Panik, sagte er sich. Alles ganz langsam!

Er schloss kurz die Augen, dann startete er und fuhr los. Das Kuchenpaket neben sich auf dem Beifahrersitz erschien ihm wie blanke Ironie. »Meine schöne heile Welt«, sagte er leise und hätte den Kuchen am liebsten vom Sitz gefegt.

Die Ungewissheit zerrte an seinen Nerven. Er kam einfach nicht schnell genug voran. Der Verkehr war dichter geworden, überall meldeten sie im Verkehrsfunk Staus. Was hätte er jetzt für ein Motorrad gegeben. Lotte fiel ihm wieder ein. Und Danas Eltern. Schreckliche Geschichte.

Aber was war mit Nele? War es schlimm? Lebte sie noch? Er

spürte Tränen in den Augen und wischte sie sich mit dem Handrücken weg. Alex! An ihn hatte er noch gar nicht gedacht! Er griff nach dem Handy, aber es meldete sich nur die Mailbox. Ob er die abhörte? Vor der roten Ampel fingerte er schnell eine Nachricht zurecht: »Mutti hatte Autounfall. Liegt im Unfallkrankenhaus an der Friedberger Landstraße. Komm schnell dorthin!«

Endlich war er da. Nach einem Parkplatz suchte er gar nicht erst, sondern ließ den Wagen direkt am Randstein stehen. Am Empfang musste er sich anstellen, und als er endlich dran war, musste er wieder warten, bis die Frau die richtige Abteilung und den behandelnden Arzt gefunden hatte. Seine größte Sorge war, dass er zu spät kommen könnte. »Ist sie im OP? Wird sie operiert?« Björn wusste selbst, dass er mit seinen drängenden Fragen nervte und dass sie darauf keine Antwort geben konnte, aber er hatte sich nicht im Griff. Zweimal verlief er sich, bis er endlich in der Abteilung ankam und hinter einem Glasfenster eine Schwester entdeckte.

»Ja, sie ist vor einer Stunde eingeliefert worden. Der Arzt ist gerade bei ihr. Zimmer 288.«

Jetzt liefen ihm wirklich die Tränen über die Wangen. Tränen der Erleichterung. Er stürmte den Gang entlang, bis er bei Zimmer 288 war. Nele lag in einem weißen Krankenhaushemd im Bett und unterhielt sich mit dem Arzt. Als Björn eintrat, kam der Mediziner auf ihn zu.

»Das ist glimpflich abgegangen«, sagte er beruhigend. »Sah im ersten Moment ernsthafter aus, weil Ihre Frau das Bewusstsein verloren hatte. Sie kam aber schon im Notarztwagen wieder zu sich. Schleudertrauma, Prellungen, leichte Gehirnerschütterung. Kleine Verbrennung am Handgelenk durch den Airbag, aber das ist normal und hat nichts zu bedeuten.«

»Gott sei Dank!« Er hätte den Arzt küssen können.

»Dass es aber auch immer die Kleinsten mit den Größten aufnehmen müssen«, lächelte er. »Wir behalten Ihre Frau noch zur Beobachtung da. Vielleicht könnten Sie ihr ein paar persönliche Sachen bringen?« Er machte eine kurze Kopfbewegung zu ihrem Krankenhaushemd hin, bevor er sich verabschiedete und hinausging.

»Liebling! Was machst du für Sachen! Ich bin vor lauter Angst fast gestorben!«

»Ich weiß auch nicht«, sagte Nele. Björn küsste sie zart auf den Mund.

»Wo wolltest du überhaupt hin? Und was meinte er mit den Kleinen und den Großen?«

»Oh.« Sie griff sich an den Kopf.

»Langsam, langsam«, sagte Björn. »Ist jetzt auch nicht wichtig, Hauptsache, du lebst und bist nicht schwer verletzt. Alles andere kriegen wir hin.«

»Mir tut alles weh!«

Sie sah wirklich zart und klein aus, fast noch wie ein Mädchen. Ihre dunkelblonden Haare lagen wie ein verwuschelter Kreis um ihr Gesicht. Mein Gott, wenn ihr wirklich etwas Ernsthaftes zugestoßen wäre …

»Ich habe es ja nicht mitgekriegt, aber der eine Sanitäter hat es mir geschildert. Es muss so ein riesiger Jeep gewesen sein, weißt du, Hummer heißen die Dinger. So Kampffahrzeuge im Einsatz.«

Björn musste trotz allem lachen. »Das sind keine Kampffahrzeuge, die sind halt *in*. Aber die Marke hat Pleite gemacht. Wenn auch ein bisschen zu spät für dich …«

»Na ja.« Nele griff nach ihrer Schulter. »Wenn er wirklich so groß war, hätte ich ihn eigentlich sehen müssen.«

»Ist dem Gegner was passiert?«

»Der Sanitäter sagte, weder dem noch seinem Auto.«

»Dann hat er dich wahrscheinlich schräg erwischt.«

»Ja, und auf die Verkehrsinsel geschoben, das war anscheinend der größere Gegner.«

»Ach, du Arme!«

Björn rückte einen Stuhl an ihre Bettseite und machte eine Handbewegung zu dem zweiten, nicht belegten Bett. »Aber immerhin hast du Glück, ein richtiges Einzelzimmer!«

Nele verzog das Gesicht.

»Glück im Unglück …«

Björn griff nach ihrer Hand.

»Alex habe ich übrigens nicht erreicht«, sagte er, »ich habe ihm eine SMS geschrieben.«

»Und ich muss gestehen, seine Handynummer hatte ich im Kopf, aber deine nicht. Ich hatte ja nichts dabei.«

»Ohne Handtasche aus dem Haus?«

»Ja, ich hatte es eilig. Du, Björn, ich muss dir was sagen.«

»Mach langsam. Das hat Zeit. Ruh dich lieber –«

In diesem Moment wurde die Tür aufgerissen, und Alex stürmte herein. Mit Blick auf seine Mutter, die ihm hellwach entgegensah, blieb er kurz stehen.

»Gut!«, sagte er. »Ich hatte schon das Schlimmste befürchtet!«

»Schön, dass du da bist, komm her …« Nele streckte die Hand nach ihm aus. Er blieb aber stehen und fixierte seinen Vater mit zusammengekniffenen Augen.

»Ist was?« Björn hielt Neles Hand.

»Wie kannst du so heuchlerisch dasitzen? Wie kannst du meiner Mutter überhaupt in die Augen sehen? Und mir? Du bist das allergrößte Schwein, das ich mir überhaupt vorstellen kann!«

»Halt mal, halt mal!« Björn hielt die Hand zu einem Stoppzeichen hoch. »Wie redest du denn mit mir?«

»Genau so, wie es sich für dich gehört. Genau so, wie offenbar keiner mit dir redet!« Seine Stimme wurde lauter.

»Alex!«, beschwichtigte Nele.

»Der Kerl ist ein Übel, kein Vater. Mich hat er nie geliebt, und die Liebe meines Lebens …«

Jetzt dämmerte es Björn. Er wollte aufstehen.

»Bleib sitzen!« Plötzlich hatte Alex einen Revolver in der Hand und zielte damit auf Björn.

»Alex!« Nele schrie auf. Aber dann erkannte sie die Waffe und besann sich. »Es ist unsere Schreckschusspistole«, sagte sie erleichtert zu Björn.

»Das ist keine Schreckschusspistole«, sagte Björn. »Alex, leg das Ding weg!«

»Willst du sagen, dass ich jahrelang über einer echten Waffe geschlafen habe? Björn? Ist die geladen?«

»Du könntest deine Mutter treffen!«

Björn erhob sich.

»Bleib sitzen! Ich habe gar kein Problem damit, dir eine Kugel zu verpassen. Du hast mich so oft verletzt, das wäre mir eine Genugtuung!«

»Alex!« Nele richtete sich auf. »Ich liebe deinen Vater. Er ist nicht immer der beste Vater gewesen, mag sein. Und nicht immer der beste Ehemann. Aber er hat all die Jahre alles für uns getan. Und ich liebe ihn. Verstehst du? Trotz allem liebe ich ihn. Und ich liebe dich! Wenn du ihn erschießt, dann leide vor allem ich. Willst du das?«

In dem Moment wurde die Türe aufgerissen. Dana stürzte herein, gefolgt von Joe.

»Alex!«, rief sie, sobald sie erkannte, was da vor sich ging, und fiel ihm von hinten in den Arm.

»Nicht!«, schrie Björn, aber es war schon zu spät. Ein Schuss löste sich ohrenbetäubend, und die Kugel schoss durch den Raum, ohne jemanden zu verletzen.

»Weg mit dem Ding!«, rief Björn. Joe trat hinzu, nahm Alex die Waffe aus der Hand und ließ sie in seiner Jackentasche verschwinden. »So! Und jetzt gemütlich hinsetzen!«, kommandierte er und saß bereits auf dem Nachbarbett. Kurz darauf versammelten sich drei Schwestern in der halb geöffneten Türe. »Was war denn das?«, wollte die eine wissen und schnupperte in der Luft.

»Ein blöder Scherz, Entschuldigung.« Joe zeigte auf sein Handy. »Eine neue App. Knallt wie ein echter Schuss. Wollte ich nur mal meinen Freunden vorführen.«

»Riecht auch so«, bemerkte die Schwester.

Sie sahen einander an, und es war klar, was sie dachten.

»Die Patientin braucht Ruhe!«, sagte die andere tadelnd.

»Ja, danke«, stimmte Nele zu, »ich werde jetzt strenger aufpassen.«

»Wo ist sie hin?« Joe sah sich suchend im Raum um, während Björn aufgebracht vor Alex stand. »Bist du wahnsinnig? Du hättest einen von uns treffen können!«

»Ja, genau das wollte ich!«, sagte Alex.

»Hört auf!« Dana stellte sich zwischen die beiden. »Wir sollten wie Erwachsene miteinander reden, wäre das eine Idee?«

»Eine gute Idee«, pflichtete Nele vom Bett aus zu.

»Wo kann sie bloß hin sein?« Joe kniete auf allen vieren vor Neles Bett. »Die Richtung war es …«

»Na, danke«, sagte Nele und warf Alex einen Blick zu. »Erst ein Autounfall und dann fast noch erschossen!«

»Darf ich mal?« Joe fuhr mit der Hand prüfend über das Bettzeug, ging näher ran und nickte dann bestätigend. »In die Matratze. Hab ich doch richtig gesehen. Aber das Loch hat sich dahinter wieder geschlossen. Die Kugel ist gewissermaßen in Schaumstoff gebettet.« Er stand auf. »Es wird also keine Fragen geben.«

»Es wird viele Fragen geben!« Alex löste sich von Dana und verschränkte seine Arme. »Die dringlichste Frage ist, was das zu bedeuten hat. Ich habe die Fotos von dir und meinem Vater gesehen!«

»Es ist nichts passiert«, sagte Dana. »Dein Vater hat keinen hochgekriegt!«

»Sag das nicht so brutal!« Björn griff erneut nach Neles Hand. »Wie hört sich das denn an?«

»Schlimm genug!«, erklärte Alex. »Das heißt nämlich, wenn er einen hochgekriegt hätte, wie du so schön sagst, dann wäre es auch passiert.«

»Für die gute Sache, ja.«

»Für die gute Sache?« Alex zog die Stirn kraus. »Für die gute Sache hättest du mit meinem Vater geschlafen? Spinnst du? Für welche gute Sache denn?«

Björn hob beide Hände. »Danas Großmutter hat ihr ganzes Geld an den sauberen Herrn Waschmüller verloren. Das wollte Dana mit dieser Aktion wiederbeschaffen.«

»Um wie viel Geld geht es denn?«

»250 000 Euro«, sagte Joe.

»250 000 Euro? Und der Fick wäre dir 250 000 Euro wert gewesen?«

Keiner sagte etwas.

»Und jetzt bezahlst du nicht, weil es nicht geklappt hat?«

»Völlig falsch!« Nele zeigte auf den kleinen Besuchertisch mit den beiden Stühlen. »Vielleicht setzt du dich besser.«

»Und du scheinst ja auch gut Bescheid zu wissen!« Alex funkelte seine Mutter an. »Eine riesige Scheiße ist das doch hier.«

»Du stehst mittendrin«, sagte Joe lapidar.

»Wir haben ihn erpresst«, erklärte Dana. »Alles war Absicht. Ihn kennenzulernen, ihn in die Sexfalle zu locken und mit den entsprechenden Fotos zu erpressen.«

»Und ich?«, wollte Alex von ihr wissen. »Was bin ich für dich?«

»Alex Schäfer«, sagte sie langsam. »Schäfers gibt es in Hessen wie Sand am Meer. Ich habe den Zusammenhang erst viel zu spät kapiert!«

»Du hast mich nie mit zu dir nach Hause genommen!«

»Konnte ich nicht«, sagte Dana. »War unmöglich! Sozialwohnung. Und meine Großmutter wollte in ihrem Elend nicht gesehen werden, das ist der ganze Grund.« Sie verzog das Gesicht. »Du mich übrigens auch nicht!«

»Ich wollte ja!«

»Das glaubst du doch selbst nicht. Ich bin doch nicht vorzeigbar! Keine Ausbildung, kein Studium, keine Perspektive, keine Designerklamotten, keine Kinderstube. Nur Abschaum!«

»Hör auf damit! Ich liebe dich!«

»Ja, prima«, vermerkte Björn, »damit wäre wenigstens das geklärt!«

»Und du hältst dich da raus!«, fuhr Alex ihn an. »Wir beide sind noch nicht miteinander fertig.«

»Was soll denn jetzt noch kommen?«, mischte Joe sich ein. »Dein Vater versucht gerade eine ziemliche Schweinerei zu klären. Du kannst stolz auf ihn sein.«

Nele sah von einem zum anderen.

»Stolz?« Alex musste lachen. »Das muss mir mal einer erklären!«

»Er war heute Morgen mit einem Care-Paket bei meiner Großmutter«, begann Dana.

»Wo?« Nele sah ihren Mann groß an.

»Bei meiner Großmutter«, wiederholte Dana. »In der Sozialwohnung. Mit Gänseleberpastete und Rotwein. Das hat sie mir erzählt, als ich vorhin zu Hause war. Und sie ist aufgeblüht. Sie hat plötzlich eine Perspektive. Das ist wunderbar!«

»Mein Mann, das heimliche Wunder.«

»Wie bist du überhaupt hierhergekommen?«, fragte Björn Dana.

»Ich habe ihr deine SMS weitergeleitet«, erklärte Alex. »Damit sie weiß, was passiert ist und wo ich bin. Und immerhin wollte ich sie euch ja vorstellen.«

»Ja, danke, das hat sich hiermit erledigt«, sagte Björn.

»Arschloch!« Alex funkelte ihn an.

»Jetzt sei halt nicht so empfindlich!« Joe schob Alex einen Stuhl hin und setzte sich auf den anderen. »Deine Mutter hat schon recht. Immerhin ist sie ja genauso betroffen wie du. Ist dir das schon mal aufgefallen?«

Alex warf seiner Mutter einen prüfenden Blick zu.

»Es gibt Schlimmeres«, sagte Nele und dachte an Enrique, wie gut, dass ich selbst nicht unschuldig bin. Ausgleich ist eben doch die beste Nervenmedizin.

Dana setzte sich hin, aber Alex blieb stehen.

»Wenn ich hier der Einzige bin, der bisher von überhaupt nichts wusste, dann könntet ihr mich jetzt vielleicht aufklären?«

Björn sah zu Dana. »Lange Geschichte«, sagte er. »Wer fängt an?«

»Setz dich wenigstens, Alex!« Nele zeigte auf den freien Stuhl hinter dem zweiten Bett. »Hol dir den. Ich weiß auch noch nicht alles. Und jetzt haben wir ja gerade alle Zeit.«

Alex nickte und holte den Stuhl, wenn auch mit unwilliger Mimik. Er setzte sich neben Dana und beugte sich etwas zu seiner Mutter vor. »Und was ist eigentlich mit diesem jungen Kerl, mit dem du da kürzlich im Bistro warst?«

»Mit wem?« Björn warf Nele einen fragenden Blick zu.

»Och, nichts«, wehrte Nele ab und spürte, wie ihr heiß wurde. Hoffentlich wurde sie nicht rot. »Ein paar Schüler und Schülerinnen.«

»Stimmt«, sagte Alex, »das war ja auch ein besonders großer Tisch.«

Nele vermied es, ihren Sohn anzusehen. »Ja, eben!«, bestätigte sie.

Drei Tage später wurde Nele entlassen. Sie trug eine Halskrause und sollte sich nicht anstrengen, also legte sie sich am Nachmittag in den Liegestuhl. Es war sonnig, und sie betrachtete das Leben in ihrem Garten. Der Frühling war einfach eine herrliche Jahreszeit, dachte sie, wenn wir Menschen nur auch diese Gabe hätten, im Herbst alles abzuwerfen und im Frühling neu zu beginnen.

Für den Abend hatten sich Alex und Dana angesagt. Alex

hatte noch Mühe mit Danas Sexattacke, aber zumindest hatte er im Krankenhaus zugehört und irgendwann sogar Verständnis bekundet. »Im Kopf ist es jetzt«, hatte er gesagt, »aber im Herzen ist es noch nicht angekommen. Das braucht Zeit.«

Dana hatte seine Hand gedrückt. »Du wirst sehen, wir werden eine ganz tolle Familie.«

Das brachte Nele und Björn dazu, sich einen schnellen Blick zuzuwerfen, und Alex stieß ein kurzes Lachen aus, das mehr nach einem Bellen klang: »Ich lass mich gern überraschen.«

Über all das dachte Nele nach. Über die seltsamen Zufälle im Leben, als ob da oben einer die Fäden zöge und seine Marionetten nach einem ganz bestimmten Drehbuch tanzen ließe. War man wirklich selbstbestimmt? Oder eben doch Teil eines großen Ganzen? Vielleicht sollte sie an der VHS nicht nur lehren, sondern auch lernen? Wie wäre es mit einem Philosophiekurs, dachte sie und schlief über diesem Gedanken ein.

Sie wachte auf, weil es an der Haustür klingelte. Wie oft schon? Keine Ahnung. Sie brauchte kurz, um aus der Schwere ihres Traumes zurückzufinden. Draußen stand Enrique mit einem Blumenstrauß in der Hand.

»Enrique ...?« Was machst denn du da, hätte sie am liebsten gefragt, und ihr nächster Gedanke war: Hätte ich bloß nicht aufgemacht. Aber jetzt stand er vor ihr. Leibhaftig, in Jeans und weißem Hemd und diesem männlichen Ausdruck in seinem schönen Gesicht.

»Ich musste nach dir sehen«, sagte er. »Deine Kurse wurden gestern von einem Kollegen übernommen, und wir waren alle in Sorge, als wir von deinem Unfall hörten.« Er streckte ihr den blass rosafarbenen Tulpenstrauß entgegen. »Ich besonders!«

»Komm rein«, sagte sie. »Ich bin erst vor wenigen Stunden aus dem Krankenhaus entlassen worden, also ...«, sie zeigte auf ihren Hausanzug und die Halskrause, »noch nicht wirklich besuchsfein.«

»Ich bin auch kein Besuch«, sagte er. »Für mich musst du dich nicht fein machen.«

Was bist du, wenn du kein Besuch bist?, dachte Nele und ging ihm voraus in den Garten. »Magst du einen Kaffee? Mir wäre es jetzt danach …«

»Gern.«

Er sah sich um und rückte den kleinen Eisentisch und die beiden Stühle von der Veranda in die letzte Sonne.

»So?«, fragte er, und Nele nickte. Jedenfalls war er praktisch veranlagt, dachte sie, das konnte man nicht von jedem Mann behaupten.

In der Küche sah sie auf die Uhr. Sechzehn Uhr, das war noch in Ordnung. Björn war unterwegs, weil einer ihrer Mieter Probleme mit der Toilettenspülung hatte und Björn der Meinung war, dass er das selbst in den Griff bekommen könnte. Alex wollte mit Dana erst gegen sieben aufkreuzen. Sie hatten also gut zwei Stunden für sich. Trotzdem seltsam, dachte sie, dass er so einfach kam. Schließlich hätte auch Björn ihm die Türe öffnen können, was dann?

Nele bediente den Kaffeeautomaten und beobachtete, wie die Milch schaumig wurde. Was könnte Enrique hier wollen? Sie stellte eine Vase für die Blumen, die beiden Cappuccini und eine Schale mit Leckereien auf ein Tablett und ging in den Garten zurück. Ganz wohl war ihr dabei nicht. Enrique sah ihr erwartungsvoll entgegen, doch kaum hatte sie das Tablett auf dem Tisch abgestellt, klingelte es schon wieder.

»Besuchstag?«, fragte Enrique, und Nele zuckte mit den Achseln. »Scheint so.«

In der Tür standen Jutta und Jasmin. Die eine mit einer dunkelroten Baccara-Rose, die andere mit einer Flasche Sekt. »Gekühlt«, sagte sie dazu.

»Phantastisch«, lobte Nele.

»Ins Krankenhaus haben wir es leider nicht geschafft«, erklärte Jasmin, »aber heute konnten wir beide früher los …«

»Stören wir?«, wollte Jutta wissen.

»Nein.« Nele küsste beide. »Es passt wunderbar, kommt rein.«

Enrique hatte die Tulpen in der Vase arrangiert und die beiden Tassen vom Tablett genommen, als Jasmin und Jutta auf die Veranda traten. Nele entging nicht, wie die beiden sich einen Blick zuwarfen.

»Das ist Enrique«, stellte sie den Puerto Ricaner vor, »und das sind meine besten Freundinnen, Jasmin und Jutta.«

»Also doch Besuchstag«, sagte Enrique und gab beiden lächelnd die Hand.

»Ich hole Gläser.« Nele deutete auf die Flasche, die Jutta nun auf den Tisch neben die Tulpen stellte.

»Ich komm mit.« Jutta lief neben ihr ins Haus zurück. »Was ist denn das für ein Schnittchen?«

»Ein was?«

»Ein Sahneschnittchen, mein lieber Mann. So was sollte mir mal über den Weg laufen.«

»Tut er doch gerade ...«

»Ich nehme mal an, da hast du die Hand drauf?«

Nele musste lachen. »Frag ihn doch!«

Sie setzten sich zu viert an den kleinen Tisch, stellten die beiden Blumenvasen mit den Tulpen und der einzelnen Rose auf den Boden und stießen an.

»Schöner Zufall«, sagte Nele. »Da werde ich direkt blitzartig gesund! Ich spür's schon.«

»Kribbelt es überall?«, fragte Enrique, und Jutta grinste. Eine Spur zu wissend, fand Nele, aber warum auch nicht, schließlich waren es ihre besten Freundinnen.

»Und was machst du so?«, wollte Jasmin von Enrique wissen.

»Ich wollte eben Nele nach Puerto Rico einladen.«

»Nach ... was?« Nele sah ihn überrascht an. Er schenkte ihr einen tiefen Blick, und Nele spürte, wie ihr Herz schneller schlug. »Wieso?«, fragte sie nach.

»Weil ich dir mein Land zeigen wollte.«

»Ja, super!«, sagte Jasmin sofort. »An wie viele Frauen hast du dabei gedacht?«

»Eigentlich nur an eine …«

»Lässt sich das nicht erweitern?«, schaltete sich Jutta ein.

»Puerto Rico. Da kommst du also her?«

Enrique löste seinen Blick von Nele und nickte Jutta zu. »Genau!«

»Salsa, Merengue, Guaguanco und Yambó! Phantastisch!« Jutta begann ihren Körper im Sitzen rhythmisch zu bewegen und wedelte wie die göttliche Shiva mit mindestens vier Armen.

»Du kennst dich aus?« Enrique betrachtete sie lächelnd.

»Klar! Den Tanzkurs wollte ich mit meinem Mann machen, er war aber leider völlig unbegabt!«

»Ach je. Und dann?«

»Dann habe ich mich scheiden lassen!«

Enrique musste lachen, und Jasmin schüttelte den Kopf. »Nicht zu fassen«, sagte sie. »So ein Unglück!«

»Puerto Rico ist ein super interessantes Land«, sagte Jutta zu Nele und hob ihr Glas. »Du Glückliche!«

»Was wissen Sie denn über Puerto Rico?«, wollte Enrique wissen.

»Zumindest weiß ich mehr über Puerto Rico als über Sie …«, antwortete sie lächelnd. »Was beispielsweise machen Sie in Deutschland? Und zudem bei unserer besten Freundin?«

»Er ist in meinem Deutschkurs«, sagte Nele schnell.

»Und wo sind die anderen aus deinem Deutschkurs?« Jutta schaute sich übertrieben um. »Ich sehe nur den einen.«

Enrique wartete ab, bis sie ihn anschaute. »Nicht jeder traut sich zu einer schönen Frau«, sagte er.

»Aha!« Jutta nickte Nele zu. »Das war deutlich!«

»Aber trotzdem«, sagte Jasmin. »Warum verlässt man eine

so schöne karibische Insel, um ins kalte Deutschland zu kommen?«

»Ich studiere hier. Wirtschaftsingenieurwesen. Und sobald ich meinen Abschluss habe, gehe ich zurück.«

»Aber warum gerade Deutschland?«, wollte Jasmin wissen.

»Gute Frage.« Enrique nahm beim Erklären seine Hände zu Hilfe. »Deutschland ist auf dem Gebiet weit vorn. Es gibt deutsche Firmen wie beispielsweise Sartorius. Sartorius fertigt Labor- und Prozesstechnologie. Wir haben selbst über hundert Hochschulen, und der Wettbewerb ist groß. Aber ich möchte die Dinge von außen aufrollen. Halb Europa ist auf unserer Insel vertreten.«

Jasmin sah ihn an. »Ihr gehört doch zu den USA, aber nicht richtig, ist es so?«

»Wir gelten seit 1917 als US-Amerikaner. Amtssprache ist deshalb Englisch, aber durch die spanische Besetzung sprechen wir vor allem Spanisch. Aber wir haben weder Stimmrechte im Kongress noch bei der Wahl des Präsidenten. Eine Volksabstimmung möchte, dass wir voll anerkannt und damit der 51. amerikanische Bundesstaat werden. Die amerikanische Regierung würde das unterstützen, aber es ist noch nicht so weit.«

Jutta warf Nele einen bedeutungsvollen Blick zu. »Das würde für die Weltwirtschaft ja spannend werden.«

Enrique fuhr fort. »Es ist insgesamt spannend. Bisher haben amerikanische Firmen von Steuererleichterungen profitiert, wenn sie sich bei uns angesiedelt haben. Und das waren vor allem viele Pharmafirmen.«

»Donnerwetter«, sagte Jutta.

Jasmin warf ihr einen Blick zu. »Warst du nicht gerade bei der leichtfüßigen Variante? Salsa und so?«

»Salsa unter puerto-ricanischem Sternenhimmel, ganz genau«, sagte Jutta. »Barfüßig unter Palmen im Sand, Mädels, ist das eine Option?«

»Wolltest du nicht nach Mauritius?«, fragte Nele.

»Kann man seine Meinung nicht ändern?«

In diesem Moment hörten sie einen Wagen vorfahren, und wenige Augenblicke später stand Björn in der Verandatür.

»Ah, Besuch?« Dann entdeckte er Enrique. »Und was macht der hier?«

Jutta stand auf und legte eine Hand auf Enriques Schulter. »Guten Tag, Björn, schön, dich zu sehen!«

Björn betrachtete sie, sagte aber nichts.

»Darf ich dir Enrique vorstellen?«, fragte sie. »Er kennt die Wirtschaft auf Puerto Rico sehr gut und hat gute Ideen!« Ihre Augen bohrten sich in seine.

»Ähm.« Björn räusperte sich. »Es kommt mir vor, als hätten wir uns schon mal gesehen.«

Enrique erhob sich nun ebenfalls und streckte Björn die Hand entgegen. »Ja, in Ihrer Küche. Wir machen einen Krankenbesuch.«

»Ihr alle drei?« Björn schlug ein, sah aber an ihm vorbei zu Jasmin. Jasmin stand ebenfalls auf. »Klar. Wir kennen uns schon lange. Wo liegt das Problem?«

Björn nickte Enrique zu, während er seine Hand losließ, und Jasmin bot ihm ihre Wangen zum Begrüßungskuss.

»Problem?« Björn küsste sie und sah dabei zu Nele. »Schön, dass ihr da seid«, sagte er.

Nele lächelte ihm zu.

»Und wie geht es dir, Liebling?«, wollte er wissen.

»Bei so vielen Freunden, die sich um mich kümmern … gut!«

Er küsste sie auf den Mund und nahm die leere Sektflasche hoch. »Soll ich noch eine holen?«

»Nur zu«, sagte Jutta.

»Gern«, schloss sich Jasmin an.

»Wenn ich …«

Björn sah Enrique an: »Ja?«

Enrique vollendete seinen Satz: »… vielleicht ein Bier haben könnte?«

»Endlich ein Kerl im Haus!«, sagte Björn und ging in die Küche.

»Gut gemacht.« Nele grinste Jutta an.

»Wozu sind Freunde da …« Jasmin zwinkerte ihr zu.

»Und nur, damit du es weißt, Enrique, jetzt hast du drei an der Backe!« Jutta hatte sich wieder gesetzt und legte ihre Hand auf seinen Arm. »Und glaub nicht, dass das ein Zuckerschlecken wird.«

»Mit Zucker kenne ich mich aus«, erklärte er.

»Ach ja?« Nele legte den Kopf schief.

»Wir bauen Zuckerrohr an. Kann man Bacardi draus machen.«

Jasmin klopfte auf den Tisch. »Ja, klar. Für Rum braucht man Zuckerrohr. Ihr müsstet ja eigentlich eine reiche Insel sein, bei all den Exporten.«

»Wir sind es nicht, aber wir arbeiten dran.« Er grinste. »Ich zumindest.«

»Wie gut kennst du dich mit der Wirtschaft dort aus?« Jutta drehte ihren Stuhl zu ihm um. »Also ernsthaft. Ich frage das nicht nur so zum Plausch. Wir haben hier eine gemeinsame Mission, das kann dir Nele mal in einer stillen Stunde erklären, und ich arbeite bei einer Bank. Von dir bräuchte ich eine erste Einschätzung, den Rest kann ich selbst recherchieren.«

»Und worum geht es?« Er sah sie mit unbewegter Miene an.

»Um die Wiedergutmachung an einer alten Frau, die auf einen Anlagebetrüger hereingefallen ist.«

Enrique überlegte. »Ich habe ein paar Freunde in San Juan, unserer Hauptstadt. Sie sind politisch aktiv, die kennen sich aus. Auch mit der Wirtschaft.«

»Du wirst mir zusehends sympathischer.« Jutta warf ihre blonden Haare nach hinten.

Björn kam mit zwei Flaschen Bier, einem Flaschenöffner

und einer Flasche Champagner zurück. »Den habe ich eigentlich für heute Abend gekauft.« Er stellte den Champagner auf den Tisch. »Sekt habe ich so schnell nicht gefunden.« Er reichte Enrique die Bierflasche. »Brauchen Sie ein Glas?«

»Ich jobbe auf dem Bau«, erklärte Enrique und öffnete die Flasche an der Tischkante.

»So unter Männern«, sagte Björn und hielt ihm seine Flasche zum Anstoßen hin. »Ich hab ja nichts gegen Sie. Aber läuft da was mit meiner Frau?«

»Nele!« Juttas Ton klang entsetzt. »Sag, dass das nicht wahr ist! Hast du es etwa auf meinen Freund abgesehen?«

»Du?« Björn musterte sie.

»Ja! Hast *du* etwa jemals im Mondschein Salsa getanzt?«

»Ich?« Björn schüttelte sich. »Gott bewahre!«

»Ja, also. Siehst du«, lächelte Jutta süffisant. »Deutsche Männer sind nichts für mich!«

Als alle weg waren, die Sonne untergegangen und es draußen kalt geworden war, hatte sich Nele auf die Couch gelegt und hätte am liebsten geschlafen. Björn kam mit einem Glas Mineralwasser zu ihr. »Du hättest eigentlich gar keinen Alkohol trinken dürfen«, sagte er, »das verträgt sich mit deinen Medikamenten sicherlich nicht.«

»Die beste Medizin ist gute Laune. Und die hatte ich heute Nachmittag.«

Er nickte. »Ich bin gespannt, was Jutta da ausheckt. Es sei noch besser als die Firma, die sie zuerst ins Auge gefasst habe.«

»Das hat sie dir gesagt?«

Björn nickte. »Ich sag dir ja, das ist eine ganz Toughe. Aber jetzt … mit diesem Inselhelden?«

»Was ist damit?«

»Nun, der ist ja gut fünfzehn Jahre jünger als sie.«

Nele sagte nichts, sie sah ihn nur an.

»Was ist?«, wollte er wissen.

»Nur so, zur Erinnerung«, sagte sie. »Gleich kommt die Freundin deines Sohnes. Die ist 25. Du bist 48.«

»So ist das«, sagte er. »Für Alex ist sie reif. Nämlich drei Jahre älter. Für mich ist sie jung.«

»Dreiundzwanzig Jahre Unterschied, mein Schatz. Und da redest du über Jutta?«

»Aber Jutta ist eine Frau!«

»Jetzt werde nicht altmodisch.«

Björn setzte sich ihr gegenüber in den Sessel.

»Wie soll denn das in Zukunft gehen?«, ereiferte er sich. »Wenn Frauen nach jüngeren Männern schauen? Wo bleiben dann wir, wir Arrivierten?«

»Zu Hause vielleicht, bei ihren eigenen Frauen?«

»Ha ha, sehr witzig!« Er legte seine Beine auf den Couchtisch. »Können wir heute Abend nicht absagen? Der Champagner ist getrunken, und ich habe, ehrlich gesagt, überhaupt keine Lust auf anstrengenden Besuch.«

»Es sind dein Sohn und seine große Liebe.«

»Ich hoffe nur, dass das gut geht und dass er nicht irgendwo noch eine andere Knarre ausgegraben hat.«

»Björn! Es ist dein Sohn!«

»Ja! Gerade deshalb!«

Seltsam war es schon, dass musste sogar Nele zugeben, die seit dem Nachmittag beschlossen hatte, nichts mehr wirklich ernst zu nehmen. Klar hatten ihre Freundinnen toll geholfen, von Enrique und ihr abgelenkt. Aber war da wirklich jeder Eigennutz auszuschließen? Während Nele auf der Couch lag, dachte sie darüber nach, was sie empfinden würde, wenn Enrique tatsächlich plötzlich Juttas Freund wäre. Ihr Liebhaber. Der, der ihre Zehen hinaufkroch, langsam, sinnlich? Es kostete sie Anstrengung, das gut zu finden. Und nun kam die nächste Prüfung: Dana!

Es ging erstaunlich gut. Dana erzählte: von ihrem Leben, von ihrer behüteten Kindheit, dem Gymnasium, den Chancen – dann der Tod der Eltern, die Ängste, die Einsamkeit, das Klammern an die einzige Person, ihre Großmutter, die Erkrankung der Großmutter, extreme Verlustängste, die Bemühungen ihrer »Onkels«, bei denen sie erst später auf die Motive stieß. Ablenkung durch Jungs, durch wilde, pubertäre Geschichten, dann die Erkenntnis, dass die Großmutter durch Waschmüllers Tricks plötzlich bettelarm war. Der Kampf gegen die Zwangsversteigerung des Hauses, in dem ihre Großmutter so viele Jahre mit ihrem Mann verbracht hatte. Und dazu die Krankheit. Die erste erfolglose Operation, Dana flog mit nach Amerika, um sich dort über die Preise für eine Coil-Implantation zu informieren, und erfuhr, dass die amerikanischen Patienten ihrerseits nach Stuttgart zu den Lungenspezialisten fliegen. Also brachte auch das keine Lösung. Auf dem Flug trafen sie Björn und begriffen ihn als Chance, um an Geld zu kommen.

»Und ich?«, fragte Alex. »Wo bleibe ich in deiner Geschichte?«

»In dich habe ich mich verliebt, wollte es aber nicht. Du warst so weit weg von dem, was ich bin. Du warst genau das, was ich geworden wäre, wenn mein Lebensweg gerade verlaufen wäre. Eigentlich warst du für mich das Spiegelbild dessen, was ich verloren habe.«

»Deshalb diese Distanz, deine Empfindlichkeiten. Du wolltest es mir leicht machen. Wenn du dich unmöglich aufgeführt hast, dann hast du es absichtlich getan. Ich sollte von meiner Seite die Beziehung beenden, war es so?«

»Ich habe so viel Pech in meinem Leben gehabt, ich konnte dem Glück nicht trauen. In meinem Kopf war da eine Stimme, die mir sagte: Schau es dir an, aber du wirst es nicht haben. In dem Moment, in dem du glücklich bist, wird dir das Glück entzogen werden!«

Nele und Björn sagten nichts. Sie saßen am Esstisch, alle Teller waren leer, aber das Geschirr stand noch da. Nele wollte Dana nicht unterbrechen. Sie füllte einfach die Gläser und dachte über sich selbst nach. Sie hatte Glück gehabt. Und trotzdem spielte sie mit diesem Glück. Sie warf Björn einen Blick zu, und er griff nach ihrer Hand.

»Ich habe einfach nichts verstanden«, sagte Alex leise, »und ich dachte, wenn ich ein Mädchen liebe, muss das doch genug sein. Aber du hast mich nicht an dich rangelassen. Ich habe diese Distanz genau gespürt, selbst wenn wir uns körperlich nah waren, warst du auf dem Rückzug. Das tat unendlich weh, weil ich es nicht verstanden habe.«

Dana beugte sich zu ihm hinüber und küsste ihn auf den Mund. »Ich wollte das mit mir selbst ausmachen. Es war mein Leben, es waren meine Probleme, und es ist meine Großmutter. Ich wollte die Lösung alleine finden. Es wäre nicht richtig gewesen, dich da hineinzuziehen – und wie hättest du mich auch verstehen können …?«

»Es wäre auf einen Versuch angekommen.« Er legte seine Wange an ihre. »Aber ich bin dankbar, dass ich es nun weiß.«

Nele zupfte an ihrer Halskrause. »Wenn ihr beide euch so einig seid«, sagte sie, denn jetzt war der Rührung genug, »dann wäre es Zeit fürs Dessert. Steht bereits im Gefrierschrank, eine kleine Eisbombe. Und wenn ihr schon geht, dann nehmt das Geschirr mit, Mutter ist heute außer Dienst.«

Sie grinste, und als Björn bekräftigend nickte, sagte sie: »Und du könntest mal flugs in den Keller gehen, im Getränkekühlschrank steht noch eine Flasche Champagner. Von Weihnachten. Die sollten wir jetzt endlich öffnen, bevor sie schlecht wird!«

Der Frühling kam mit aller Macht. Björn trug alle Gartentische, Bänke und Liegestühle nach draußen, während Nele ihm sagte, wohin sie gehörten. Ihre Halskrause brauchte sie zwar nicht mehr, aber es war doch fein, noch ein bisschen auf das Schleudertrauma verweisen zu können. Es waren zwei fast ereignislose Wochen vergangen. Sie war noch krankgeschrieben, aber Enrique hatte ihr gesimst, dass er den Deutschkurs beendet habe. Der männliche Ersatzlehrer sei nicht sein Ding, und außerdem komme er jetzt in die heiße Phase seines Studiums. Nele war sich nicht so sicher, ob sich das nicht nach einer Ausrede anhörte. Wenn einer plötzlich keine Zeit mehr hatte, sprach doch viel für eine andere Beschäftigung. Sie verbot sich, darüber nachzudenken, aber zwischendurch stahlen sich eben doch Vermutungen in ihr Hirn, die ihr nicht gefielen. Jutta war da offener. Sie rief an und erzählte, dass Enrique für diese Sache ein echter Gewinn sei. Sie hätten eine Pharmafirma gefunden, und jetzt müssten sie sich demnächst mit Björn treffen, um die Strategie abzustimmen. Ihr Jagdinstinkt war geweckt, sagte Jutta lachend. Das gäbe Aufwind und würde sie verjüngen. Nele verkniff sich eine Bemerkung, aber sie rief Björn an.

»Björn«, sagte sie. »Ich muss was tun. Ich fühle mich total nutzlos in meinen vier Wänden.«

»Dann unternimm was mit mir!«

»Was denn?«

»Den ersten schönen Frühlingsausflug auf dem Motorrad!«

»Liebling, ich bin keine zwanzig mehr.«

»Aber auch noch keine achtzig. Wo ist das Problem?«

Ja, wo war eigentlich das Problem? Sie hatte eine Unlustphase, stellte sie fest. Nichts konnte sie wirklich reizen.

»Ich hol dich ab!«, sagte er.

»Und dann?«

»Dann kaufen wir sie uns!«

Das war es also. Er hatte diese Harley in seinem Kopf. Schlimmer als eine Geliebte, dachte sie. »Können wir nicht einfach ein paar Tage wegfahren, in die Berge? Ans Meer? Irgendwohin?«

»Tolle Idee. Dann kaufe ich auch noch die passenden Sattel-taschen.«

»Björn. Bitte! Ich meine mit dem Auto. Oder wegfliegen. Irgendwas.«

»Wenn du eine Aufgabe brauchst, warum siehst du nicht nach Lotte Gruhler?«

»Ich brauch keine Arbeit, ich brauch einen Ausgleich!«

»Ausgleich für was?«

Ja, für was? Sie war so unzufrieden, sie hätte heulen können.

»Nele. Es gibt heute einen besonderen Anlass. Ich freu mich drauf. Noch mehr würde ich mich freuen, wenn du dabei wärst!«

»Was denn für einen Anlass?«

»Lass dich einfach mal überraschen!«

Nele zögerte. »Wie heißen diese Kerle noch gleich?«

»The Big Five.«

»Ja, toll. So ein Ausflug hat schon einmal zwei Menschen-leben gekostet.«

»Nele. Ich fühle mich wohl mit ihnen. Sie sind geerdet und anständig ...«

»Ha, ha. Sie haben dich erpresst ...«

»Sie wollten eine Schuld begleichen. Und ich kümmere mich um Lotte Gruhler und habe ein gutes Gefühl dabei. Ich tu etwas. Es tut mir gut, verstehst du?«

Nele war von ihrem Sessel am Fenster aufgestanden und tigerte mit dem Handy am Ohr durchs Haus. Sie konnte sich ja selbst nicht leiden. »Nele, ich hol dich jetzt ab! Zieh dir eine Jeans an und eine warme Jacke, in zwanzig Minuten bin ich da.«

Die warmen Jacken hatte sie bereits in ihrem Winterschrank verstaut. Der stand in der kleinen Einliegerwohnung, die sie aus Steuergründen möbliert hatten. Sie ging ebenerdig nach hinten zum Garten hinaus und war ursprünglich für Alex gedacht gewesen, aber der wollte zum Studium in die City ziehen. Seither war sie zwar mit Küchenzeile, Bett, Esstisch und Couchgarnitur eingerichtet, aber sie stand leer. Manchmal quartierten sie Besuch dort ein, aber das war eher selten. Nele drehte sich um ihre eigene Achse. Die Räume bekamen schon diesen seltsamen Geruch, den unbewohnte Zimmer annahmen. Sie ließ regelmäßig die kleine Geschirrspülmaschine laufen, drehte die Dusche auf und betätigte zwischendurch die Toilettenspülung, aber gut tat es dieser Wohnung nicht. Ein Gedanke begann sich einzunisten, den sie noch von sich fernhielt.

Draußen fuhr Björn vor. Er sprang aus dem Auto und sah so unternehmungslustig aus, dass sich Nele fast schämte. Sie war eindeutig die Ältere.

»Ich freu mich!«, sagte er, und es war ihm anzusehen, dass er es ernst meinte. Seine gute Laune kam aus allen Poren. »Ich freu mich, dass du mitkommst!«

Er hielt ihr die Beifahrertür auf und warf einen Blick auf ihre Füße. »Gut«, sagte er, »heute keine High Heels!« Er lachte und schloss die Tür so gut gelaunt, dass sie fast schon wieder misstrauisch wurde.

»Was ist los?«, fragte sie, nachdem er losgefahren war.

»Wie gesagt«, sagte er. »Überraschung!«

»Oje.«

»Lass es auf dich zukommen. Die Sonne lacht, unser Sohn ist glücklich, die ganze verfahrene Situation hat sich geklärt. Jutta und ihr karibischer Boyfriend machen sich gut, sie scheinen sich gegenseitig zu inspirieren, sie haben echt gute Ideen. Alles ist im Fluss, und entschuldige«, er legte seine Hand kurz auf ihren Oberschenkel, »dass ich dich im Verdacht hatte. Kurze Zeit habe ich gedacht, dass du einen Geliebten hast. Jetzt bin ich froh! Wir haben uns, das ist alles, was zählt!«

Nele warf ihm einen kurzen Blick zu.

»Das ist alles, was zählt? Das hättest du vor Kurzem noch nicht gesagt.«

»Mag sein.« Offensichtlich war er entschlossen, sich heute durch nichts aus der Ruhe bringen zu lassen. »Aber die Erkenntnis, dass es gut ist, wie es ist, ist doch auch etwas.«

»Und Alex?«

»Mit Alex habe ich mich zu einem Männergespräch getroffen, und er hatte in vielem recht. Es ist spät, aber noch nicht zu spät!«

Nele holte tief Luft. Übrig blieb sie. Alex war glücklich, Jutta war glücklich, Enrique schien glücklich, wenn auch nicht mit ihr, überall war das Glück eingezogen. Es war zum Kotzen!

»Lässt du dich einfach mal fallen? So ganz ohne Widerstand und Widerspruch?«

»Bin ich so eine Spielverderberin?«

»Ich sag's mal so: Wir könnten es wie Jutta und Enrique oder Alex und Dana machen und die Welt neu entdecken.«

»Mir gefällt eben meine alte Welt.«

»Das ist genau das Problem. Du musst mal raus.«

Nele dachte an Enrique. Sie war schon draußen gewesen. Aber hing so ein Gefühl von einem Liebhaber ab? Sollte sie nicht nach vorn sehen und sich öffnen?

»Leg dein Korsett ab. Du brauchst das nicht«, sagte er beschwörend. »Wir sind frei in all unseren Entscheidungen. Und wenn wir morgen früh Spaß daran finden, am Nachmittag nach Honolulu zu fliegen, warum nicht!«

»Ich muss mich daran gewöhnen. Mir hat meine kleine, geordnete Welt eben gefallen. Ich habe mich darin wohlgefühlt.«

»Aber es ist nicht meine Welt, Nele. Ich ersticke in so einer kleinen Welt. Ich muss was tun, etwas bewegen. Und selbst«, er grinste, »wenn es nur eine Harley ist. Ich kann nicht zu Hause sitzen, ich habe es versucht, aber ich verstaube und vertrockne!«

»Apropos verstauben«, sagte Nele, »da ist mir vorhin ein Gedanke gekommen.«

Und während sich Björn durch den Verkehr schlängelte, fragte Nele, ob sie nicht ihre Einliegerwohnung aktivieren sollten?

»Wie meinst du das?«, wollte Björn wissen.

»Ja, bis ihr eure ganzen Transaktionen abgeschlossen habt«, sagte sie, »und wer weiß, ob es überhaupt klappt, wäre die Wohnung in der Zwischenzeit keine Option für deine Lotte? Jetzt, wo es Frühling ist? Mit Garten statt in diesem Plattenbau im fünften Stock?«

Björn sah sie erstaunt an. »Aber du kennst sie doch gar nicht.«

»Ich soll mich doch öffnen. Also bitte, das ist mein erster Schritt!«

»Donnerwetter, Nele.« Er lachte. »Spitzenidee. Wäre ich nie drauf gekommen. Aber ich gehe sowieso davon aus, dass die beiden in kurzer Zeit umziehen können.«

»Glaubst du.«

»Ja, glaub ich.«

Die Fat Boy stand draußen in der Sonne, und Björn klopfte auf den Sattel. »Steig einfach mal auf. Nur so fürs Feeling.«

Nele kniff ihn in den Oberarm. »Die hast du doch schon gekauft. Komm, gib's doch zu!«

»Nur wenn du mit mir ins Grüne fährst. Deine Arme um mich, ganz eng, ganz fest!«

»Ich werde trotzdem frieren.«

»Ja, siehst du, daran habe ich auch gedacht.«

Er streckte ihr die Hand hin, und gemeinsam gingen sie in die Bekleidungsabteilung.

»Das ist meine Frau«, stellte Björn Nele vor, als er von einer Verkäuferin mit Namen begrüßt wurde.

»Ja, schön«, sagte sie, »dann wollen wir mal sehen.«

»Dann wollen wir mal sehen?« Nele warf Björn einen zweifelnden Blick zu.

»Wir haben schon etwas für Sie herausgesucht«, klärte die

junge Frau sie auf und führte Nele in eine Umkleidekabine. Wildlederhose, passende Lederjacke und Helm. Alles lag bereit.

»Ich dachte, Schwarz würdest du nicht haben wollen«, sagte Björn. »Aber hellbraunes Leder steht dir gut.«

In Neles Brust kämpften zwei Seelen. Die eine sagte: Nie im Leben, die andere: Versuch's zumindest.

»Also gut.« Sie gab sich einen Ruck. »Und wo fahren wir hin?«

»Da muss ich dir was beichten …«

Björn sah ihren Gesichtsausdruck und musste lachen. »Nein, nichts Dramatisches. Lotte Gruhler hat heute Geburtstag, und die Jungs haben sie entführt. Mitsamt ihrer Sauerstoffflasche auf einem Stuhl die Treppen hinunter in Joes Sprinter getragen. Dana fährt den Wagen, die anderen kommen mit den Harleys. Und mein Wunsch ist, dass du dabei bist.«

»Aber nicht in dieses komische Vereinsheim mitten auf dem Schrottplatz, von dem du erzählt hast.«

»Nein, dort machen sie nur eine Ehrenrunde, weil es ja schließlich mal ihr Schrottplatz war. Sie haben einen schönen Gasthof gefunden, im Grünen gelegen, das richtige Ziel an einem so herrlichen Tag!«

Es war nicht zu fassen, wie er strahlte.

»Na gut«, willigte Nele ein.

Björn nahm sie in den Arm und küsste sie. »Liebling, du machst mich glücklich!«

Nele bezweifelte, das dies auch für sie gelten würde, aber als sie wenig später hinter ihm auf der Harley saß, sich an seinen breiten Rücken lehnte, das Vibrieren der Maschine spürte, dem Klang des Motors lauschte und sich einfach fallen ließ, entdeckte sie nach einer Weile, dass sie lächelte. Sie fuhren gemütlich aus Frankfurt hinaus über kleine Landstraßen und durch verschlafene Ortschaften hindurch. Die Sonne wärmte sie, die Wiesen waren mit gelben Blumen gesprenkelt, die

Bäume blühten, und es roch überall nach Frühling. Trotz des Motors hörte Nele die unterschiedlichsten Vogelstimmen, und sie fühlte sich wie mitten in der Natur.

Björn fuhr langsam und sicher, es war eine Fahrt für den Genuss und die Sinne, und er spürte, wie sich Nele in seinem Rücken entspannte, wie der feste Griff ihrer Hände nachließ und sie schließlich ihren Kopf an seinen Rücken lehnte. Er lächelte. Es war ein Anfang, dachte er. Der Anfang für eine neue Gemeinsamkeit.

Er fuhr einige Umwege, bis sie schließlich an ein großes Fachwerkgebäude kamen, ganz im Grünen gelegen, eingebettet in sanfte Hügel und umgeben von Obstbäumen. Es sah malerisch aus, und ohne Gasthausschild hätte man es für privat halten können. Davor standen neben einem weißen Sprinter zehn Harleys säuberlich in Reih und Glied.

Björn parkte ganz außen, darauf bedacht, die Reihe einzuhalten.

»Du hast mir noch nicht gesagt, ob wir sie haben wollen?«

»Ich hätte geschworen, sie gehört dir schon.«

Sie waren abgestiegen und öffneten ihre Helme.

»Du siehst toll aus als Rockerbraut!« Björn nahm ihr den Helm ab und küsste sie.

»Und du kommst mir vor wie zwanzig!«

»Danke! So fühle ich mich auch!«

Er nahm sie um die Taille, und gemeinsam gingen sie hinein, durch die leere Wirtschaft hindurch nach hinten hinaus in den Garten.

Eine lange Tafel war weiß eingedeckt worden, sie sah romantisch aus, so im Grünen und von den Bäumen beschattet. Am Tischende saß Lotte, frisch vom Friseur und in einem hübschen Kostüm. Sie winkte, als sie Björn sah.

Die anderen drehten sich nach ihnen um und riefen ihnen zu. Sie hatten alle bereits ein Getränk vor sich, und diesmal waren auch ihre Frauen mit dabei. Am Tischende rechts und links neben Lotte saßen Dana und Alex, die nun beide aufstanden.

»Ich glaub's nicht«, sagte Nele. »Da hat sich ja richtig was getan …«

»Ja«, entgegnete Björn leise, »der Junge hat wieder Freude am Leben!«

Sie gingen zu Lotte, um ihr zu gratulieren.

»Schön, dass ich Sie nun auch kennenlerne«, erklärte Lotte und schüttelte Neles Hand. Sie strahlte, und ihre Augen leuchteten.

»Ja, das freut mich auch«, entgegnete Nele, gratulierte und registrierte die Sauerstoffflasche, die an Lottes Armlehne hing.

Björn beugte sich zu ihr hinunter und drückte ihr einen Wangenkuss auf. »Alles Liebe, Lotte«, sagte er. »Auf deine nächsten zwanzig Jahre!«

»Hundert will ich eigentlich nicht werden«, sagte sie.

»Wirst du aber müssen«, entgegnete Björn.

Und dann brachten Gerd und Lesley ein großes Paket aus dem Haus.

»Das erste Möbelstück für deine neue Wohnung«, erklärte Björn. »Damit du das Weltgeschehen gut verfolgen kannst. Und auch vielleicht den einen oder anderen Unterhaltungsfilm.«

Dana zauberte einen Blumenstrauß hervor, und sie sangen mehrstimmig und im Kanon ein Geburtstagsständchen.

Das Essen kam, und Nele begann sich wohlzufühlen. Einige kannte sie ja schon von ihrem ungewollten Gartenfest an jenem denkwürdigen Sonntag, die anderen waren neu, aber sie fand sowieso, dass Joes Frau, die neben ihr saß, ganz unterhaltsam war. Lotte erzählte einige Schwänke aus ihrem Leben, und Nele ließ sich von der allgemeinen Fröhlichkeit anstecken, zumal sie ihrem Sohn ansah, wie verliebt er war. Wie schön, ihn so zu sehen! Es gab drei Gänge, und nach dem Nachtisch wollten alle gemeinsam aufbrechen.

Björn legte seinen Arm um Neles Schulter.

»Es ist heute vor allem für mich ein Freudentag«, sagte er. »Dass du jemals mit mir Harley fahren würdest, hätte ich nie zu träumen gewagt.«

»Du hast es ja auch schlau eingefädelt«, sagte sie und knuffte ihn in die Seite.

»Und ich weiß auch, wie so ein Motorrad funktioniert ...«, gab er ein bisschen an.

»Hast du wieder heimlich einen Kurs gemacht?«

Er lachte. »Ja, diesmal bei Joe.«

In diesem Moment klopfte sein Handy in der Brusttasche. Er zog es heraus. »Jutta«, sagte er und öffnete die Nachricht.

»Hi Björn. Wie besprochen: Die betreffende Firma steht, die Putoption auch, die Prognose ist klar, aber Waschmüller will nicht anbeißen!«

Björn holte kurz Luft.

»Was ist?«, wollte Nele sofort wissen.

»Nicht hier«, sagte er leise, »das würde die schöne Geburtstagsfeier sprengen. Wir müssen uns was überlegen.«

»Spielt Waschmüller nicht mit?«

Björn nickte.

»Oje!« Nele warf einen Blick auf Lotte, die so glücklich in die Runde sah.

Björn brummte: »Da muss Jutta noch mal ran!«

»Wer hat denn die 30 000 Euro für die Option bezahlt?«

»Wer wohl ... Aber offensichtlich ist statt Waschmüller ein anderer Marktteilnehmer an der Börse angesprungen. Der ist jetzt Stillhalter. Egal wie, die 30 000 bekommen wir wieder raus.«

»Und das ist sicher?« Björn küsste sie auf die Stirn.

»Absolut!«

Sie fuhren im Konvoi zurück. So als Teil eines Ganzen unterwegs zu sein war für Nele völlig neu. Zuerst waren es ihr zu viele Motorräder, zu viel Lärm und zu viel Aufmerksamkeit in den Dörfern, aber dann gewöhnte sie sich daran. Es war eben ein anderes Gefühl, als alleine herumzustreifen, sagte sie sich. Beides hatte seinen Reiz. Trotzdem ging ihr die ganze Zeit Lotte im Kopf herum. Sie hatte ihr erzählt, wie dankbar sie Björn für seine Hilfe sei, dass er sie rette und alles Unrecht wiedergutmache. Es krampfte Nele den Magen zusammen, wenn sie daran dachte. Welche Möglichkeit hatten sie noch? Was wollte Björn tun? Wenn es Jutta als Waschmüllers Vermögensberaterin nicht schaffte, wer dann? Man konnte dem Mann schließlich nicht die Pistole vorhalten. Nele schmiegte sich an Björns Rücken. Manchmal war es eben doch schön, so einen starken Mann zu haben, dem man jede Lösung zutraute. Und weiter wollte sie im Moment nicht denken.

Sie waren alle gemeinsam zu Lottes Wohnung gefahren, und nachdem Lotte wieder im vierten Stock und in ihrem Bett gelandet war, fuhr Björn zur Harley-Factory und stellte das Bike direkt neben seinen Wagen. Nele stieg ab und rieb sich den Hintern.

»Das war wider Erwarten sehr schön. Muss ich zugeben.«

»Das freut mich besonders.« Er lächelte verschmitzt, blieb aber sitzen. »Wollen wir eine Aufgabenteilung machen?«

»Du Harley, ich BMW?«, fragte Nele zurück.

»Das wäre wunderbar!«

»Pass aber in der Garage auf.« Nele zwinkerte ihm zu.

»So was passiert mir nur einmal«, erklärte er und strich mit der Hand sachte über den glänzenden Tank. »Und wenn wir zu Hause sind, ruf ich ein Taxi und lade dich in eine Bar ein.«

»Ist es nicht noch ein bisschen früh?« Nele sah auf ihre Uhr. »Fünf! Wo willst du da in eine Bar?«

»Wir sollten den Tag einfach schön ausklingen lassen«, sagte er. »Etwas für uns beide allein.«

Nele dachte sofort an das Schlosshotel. Warum bekam sie Enrique nicht aus dem Kopf? Ging es Björn auch so? Hatte er auch so eine Erinnerung, die festsaß? Am liebsten hätte sie ihn gefragt. Aber den Gedanken schlug sie sich gleich wieder aus dem Kopf. Besser wäre es, die vergangenen Stunden mit Enrique in einem Schmuckkästchen zu verwahren und sich auf Björn zu konzentrieren.

»Oder«, fuhr er fort, »wir setzen uns mit Jutta und Enrique zusammen und versuchen, eine neue Strategie zu finden.«

Jutta und Enrique, wie sich das anhörte.

»Da kann man im Moment doch nichts entwickeln«, wehrte sie ab. »Jutta muss Waschmüller überzeugen, das hast du selbst gesagt.«

»Aber falls nicht, brauchen wir einen Plan B.«

Zu Hause hängte Nele ihre neue Ausrüstung in den Schrank und dachte, dass es nun vielleicht doch so kommen würde: Björns Plan funktionierte nicht, und sie würden Lotte aufnehmen, damit sie zumindest noch aus ihrem Bett zu Fuß an die frische Luft konnte.

Aber Dana, wo würde sie wohnen? Und wer würde Lotte pflegen? Sie hatte das nur angerissen, stellte sie fest, denn mit einer hübschen Wohnung allein war es ja nicht getan. Sie schloss den Schrank, verließ die Wohnung und ging nach oben ins Schlafzimmer. Duschen und umziehen, entschied sie, und dann würde man schon weitersehen.

Björn saß auf dem Bett und telefonierte mit Jutta.

»Tja«, sagte er, »was stört ihn denn?«

Er hörte zu und zuckte mit den Schultern.

»Ich verstehe es, ehrlich gesagt, nicht ganz. Eigentlich müsste er anbeißen. Ein Pharmakonzern mit internationalem Namen und Obama, der in Puerto Rico war und sich nun vor dem amerikanischen Kongress für eine Aufnahme als 51. Bundesstaat einsetzt ... komisch!«

Dann nickte er und winkte Nele kurz zu. »Nein, wir wollen noch ausgehen«, sagte er. »Zum Tanzen? Ich dachte an eine Bar ... aber alles ist möglich. Heute ist die Nacht der unbegrenzten Möglichkeiten.«

Sie schien etwas Lustiges zu erwidern, denn er lachte und verabschiedete sich. »Lieben Gruß an dich«, sagte er zu Nele.

»Danke!«

»Sie sagt, du sollst dir keine Sorgen machen, euer Ausflug steht trotzdem!«

»Hm …« Nele nickte und ging ins Badezimmer. Puerto Rico? Zu dritt? Das würde ihr noch fehlen, dachte sie. Bei aller Liebe, aber da würde sie sich ausklinken.

Björn war ihr gefolgt.

»Wonach steht dir denn jetzt der Sinn?«, wollte er wissen. »Magst du tanzen gehen? Oder zu Chester, schön essen und später in eine Bar? Oder mal wieder in den Tigerpalast?«

Ihr war die Lust vergangen, aber sie wollte Björn nicht enttäuschen.

»Wir feiern unser neues Familienmitglied«, sagte er.

Nele dachte spontan an Lotte, aber fast gleichzeitig ging ihr auf, was er meinte.

»Ja. Mister Fat Boy, da haben wir was zu feiern. Und die missglückte Geldbeschaffungsmaßnahme?«

»Das kommt schon noch.« Er nahm sie in den Arm. »Aber heute sind wir dran!«

Die nächsten beiden Tage konnte Björn nicht verheimlichen, dass auch ihm nicht mehr ganz wohl bei der Sache war. Es war einfach etwas anderes, ob man im Beruf den großen Zampano abgab oder im Privaten. Klar, dachte er, hätte er sich nun auf die Hinterbeine stellen können. »Hier habt ihr eure bescheuerten Fotos, macht damit, was ihr wollt.« Aber er dachte nicht mehr so. Er hatte bereits nach dem ersten Besuch im Plattenbau nicht mehr so gedacht. Und er ahnte auch, dass die Harleyjungs nicht mehr so dachten. Und tatsächlich. Die ganze Geschichte war ihnen nur noch peinlich, vor allem, nachdem Dana von Björns Gourmetbesuch bei ihrer Großmutter erzählt hatte. Sie hatten die Fotos gelöscht und schätzten Björn richtig ein: Jetzt fühlte er sich verantwortlich. Da gab es jemanden, der auf seine Hilfe vertraute. Er konnte Lotte nicht enttäuschen.

Nele spürte, was in Björn vor sich ging. Selbst die neue Harley vor der Tür konnte ihn nicht wirklich aufheitern. »Wieso bin ich kein Multi, der einfach mal schnell was Gutes tun kann«, sagte er plötzlich nachts vor dem Einschlafen.

»Ja«, murmelte Nele. »Aber eigentlich musst du doch nicht ausbügeln, was andere verbockt haben.«

»Nein«, sagte er gähnend, »dazu wird auf dieser Welt zu viel verbockt. Aber wenn sich jeder nur ein kleines Stück Wiedergutmachung vornimmt …« Seine Stimme wurde leiser, und gleich darauf war er eingeschlafen. Nele strich ihm übers Haar. Diese Töne kannte sie gar nicht. Aus dem Wolf mit den Reißzähnen wurde langsam ein friedliebendes Schaf. Ob sich das mit seinem erneuten Berufseinstieg wieder ändern würde?

Björn war kaum aus dem Haus, als es an der Eingangstür klingelte. Nele hatte eben das Frühstücksgeschirr in die Geschirrspülmaschine gestellt und sich gerade einen zweiten Kaffee durchlaufen lassen. Sie öffnete und stand Enrique gegenüber. Im ersten Moment erstarrte sie, dann trat sie einen Schritt zurück. »Komm herein«, sagte sie. »Lange nicht gesehen.«

»Ich wollte mich nicht aufdrängen.« Er folgte ihr ins Haus.

»Möchtest du einen Kaffee?« Sie standen sich in der Küche gegenüber, wie es schon einmal der Fall gewesen war.

»Gern.«

Er sah ihr ins Gesicht, und sie musste sich beherrschen, um ihm nicht um den Hals zu fallen. Wie verrückt konnte man als 45-Jährige eigentlich sein? Sie drehte sich um und beschäftigte sich mit der Kaffeemaschine. Ablenkung tat jetzt gut.

»Ich muss mich entschuldigen, weil ich dich im Ungewissen gelassen habe …«, begann er.

»Wie meinst du das?«, fragte sie über die Schulter.

»Na, diese Begegnung. Bei dir mit Jutta und Jasmin.«

»Gut, dass sie da waren!« Der Lärm der Mühle übertönte kurz alles.

»Ja, schon.« Er nickte. »In zweifacher Hinsicht. Zunächst wegen Björn, er war schon wieder ganz schön angefressen, und dann haben Jutta und ich an dem Lotte-Projekt gearbeitet.«

Lotte-Projekt, dachte Nele. Das hört sich gut an. Wunderbar harmlos. »Ja!« Sie schäumte Milch auf und häufte einige kleine Florentiner aus dem Küchenschrank auf einen Kuchenteller. »Aber da scheint es ja Schwierigkeiten zu geben …?«

»Ja. Leider. Wir haben uns wirklich Mühe gegeben, die richtige Firma zu finden. Und sie ist es auch. Tadelloser Name, alles gut. Weiß der Teufel, warum …«

»Ja«, sagte Nele wieder. Dann drehte sie sich um, seine Tasse in den Händen. »Und wir?«, fragte sie. Diese Frage brannte ihr auf der Seele. Alles andere war ihr egal. Alles andere würde Björn schon irgendwie richten.

»Ja.« Er stützte sich mit beiden Händen nach hinten ab, als ob er sie unter Kontrolle halten wollte. »Ich wurde mir an diesem Nachmittag bei dir im Garten plötzlich bewusst, was ich da mache. Ich dränge mich in eine intakte Ehe. Das …«, er schüttelte leicht den Kopf, »das geht einfach nicht!«

»Müsste nicht ich das sagen?«

»Ja«, er stockte, »vielleicht. Ich weiß nicht.« Seine Augen suchten ihre. »Es war jedenfalls ein unglaubliches Erlebnis, ich trage es fest in meinem Herzen.«

Nele hätte heulen können. Poet war er also auch noch.

»Du bist so verdammt jung«, sagte sie.

»Das Alter spielt für mich keine Rolle.« Er nahm ihr die Tasse ab, und schon alleine das Gefühl seiner Fingerspitzen an ihren gab ihr einen Impuls wie ein elektrischer Schlag.

»Und mit Jutta?« Es fiel ihr schwer, das zu fragen. »Seid ihr ein Paar?«

Er lächelte. »Sieht vielleicht so aus. Und ich möchte auch behaupten, dass sie das gerne hätte ...« Er neigte leicht den Kopf. »Und sie hat uns vor weiteren Fragen deines Mannes gerettet ...«

»Sie wäre nicht Jutta, wenn sie sich dabei nichts gedacht hätte«, warf Nele ein.

Er grinste. »Ja, sie ist eine Frau, die genau weiß, was sie will. Das heißt aber nicht, dass sie alles bekommt.«

»Also dich nicht?« Nele musste es einfach wissen. Es nagte seit jenem Nachmittag an ihr, und seitdem Björn so rundweg von Jutta und Enrique als Paar gesprochen hatte, umso mehr.

»Lass dich mal umarmen«, sagte er und stellte seine Tasse weg. »Ich würde nichts lieber tun, als dich nach oben zu tragen. Ich stelle mir deinen Körper vor, seitdem ich ihn erkundet habe. Ich hätte große Lust, das jeden Tag zu tun.« Er nahm sie in den Arm, und sie spürte seine Lippen an ihrem Ohr. »Aber es hat keine Zukunft. Es macht zu viel kaputt. Wir müssen es als unsere Erinnerung bewahren. Etwas, an das wir immer wieder denken können.«

»Aber ich möchte nicht, dass es aufhört!« Sie kam sich vor wie ein kleines Mädchen. Gleich würde sie zu betteln anfangen. Sie musste sich beherrschen. »Ein letztes Mal?«, fragte sie. »Im Schlosshotel? Tanzen und uns verabschieden?« Womit konnte sie ihn locken?

»Verabschieden.« Er knabberte an ihrem Ohr. »Sehr verlockend.«

Dann hielt er sie etwas von sich weg.

»Nein, Nele, es würde nicht aufhören. Es würde schlimmer werden. Du gehörst hierher, das ist dein Zuhause, dein Mann, dein Sohn, alles passt. Ich bin der Eindringling, der Störenfried. Ich muss mich aus deinem Leben entfernen, das bin ich dir schuldig. Und mir selbst auch.«

»Du bist so ehrenhaft«, sagte sie. »So verdammt ehrenhaft!« Sie kannte sich selbst nicht mehr. Was war eigentlich mit ihren Moralvorstellungen? Seit Neuestem zählte das wohl gar nicht mehr.

»Das bin ich nicht«, sagte er. »Ich bin dabei, es für mich schönzureden. Ich hätte ja nichts zu verlieren. Selbst wenn Björn uns überraschen würde, wäre es unangenehm, aber für mich keine Katastrophe. Für dich allerdings schon!«

Nele dachte an die Pistole, die jahrelang unter ihrem Bett gelegen hatte. Wer wusste schon, wie heißblütig ihr Mann war?

Als Enrique gegangen war, setzte sie sich ins Wohnzimmer vor das Fenster und sah in den Garten hinaus. Es ging ihr schlecht. Ihr war übel, und schließlich heulte sie. Sie heulte über alles. Hätte es in ihrem Leben auch einen anderen Weg gegeben? Hatte sie den richtigen gewählt? War ihr Leben nicht tödlich langweilig verlaufen? Immer der gute Geist im Haus, das Kind im Kindergarten, den Jugendlichen in der Schule, der Erwachsene, der das Haus verließ. Zurück blieb sie. Dann sah sie ihn: Der Kater durchquerte den Garten. Sie sprang auf und sah zum Rhododendron. War die Amsel wieder da? Nein. Das gab ihr den Rest. »Du Scheißkerl hast sie gefressen«, sagte sie, und darüber heulte sie dann noch mehr.

Björn hatte ebenfalls mit seiner Stimmung zu kämpfen. Er hatte sich zum Mittagessen mit Jutta getroffen, und sie waren alle Möglichkeiten durchgegangen, fanden aber keinen neuen Weg.

»Es ist einfach nur super ärgerlich«, sagte Björn. »Waschmüller wird sich ins Fäustchen lachen, wenn er den Niedergang der Firma mitkriegt. Und nicht den versprochenen Aufstieg.«

»Tja«, Jutta nickte, »tut mir leid!«

»Was macht der Kurs überhaupt?«

Jutta zuckte mit den Schultern. »Ist gefallen. Aber nicht wie gedacht.«

»Aber zumindest so, dass mein Einsatz wieder raus ist?«

»Das auf jeden Fall!«

»Na, immerhin etwas …«

Björn sah sich nach dem Kellner um. »Magst du noch was trinken?«

»Einen Espresso, bitte.«

»Und was macht dein Liebesleben?«, fragte Björn.

»So viel wie deins«, wich Jutta aus.

»Dann hast du ja Glück …« Björn zwinkerte ihr zu.

»Nele?« Er rief schon, bevor er richtig zur Haustür herein war. »Nele?«

Nele hatte sich einen Pflegenachmittag gegönnt. Wellness ist gut fürs Seelenheil, hatte sie sich gesagt. Sport konnte sie wegen ihres Schleudertraumas noch keinen treiben, aber ein pflegendes Bad mit guten Gerüchen, einem Gläschen Champagner und einer brennenden Kerze half auch.

Sie kam im Bademantel herunter. »Brennt's?«, fragte sie.

»Nein!« Er nahm sie zur Begrüßung in den Arm. »Nicht wirklich! Aber wir müssen was für uns tun!«

»Ja?«, sagte sie. »Und was?«

»Du duftest so gut!«

»Ich komme gerade aus der Badewanne.«

»Also … komm.« Er nahm sie bei der Hand und zog sie in die Küche. »Ich habe meine soziale Ader entdeckt. Ja, lach nicht, das kam spät, aber jetzt ist es eben so.«

»Und jetzt willst du Lotte bei uns einquartieren.«

»Das war dein Vorschlag.« Er öffnete den Kühlschrank. »Haben wir was zu trinken?« Nele griff an ihm vorbei und nahm die angebrochene Champagnerflasche heraus.

»Champagner?« Er sah sie an. »Gibt es was zu feiern?«

»Ja, uns beide. Das hast du gerade selbst gesagt. Sprich weiter!«

Er ging ihr voraus ins Wohnzimmer, nahm zwei Champagnergläser aus dem Schrank und setzte sich vors Fenster.

»Gut!« Nele folgte ihm, und er schenkte ein.

»Ich werde morgen den Gang antreten, den ich nie antreten wollte.«

»Hast du eine neue Arbeit?«

Er lachte bitter. »Nein, ich werde Lotte die Situation erklären müssen. Und anschließend Dana und den Jungs.«

»Ja. Sie halten dich für einen Überflieger, sie denken, du schaffst das.«

»Ursprünglich haben sie geglaubt, ich könnte das aus der Portokasse bezahlen.«

Nele nickte. »Ja, da würde mir allerdings noch was anderes einfallen, als es einfach zu verschenken.«

»Siehst du«, sagte Björn. »Und was?«

Nele nahm einen Schluck aus ihrem Glas und sah Björn dabei über den Rand an.

»Das ist jetzt zu schnell. Ich müsste darüber nachdenken.«

»Tja«, sagte er und prostete ihr zu. »Wir haben es ja leider auch nicht cash herumliegen.«

»Eben.« Nele überlegte. »Was hast du vor?«

»Ich werde Lotte morgen die Situation schildern, ihr aber auch sagen, dass ich zwar ihr Geld nicht zurückholen kann, mich jedoch um ihre Krankheit kümmern werde. Unter meinen alten Kunden gibt es sicherlich entsprechende Fachärzte. Die werde ich heraussuchen und kontaktieren. Da muss es doch eine Lösung geben!«

»Das ist eine gute Idee!«

»Ja.« Er verzog das Gesicht. »Wenigstens etwas.«

»Und wir beide? Du wolltest mir doch etwas sagen?« Sie zog die nackten Beine zu sich hoch unter ihren Bademantel.

»Dass wir beide abhauen. Eine schöne Reise, sobald wir das hier geklärt haben.«

»Schöne Reise? Wir waren doch erst in Florida!«

»Ich dachte an irgendetwas, das dir gefällt. Denk nach. Ayurveda in Indien? Farbenrausch auf Bali? Sangria auf Mallorca?«

»Sangria auf Mallorca?« Sie musste lachen. »Ja, das wäre genau mein Traum!«

»Irgendwas für uns beide, Nele.« Er sah sie an. »Ich meine es ernst. Wir müssen uns neu entdecken.«

»Björn«, sagte sie langsam. »Du bist so anders geworden. Fast erschreckst du mich. Du bist überhaupt nicht mehr der Mann, der du vorher warst.«

»Ist das schlimm? Willst du den alten wiederhaben?« Auch er sprach betont langsam. »Die Wahrheit ist, ich war schon immer so. Ich habe es nur nicht zugelassen. Diese zweite Seite war verschüttet. Jetzt taucht sie allmählich wieder auf. Gefällt sie dir nicht?«

»Doch!« Nele nickte. »Sogar sehr. Ich muss mich eben erst daran gewöhnen.«

In diesem Moment klingelte es an der Haustür. Nele sah kurz auf ihre Armbanduhr. Björn wollte sich erheben, aber Nele war schneller. »Lass nur, ich wollte mir sowieso ein paar Socken holen.« Sie strich ihre noch feuchten Haare kurz mit beiden Händen straff nach hinten, schnürte ihren Bademantel fester zu und ging barfüßig hinaus. Sie hatte Wein bestellt, das könnte der Lieferant sein, dachte sie, als sie öffnete.

Vor ihr stand Denise, die ehemalige Chefsekretärin ihres Mannes. Nele machte automatisch einen kleinen Schritt zurück. Ups, dachte sie völlig verdattert.

»Guten Abend, Frau Schäfer.« Sie sah formvollendet aus, dachte Nele. Die vollen, blonden Haare fielen leicht gewellt über ihren dunkelblauen, leichten Mantel. Denise reichte ihr die Hand.

»Ja, guten Abend.« Sie sahen einander in die Augen, und Nele dachte nur, kommt jetzt noch eine Wahrheit ans Licht? »Wollen Sie zu meinem Mann?«

Denise lächelte. »Es genügt, wenn Sie ihn von mir grüßen und ihm das hier geben.« Sie streckte Nele ein kleines, dickes Kuvert aus Pappe entgegen. »Es kam heute und ist ausdrücklich an ihn gerichtet.« Sie hielt das Kuvert hoch. »Persönlich, steht da. Und da ich es nicht an meinen neuen Chef weiterleiten wollte, dachte ich mir, ich bringe es vorbei.«

Nele trat einen Schritt zur Seite. »Ja, dann kommen Sie doch herein. Er ist im Wohnzimmer.«

»Das ist nicht nötig.« Denise überreichte Nele das Kuvert. »Genießen Sie den Abend«, sagte sie, drehte sich um und ging.

Nele sah ihr kurz nach, bevor sie sachte die Tür hinter ihr schloss. Mit dem Kuvert ging sie zurück ins Wohnzimmer.

»Und wer war es?«, wollte Björn wissen.

»Deine Ex«, sagte sie. Exgeliebte wollte sie sagen, schenkte es sich aber.

»Meine Ex?«

»Deine Exsekretärin, Denise Weiher.«

Sein Gesicht bekam einen fragenden Ausdruck. Hm, dachte Nele und verkniff sich ein boshaftes Lächeln. Jetzt bekommt er bestimmt gerade heiße Füße. »Das hier soll ich dir geben.« Sie reichte ihm das Kuvert und setzte sich neben ihn auf die Couch. »Sie wollte es lieber dir vorbeibringen, als es ihrem neuen Chef zu geben.«

»Da steht auch mein Name drauf!« Björn wies auf den Namenszug und das unterstrichene »Persönlich«.

»Ja, aber es ist an die Bank adressiert. Das hat sie wohl eher dir zuliebe getan ...«

»Vielleicht kann sie den Neuen nicht leiden.« Er drehte das Kuvert um. Kein Absender.

»Zugeklebt wie eine Bombe«, sagte er, und Nele stand noch mal auf, um eine Küchenschere zu holen.

Die Klebestreifen erwiesen sich als hartnäckig. »Eine CD«, sagte er schließlich und hielt die durchsichtige Hülle mit der glänzenden Scheibe hoch.

»Nicht schon wieder!« Nele nahm ihm das Kuvert ab. »Die nächste Erpressung. Diesmal mit deiner Exsekretärin?«

»Red keinen Blödsinn!« Unwillig nahm ihr Björn das Kuvert wieder ab und sah hinein. Mit zwei Fingern zog er ein Briefkuvert heraus und riss es mit dem Zeigefinger auf.

»Aha«, sagte er, faltete einen kleinen Brief auseinander und las laut vor.

Sehr geehrter Herr Schäfer, ich bin einer der ehemaligen Mitarbeiter von Herrn Waschmüller. Heute habe ich mich wieder gefangen, aber ich habe, wie die meisten meiner Kollegen, meine Familie und Freunde mit in den Abgrund gerissen, weil ich ihnen finanzielle Versprechungen machte, die ich nicht halten konnte. An ihnen habe ich verdient – und nachdem ich alle abgegrast hatte, war Schluss. Trotz sektenartiger Einstimmung aller Mitarbeiter konnte ich darüber hinaus kaum Kunden gewinnen. Ich habe mich einfangen und dann zerstören lassen und habe lieben Menschen geschadet. Meine Schuld wiegt schwer.

Derjenige, der im Zentrum dieser Anlagebetrügereien stand, empfindet bis heute keine Schuld. Er protzt mit seinem ergaunerten Geld und sonnt sich in seiner Gerissenheit.

Ich arbeite jetzt in der Schweiz, bei einer Bank. Und da fiel mir ein großes Schwarzgeldkonto auf. Ich schicke diese CD nicht an das Finanzamt, sondern an Sie. Ihre Bank verwaltet sein Konto. Bei Ihnen laufen die Fäden zusammen, entscheiden Sie, was Sie mit der CD tun. Vielleicht etwas für die Opfer? Das wäre mein Wunsch …

Björn ließ den Brief sinken. Sie sahen sich eine Weile sprachlos an. »Träum ich das jetzt?«, fragte Björn.

»Keine Ahnung. Aber kannst du mit so was in den Knast kommen?«

»Keine Ahnung!«

Björn stand auf. »Ich hol den Laptop. Das schauen wir uns an.«

Gleich darauf war er wieder da, fuhr den Computer hoch und legte die CD ein. Beide sahen sie gebannt auf die Liste, die sich vor ihnen auftat.

»Das sind ein paar Millionen«, sagte Björn schließlich.

»Und was machen wir jetzt?«, wollte Nele atemlos wissen.

»Jetzt denke ich darüber nach, und wenn ich mir eine Strategie zurechtgelegt habe, rufe ich Herrn Waschmüller an. Er ist sicherlich an einer Einigung interessiert.«

»Und dann?«

»Dann ruf ich die anderen an, und wir treffen uns bei Lotte.« Er stellte das Laptop auf den Tisch.

»Und dann?«

»Dann wird alles so, wie es sein sollte.«

»Hört sich gut an! Und endlich mal ein echter Grund, um anzustoßen!«

Während sie nach der Flasche griff, fiel ihr Blick nach draußen in den Garten.

»Björn!«, rief sie und sprang auf. »Schau!« Sie wies nach draußen, und sein Blick folgte ihrem Zeigefinger. Unter dem Rhododendron saß die Amsel.

»Ich glaub's nicht«, sagte Björn. »Sie ist wieder da!«

»Und nicht nur sie!« Nele lachte. »Das ist ja ein richtiger Glückstag!«

Unter dem Busch kam eine zweite Amsel hervor, und gemeinsam flogen sie auf den nächsten Baum. Quer durch den Garten schritt der Kater, sah kurz zu ihnen auf und ging ungerührt weiter.

Leseprobe aus
Gaby Hauptmann

Frei wie der Wind – Kayas Pferdesommer

Leo erklärte Kaya die Kuchentheke, führte die professionelle Kaffeemaschine vor, zeigte ihr die gängigsten Drinks, außerdem wie man ein Pils ordentlich zapft und einen Aperol Spritz mischt. Wie man mehrere Gläser auf ein Tablett packt und dies schließlich auch noch trägt. Kaya schwirrte der Kopf, und außerdem fühlte sie sich im engen Dirndl völlig unbeweglich, wie gern hätte sie jetzt bequeme Jeans und T-Shirt angehabt. Aber da ließ sich bereits eine ältere Dame auf einem der Liegestühle nieder und schaute auffordernd herüber.

»Das ist Gräfin Eleonore zu Klausenthal. Da können Sie gleich mal einen Versuch starten. Freundlich nach den Wünschen fragen. Also …« Leo sah sie durchdringend an, und seine blauen Augen stachen aus seinem braun gebrannten Gesicht heraus. »Guten Morgen, Gräfin, was darf ich Ihnen bringen?«

Kaya nickte und sagte sich den Satz vor, bis sie vor der Gräfin stand. Diese trug einen offenen weißen Hotelbademantel über ihrem violettfarbenen Badeanzug und sah zu ihr hoch. Kaya schätzte sie auf siebzig. Mindestens.

Ihre braune lederne Gesichtshaut hatte sich in Falten gelegt und erinnerte Kaya an eine chinesische Hunderasse, die sie mal im Fernsehen gesehen hatte. Aber ihr Blick war freundlich, und offensichtlich wollte sie Kaya nichts Böses. Nur dass sie ihren knallroten Lippenstift über die Lippen hinausgemalt hatte, brachte Kaya aus dem Konzept.

»Äh«, sagte sie.

»Guten Morgen, junges Fräulein«, antwortete die Gräfin und lächelte mit offenem Mund. Sie hatte beim Schminken auch die Zähne erwischt! Sollte sie ihr das sagen? So konnte sie doch nicht herumlaufen!

»Ähm«, machte Kaya und überlegte fieberhaft. War ein Hinweis richtig oder falsch?

»Sind Sie neu hier?«

»Oh ja, ja. Entschuldigung.« Kaya entschied, nichts zu erwähnen. Vielleicht lief sie ja immer so herum. »Was wünschen Sie?«

»Oh, wünschen …« Sie zog das Wort unendlich lang. »Wünschen würde ich mir vieles. Einen jungen, attraktiven Mann an meiner Seite zum Beispiel.«

Kaya starrte sie an. Dann riss sie sich zusammen.

»Ähm, ja, wer tut das nicht«, antwortete sie, was die Gräfin zu einer Lachsalve veranlasste.

»Hi, hi, köstlich«, sagte sie und hüstelte in ihre Hand. Jetzt waren auch ihre Finger rot. Das war ein verdammt schlechter Lippenstift, dachte Kaya, der hielt ja überhaupt nicht. »Aber bringen dürfen Sie mir einen Bellini. Ich muss den Morgen ja gebührend begrüßen.«

»Sehr gern«, sagte Kaya, die keine Ahnung hatte, was die Gräfin da trinken wollte. Oder war es etwas zu essen?

»Einen Bellini«, bestellte Kaya bei Leo und sah zu, wie er einen weißen Pfirsich mit etwas Wasser und Zuckersirup pürierte, in eine Sektschale gab und mit kaltem Champagner auffüllte.

»Das ist ein Bellini«, sagte er und zwinkerte ihr zu. »Als Nächstes wird sie einen Sir Henry bestellen, so hieß nämlich ihr Mann.«

»Lebt er nicht mehr?«

»Sie hat ihn eingemauert, sagt man. Aber immerhin trinkt sie noch auf ihn.«

Kaya wäre fast das dünnstielige Glas aus der Hand gerutscht. »Sie hat was?«

Leos Augenbrauen hoben sich. Sie waren dicht und buschig und überhaupt die einzigen Haare, die er am Kopf trug.

»Irgendwann war er nicht mehr dabei. Im Jahr zuvor war er mit einer Geliebten hier und ein Jahr später verschollen.«

»Und da ... glaubt ihr?«

»Sie sagt das selbst.«

Wollte er sie veräppeln? Kaya stellte das Glas auf ein kleines Silbertablett, das ihr Leo reichte, und ging damit langsam auf die Gräfin zu. Nur nicht stolpern, dachte sie, wäre es aber fast doch, denn zwei Möpse kamen angeschossen, die sich unbedingt um sie herum jagen mussten.

»Bruce Willis!«, rief eine schrille Stimme, aber Kaya beschloss, sich nicht ablenken zu lassen.

»Bitte, Ihr Bellini«, sagte sie zur Gräfin und stellte das Tablett ohne Unfall auf einem Beistelltisch ab.

»Ach, die schon wieder«, sagte die Gräfin und sah an ihr vorbei. »So ein kapriziöses Miststück. Ist nur berühmt, weil sie berühmt ist. Geleistet hat sie nichts.«

Jetzt war Kaya aber doch neugierig geworden und drehte sich um. Mit überdimensionalem Sonnenhut näherte sich eine gertenschlanke Frau im schwarzen Bikini und auf hohen Hacken, mit denen sie stochernd über die Wiese stolzierte.

»Bruce!«, kreischte sie wieder. »Willis!«

»Die dürfen überhaupt nicht auf die Kaiserwiese!« Die Gräfin deutete mit dem Zeigefinger auf die beiden Hunde und erhob die Stimme. »Schaffen Sie die Viecher da weg!«

Kaya sah sich hilflos nach Leo um. Was war zu tun? Aber Leo war wohl mal kurz hineingegangen, die Bar war verwaist. Mussten sich denn morgens um neun schon so viele Menschen auf der Wiese herumtreiben? Hatten die nichts Besseres zu tun?

Die neu Ankommende ging gar nicht darauf ein, sondern legte ihr mitgebrachtes Badetuch auf eine Liege direkt am Pool und schnippte mit den Fingern.

Kaya betrachtete sie und fragte sich, was das solle, bis ihr auffiel, dass sie gemeint war.

»Service!«, kam die Aufforderung mit Nachdruck, und jetzt war klar, Kaya war der Service, also musste sie hin.

»Geben Sie ihr am besten Gift«, riet die Gräfin, aber Kaya verzog keine Miene. Wenn nur Leo endlich wieder da wäre.

»Guten Morgen«, sagte sie, wie Leo es ihr beigebracht hatte. »Was darf ich Ihnen bringen?«

»Zunächst mal schaffen Sie das alte Schrapnell weg und dann MaHaLo für die Hunde und einen Latte macchiato für mich! Er kennt meine Milchsorte.«

Sie war noch keine dreißig, so viel war sicher. Aber von Kopf bis Fuß, vom funkelnden Fußkettchen bis zu den glitzernden Ohrringen, wirkte sie teuer. »Ja, bitte«, fuhr sie jetzt Kaya an. »Was ist?«

Offensichtlich hatte sie zu lange gezögert. Aber bitte, wann begegnete sie schon mal solchen Leuten? Da war einmal schauen doch wohl legitim?

Kaya nickte nur und hatte prompt vergessen, was sie für ihre Hunde wollte. Eine Wurst? Oder was hatte sie da gesagt?

Die Sonne stand schon ganz ordentlich heiß am Himmel, und langsam kam Kaya ins Schwitzen. Das konnte ja heiter werden. Den ganzen Tag auf der Kaiserwiese, und das bei dreißig Grad? Im Dirndl? Ohne einen einzigen Sprung ins Wasser?

Leo war zurück. Gott sei Dank!

»Leo, sie möchte irgendwas Komisches für ihre Hunde …«

»… die hier gleich wieder rausfliegen«, unterbrach er sie.

»Und außerdem einen Latte macchiato mit einer besonderen Milch.«

»Biomilch. Kriegen hier sowieso alle. Aber dass wir ein Bio-hotel sind, hat sie irgendwie noch nicht kapiert!«

»Wer ist das denn?«

»Ach, eine, die sich wichtigmacht. War mal bei irgendeiner Castingshow dabei. Fragen Sie mich nicht.«

»Und das Zeug für die Hunde?«

»MaHaLo. Haiwaiianisches Tiefseewasser. Musste extra wegen dieser Möpse ins Sortiment.«

»Sind alle so?«

»Nein!« Er grinste von einem Ohr zum anderen. »Das sind unsere beiden Dramaqueens. Die, die wirklich was draufhaben, bemerkst du gar nicht, die sind normaler als normal.«